La historia secreta del evismo

Emilio Martínez

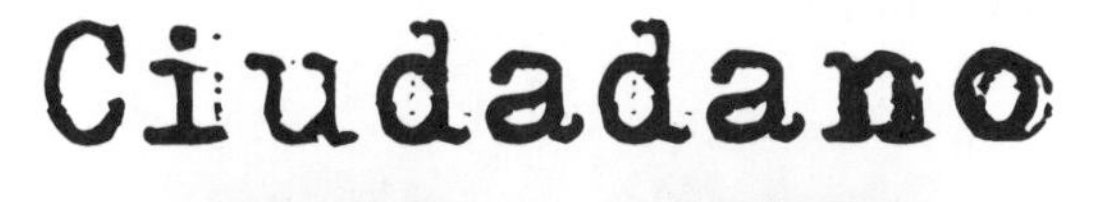

La historia secreta del evismo

5ta. edición

Santa Cruz de la Sierra
2008

CIUDADANO X,
La historia secreta del evismo
Emilio Martínez Cardona

Depósito legal: 8-1-771-08
ISBN: 978-99954-39-11-8

1° edición febrero 2008, 700 ejemplares
2° edición marzo 2008, 1000 ejemplares
3° edición abril 2008, 2000 ejemplares
4° edición mayo 2008, 1500 ejemplares
5° edición julio 2008, 1500 ejemplares

Arte y diseño de tapa: Silvia Sitić
Fotografía: Joaquín Carvajal
Diagramación: Preprensa Editorial Imprenta El País

Impreso en Editorial Imprenta EL PAIS
Cronenbold # 6
Telf.: (591-3) 334 3996 / 333 4104
Casilla Postal: 2114
edpais@cotas.com.bo
Santa Cruz de la Sierra

Impreso en Bolivia – Printed in Bolivia

“La historia es un interminable desfile de rumores”.

Thomas Carlyle

PRÓLOGO

En los últimos y agitados tiempos tuve la oportunidad de hablar con políticos, intelectuales, empresarios y dirigentes sociales, sobre diferentes aspectos de la situación del país. La parte más atractiva de esas conversaciones fue produciendo un abundante *off the record*, información valiosa que podía ser hecha pública pero cuyas fuentes debían permanecer en el anonimato.

Luego de darle muchas vueltas al asunto, concluí que la mejor manera de liberar esa información acumulada era atribuirla a una máscara colectiva, un personaje literario que pudiera fusionar las voces de todos los entrevistados. Un *Ciudadano X* que, como la incógnita del álgebra, sería uno y muchos al mismo tiempo. Una ficción paradójica que ayudaría a entender mejor la realidad.

Ese artificio también me permitió unir los dos cauces por los que ha discurrido mi escritura: prensa y literatura, resultando el presente libro, que utiliza herramientas del periodismo narrativo para tratar de responder a preguntas incómodas como las que pueden leerse en la tapa.

En diálogo con el entrevistador, el infidente *Ciudadano X* va descorriendo el telón de lo sucedido tras bastidores en el proceso político boliviano de los últimos años. Huelga decir que el personaje fue adquiriendo vida propia y que acabó siendo algo más que una síntesis de los entrevistados. A eso hay que agregar las fuentes periodísticas y documentales que he sumado a las declaraciones testimoniales, a medida que investigaba para contrastarlas.

No fue mi propósito hacer una simple crónica de los hechos, sino bucear en la *intrahistoria*. Sin embargo, he procurado ser didáctico en la exposición de los sucesos más importantes, teniendo en cuenta al lector de terceros países. Datos que el lector nacional, ya familiarizado con el contexto, sabrá obviar.

Confieso que al unir las piezas del rompecabezas, al eslabonar los hechos, el resultado ha sido inquietante. Espero que usted pueda enriquecer con nueva información las eventuales reediciones de este libro.

Esta es una historia escrita desde Santa Cruz, sin falsas neutralidades.

E.M.

Febrero de 2008

CAPÍTULO I

CONFIDENCIAL

Las ONGs y el proyecto Evo Morales/Coca 90/La mano invisible de Soros/Viáticos revolucionarios y pongos políticos/Internacionalismo cocalero/El financista del caos/Golpismo ONG.

- Quítese la venda de los ojos: la construcción del actual proyecto de poder hegemónico viene de muy atrás, mucho más de lo que usted supone. Ya en 1994, en Alemania, una viajera boliviana oyó decir a consultores del Parlamento Europeo que Evo Morales llegaría a ser presidente de la república.

X sonríe afablemente al soltar su comentario, en la primera de nuestras conversaciones. Se encorva sobre el capuccino humeante y continúa hablando, mientras se escucha una voz por el altoparlante que anuncia la próxima partida de un vuelo internacional.

- Por supuesto, la viajera nunca había oído hablar de Evo, que por esa época ni siquiera era diputado, apenas un dirigente que hacía la transición de secretario de deportes de la Federación de Cocaleros del Trópico de Cochabamba al cargo de máximo ejecutivo de esa organización. Pero los Organismos No Gubernamentales del viejo continente y los europarlamentarios de la izquierda radical ya le habían echado el ojo...

- *¿No cree que suena un poco conspirativo?*

- Para nada. La cuestión de fondo es que los conflictos políticos bolivianos de los últimos años, de la última década me animaría a decir, han estado influidos por actores internacionales que tienen sus propios intereses estratégicos. Esto no quiere decir que no existan procesos sociales, que han marcado y marcan los tiempos recientes, pero hay que entender que son mucho menos espontáneos de lo que se cree. ¿Recuerda sus lecturas juveniles de Marx?

- *Algo.*

- Entonces sabrá que, según la teoría marxista, la revolución requiere condiciones objetivas pero también subjetivas. En este caso, un entramado de Organismos No Gubernamentales se ha encargado de construir las condiciones subjetivas para que en Bolivia se desarrollara un supuesto "proceso revolucionario". Para eso han aportado organización, adoctrinamiento ideológico y táctico, planificación e ingentes recursos económicos.

Han trabajado con una paciencia y constancia que podría calificar de admirables, de no ser porque las consecuencias de ese trabajo han desembocado frecuentemente en hechos trágicos.

- *Déme un ejemplo.*

- Voy a darle varios y va a necesitar muchas páginas de su libro para registrarlos, desde la resistencia violenta a la erradicación en El Chapare hasta las confrontaciones generadas por las políticas de división étnica y regional de la administración MAS, pasando por octubre negro. Pero no se apure. Antes de llegar a eso, tenemos que ver el papel asumido por varias ONGs en la articulación del frente cocalero y de los partidos emanados de él: el Instrumento Político por la Soberanía de los Pueblos y el Movimiento Al Socialismo. Entre aquellos organismos hay que tener muy en cuenta a Coca `90, dirigido por el antropólogo británico Anthony Hennan. Su proyecto es promover la despenalización de la hoja de coca ante el Consejo Europeo de ONGs para las Drogas y el Desarrollo[1] y oponerse a las iniciativas de erradicación llevadas adelante por los gobiernos de Bolivia y Perú. En el caso de Bolivia, hablo de gobiernos anteriores...

- *Queda claro. Pero, ¿cómo relaciona a esa organización con Evo Morales y los cocaleros del Trópico?*

- Una vez que Evo logró la diputación, Coca ´90 comenzó a promocionarlo en el plano internacional. Incluso organizó un foro mundial sobre la legalización de la coca, que se realizó el 11 de junio de 1998 en la George Washington University, con el apoyo del Departamento de Antropología de esa universidad, que impulsa un programa denominado "Proyecto Andes". Se invitó a delegaciones de cultivadores de coca provenientes de Bolivia, Perú y Colombia, con todos los gastos pagos. Adivine quién estaba invitado por nuestro país.

- *Evo.*

- Bingo. Lamentablemente para él, sus antecedentes no lo ayudaron con el Departamento de Estado norteamericano, que le negó la visa de entrada. ¿Quiere saber quiénes pagaron la convención? El Washington Office on Latin America, el Institute for Policy Studies y el Transnational Institute, que casualmente es el que costea las operaciones de Coca ´90, con lo que cerramos el círculo de los dólares danzantes.

- *La proyección de Evo Morales fuera de fronteras comenzó en el Perú, donde fue visto como un modelo a seguir por los cocaleros de ese país.*

---

1 European NGO Council on Drugs and Development (ENCOD).

- Exactamente. Fue una de las principales jugadas de estas ONGs para "internacionalizar" la lucha por la coca libre. En 1996, mientras entrenaban a Evo Morales para su campaña por la diputación, uno de los organismos de esa red impulsaba la articulación política de los cocaleros del Perú. Hablo de la Comisión Andina de Juristas. En su lista de integrantes encontramos varios nombres conocidos. ¿Le suenan Juan del Granado y Waldo Albarracín? En ese año, la CAJ ofreció una conferencia de prensa conjunta con el Consejo Andino de Productores de la Hoja de Coca, promoviendo la despenalización de ese cultivo.

- *¿Algún otro dato sobre la relación entre Evo Morales y Coca ´90?*

- La web Indymedia, insospechable de tener cualquier tipo de animadversión ideológica por Evo Morales, reveló que Coca ´90 facilitó fondos para el movimiento cocalero en 1998, por medio de una organización denominada "Andina". Pero las ONGs que construyeron el proyecto "Evo Morales" no sólo han proporcionado recursos, sino que también aportaron una serie de personajes curiosos que pasaron a ser parte del anecdotario político boliviano. Es el caso de una joven norteamericana, llegada hace algunos años al Chapare con uno de estos Organismos No Gubernamentales, para hacer su tesis de grado. ¿Sabe qué fue de ella?

- *No tengo la menor idea.*

- La gringuita cumple actualmente las funciones de *embajadora de facto* de Bolivia ante los Estados Unidos. Por el total desconocimiento del inglés del que hace gala el embajador Gustavo Guzmán, la muchacha ha tenido que hacerse cargo de las relaciones diplomáticas con el "imperio".

- *Impresionante. Pero volviendo al financiamiento...*

- Usted es un hombre de ideas fijas. Lo cierto es que estas redes no se limitaron a articular el movimiento cocalero, sino también otros de los "movimientos sociales" que han proliferado en los últimos años. ¿Se acuerda de Oscar Olivera, el líder de la Coordinadora del Agua? Bueno, resulta que el operativo insurreccional montado por Olivera, bautizado por sus promotores como "la guerra del agua", fue recompensado generosamente por la Fundación Goldman, que le entregó 125.000 dólares, más precisamente el 24 de abril del 2001[2]. ¿Quiere saber la hora exacta, el estado del clima y el lugar?

---

2 Olivera también logró otro tipo de retribución, ya que tras la expulsión de la empresa Bechtel, la nueva cooperativa conformada para manejar los servicios de agua integró en su directorio a dos allegados del dirigente. Tiempo después, se produjo un desfalco de un millón de dólares.

- *No hace falta. Pero, ¿qué tiene que ver la Fundación Goldman en todo esto?*

- Para que entienda la relación voy a tener que mencionarle un nombre que usted ya habrá escuchado: George Soros. El multimillonario húngaro-estadounidense financia una gran cantidad de Organismos No Gubernamentales en todo el planeta, por motivos que, por decirlo de alguna manera, van bastante más allá de la filantropía. Lo sintomático es que la Fundación Goldman ya había premiado anteriormente a ONGs financiadas por Soros en Guatemala y Kazajstán.

- *Sigo sin ver la conexión.*

- Porque es impaciente. Le pido que me siga con atención, aunque lo que diga parezca un trabalenguas. ¿Se acuerda que le hablé del Washington Office on Latin America, que solventó la convención cocalera internacional en el ´98? Bueno, George Soros es uno de los principales financistas de esa institución, que a su vez patrocina al Transnational Institute de Amsterdam, que paga las cuentas de Coca ´90, que apoya materialmente a la Federación del Trópico de Cochabamba y a su brazo político, el MAS. ¿Entiende?

- *Déme tiempo para respirar.*

- O sea, que el círculo de dólares danzantes tiene un director de orquesta parado en el centro, que marca el *tempo* y supervisa la buena coordinación de los bailarines. Soros también financia a la Comisión Andina de Juristas. ¿Y sabe lo que hacía en 1994, mientras el nombre de Evo Morales empezaba a sonar en el mundillo ONG? Desde su plataforma principal, el Open Society Institute, patrocinaba referendos para la legalización de las drogas en California y Arizona, donde consiguió éxitos parciales. Después ha hecho lo mismo en varios países de Europa del Este: República Checa, Croacia, Letonia, Macedonia, Polonia... En 1996 subió las apuestas, impulsando un programa de referéndums sobre el tema en 25 estados norteamericanos.

- *Pero la legalización es una idea que merece debate.*

- Puede ser, pero los métodos de Soros dejan mucho que desear. ¿Promover la legalización mientras financia movimientos de desestabilización contra gobiernos erradicadores? Ni hablar de los objetivos: son intereses puros y duros. Hay congresistas republicanos que lo acusaron de costear campañas electorales en Estados Unidos, incluso para un anterior presidente demócrata.

- *¿Adónde quiere llegar?*

- Dijeron que era dinero del narcotráfico. ¿Me sigue? Y hay sectores dentro de esa actividad que empiezan a considerar la idea de manejarse como un negocio legal. En Brasil me comentaron que Soros está acaparando grandes cantidades de coca, esperando el momento en que el negocio pueda realizarse sin odiosos obstáculos jurídicos y policiales. Pero no podría confirmar esto último.

- *¿No es ir demasiado lejos?*

- ¿Quiere fuentes de respaldo? Puedo satisfacer esa necesidad periodística, o debería decir escolástica, de tener el dictamen de una autoridad.

El Ciudadano X echa mano al maletín de cuero negro que lleva consigo y hurga entre los papeles. Finalmente, extiende varios sobre la mesa.

- Vea esto: entre 1996 y 2004, el Movimiento Internacional por los Derechos Civiles "Solidaridad", de Italia, investigó las campañas de Soros. El resultado fue un artículo publicado en su boletín informativo, Solidarietà, titulado *"Soros, rey de la droga libre"*. Ahí se dice que, sólo en el 2004, el multimillonario donó más de 10 millones de dólares a la Drug Policy Foundation, el principal lobby norteamericano para la legalización de las drogas. Leo textualmente: "El Open Society Institute, el principal canal por el que Soros financia la campaña por la liberalización de los estupefacientes, está impulsando la iniciativa en los ex países comunistas". Son las repúblicas de Europa Oriental que le comentaba hace un rato. Solidarietà también confirma la conexión con los cocaleros bolivianos en un segundo artículo, *"Bolivia y el imperio de la droga de Soros"*. Escuche lo que dice: "Un referéndum para la legalización triunfa en Estados Unidos y aparecen bandas de narcoterroristas en América Latina. Es la arriesgada jugada del filántropo especulador". Sobre las incursiones de George Soros en Perú, la publicación revela que sostuvo la campaña de Alejandro Toledo en el 2000, con la condición de flexibilizar los planes de erradicación que había impulsado Fujimori. Años después, Perú registra un aumento en la exportación de cocaína. El apoyo a Toledo habría sido vertido a través de un millón de dólares para su campaña, dato conocido en el Perú y que ha sido comentado por Álvaro Vargas Llosa.

- *¿Tiene más fuentes?*

- La información es ratificada por un medio de comunicación nacional, la revista Datos. En una de sus notas se dice que el mismo Toledo admitió públicamente haber recibido un millón de dólares de Soros para su campaña presidencial. ¿Empieza a convencerse?

- *Puede ser. Pero volvamos a Bolivia. ¿Ha encontrado otros rastros de la "mano invisible" de Soros?*

- Muchos. Sobre todo en la crisis de octubre de 2003. La versión de que habría financiado los movimientos insurreccionales que condujeron a la caída de Sánchez de Lozada aparecen en distintas latitudes. Por supuesto, no digo que el fin del gonismo haya sido producido únicamente por esa intervención, pero Soros parece haber tenido una gravitación importante. Como sé que usted necesita fuentes de autoridad, cito a la Executive Intelligence Review de Estados Unidos: "Los únicos ganadores del caos boliviano son los socios del narcolegalizador George Soros, encabezados por Evo Morales y los carteles del narcotráfico". El artículo se titula "*El narcoterrorismo a la toma del poder en Bolivia*".

- *Suena fuerte, ¿no?*

- Apenas estoy empezando. Un segundo artículo de esa revista, publicado el 3 de noviembre de 2003, está firmado por Dennis Small y titula "*Soros gana el round boliviano*". Ahí se dice que "el líder mundial de la legalización de las drogas, George Soros, financia el movimiento cocalero y a sus aliados políticos en toda América del Sur". Concluye que la erradicación de las drogas, en la lógica de Soros, es mala para la economía.

- *Recuerdo vagamente que algo se dijo en la prensa boliviana.*

- Muy poco, pero lo mencionó la Agencia de Noticias Fides, en un artículo que aportaba un nuevo elemento: los intereses de Soros en el sector de los hidrocarburos. La nota dice que "El magnate húngaro George Soros es quien financia los conflictos sociales en Bolivia, porque busca evitar a toda costa que el país desarrolle la industria petrolera y pueda convertirse en competencia para la empresa que maneja en Rusia y que está interesada en llegar al mercado estadounidense". Cuando se produjeron las confrontaciones del 2003 Bolivia se aprestaba a exportar gas a California, siendo nuestra principal competencia algunas empresas rusas y de otros países de la ex Unión Soviética. ¿Le parece interesante?

- *Siga, por favor.*

- La nota de ANF no es la única fuente boliviana que da cuenta de las denuncias contra el especulador internacional. Un artículo publicado por Indymedia, dos años después de los hechos, señala que "En el 2003, Soros activó fondos para el movimiento de los cocaleros". En sus ediciones de marzo y abril de 2005, Datos también devela los entretelones del presunto financiamiento a los insurrectos de octubre. En su nota sobre "*El factor Soros en Bolivia*", la revista comenta que "financia ONGs y organizaciones dedicadas a los derechos humanos. El objetivo: tender cortinas de humo para sembrar el caos y apropiarse de los recursos naturales en Bolivia".

- *Me convenció de que hay fuentes de respaldo.*

- Y puedo agregar bastante a lo dicho por la prensa. Las movilizaciones de octubre negro duraron alrededor de dos semanas, y eso no se solventa con unas cuantas monedas. Se sabe que el "viático revolucionario" oscilaba entre 50 y 100 Bs. diarios por persona, cifra que habría que multiplicar por los varios miles de *milicianos sindicales* que fueron puestos en la calle. En el ápice del conflicto llegaron a estar movilizados unos 30.000 individuos, aunque es posible que a esa altura del partido ya hubiera cierto efecto contagio en la población alteña. Estimemos en un cálculo muy conservador que los activistas pagados, que tomaban pueblos enteros y chocaban de modo violento con militares y policías, hayan sido unos 10.000. Tendríamos que el costo diario de la movilización sería de 500.000 a un millón de Bs., es decir, entre 60.000 y 120.000 dólares. Ahora, multiplique esos montos por 14 días...

- *A grosso modo, entre uno y dos millones de dólares.*

- Hablamos únicamente de los viáticos. Otros costos, como el combustible de los camiones que transportaban gente y los relacionados con operativos de influencia estratégica sobre políticos, medios y periodistas, fácilmente podrían duplicar las cifras que acaba de descubrir en su calculadora.

- *Cualquier participante del Foro Social Mundial que haya tenido un mínimo de adoctrinamiento ideológico le diría que está "criminalizando" a los movimientos sociales.*

- Criminalizo a quienes pagan. Reconozco la desesperación de los que tienen que convertirse en pongos políticos, y creo que una de las grandes asignaturas pendientes de los sectores democráticos de Bolivia es generar alternativas para que esas personas puedan insertarse en el aparato productivo y salir de la pobreza. La estructura social en El Alto, por ejemplo, es reveladora. El 69% de su población trabajadora pertenece al sector informal, es decir, vive de un empleo precario. Lógicamente, mientras existan masas de marginales subocupados habrá una cantera abierta para el reclutamiento de ejércitos mercenarios. Algún día habrá que sancionar una ley que prohíba expresamente el *pongueaje político*, al que hay que considerar como una nueva forma de servidumbre.

- *Fuentes, fuentes...*

- Una vez más: Datos afirma que existió una fuerte asistencia económica para sostener la revuelta social. "Hubo una insurrección planificada y financiada desde afuera". Y apunta que tanto Evo Morales como el ultraindigenista Felipe Quispe fueron apoyados por Soros.

- *¿Cuáles fueron las repercusiones de ese movimiento en la región?*

- Fueron altísimas. Casi de inmediato, las redes de ONGs de las que hablamos comenzaron a diseñar una estrategia para "exportar" los movimientos insurreccionales al Perú. Por esos días, Executive Intelligence Review confirmaba que "en Perú, la gente de Soros viene preparándose para perpetrar un estallido social parecido al que dio pie en Bolivia. Por lo pronto, la Confederación de Cocaleros de las 14 cuencas del país, dirigidas por Nelson Palomino, el llamado Evo Morales peruano que cuenta con el apoyo de la Comisión Andina de Juristas -la ONG de Soros en Perú-, celebró el bolivianazo y anunció que ya está en capacidad de sitiar la capital del país".

- *Pero el movimiento no llegó a replicarse.*

- No en la escala boliviana, pero conocemos los problemas que debió afrontar Toledo con los cocaleros peruanos. Fue un peón en el ajedrez de su patrocinador y luego se convirtió en su víctima. Recuerde que en cierto momento Evo Morales anunció la expansión de su organización política en Perú y Ecuador. ¿De dónde salían los fondos para la internacionalización del MAS?

- *"Internacionalismo cocalero"...*

- Suena bien, póngalo así. Aunque le cueste creerlo, alguien que ratifica estas denuncias es el sociólogo marxista James Petras, que ha visto en Soros un caso de expansión de un nuevo tipo de capital especulativo en América Latina. Desde la revista Rebelión, Petras revela que Soros utiliza un barniz filantrópico para encubrir su acción depredadora: "Tiene la mayor parte de sus billones en fondos de inversión líquida. Si llega la revolución, él puede desplazar sus capitales a otras áreas. Y la Fundación Soros seguirá no muy lejos, con financiamiento para una comunicación más abierta entre campesinos y especuladores".

- *Es curioso que esto se confirme desde la extrema izquierda.*

- El sociólogo norteamericano también comenta el crecimiento de los tentáculos de Soros en Rusia, con la compra del monopolio telefónico Svyazinvest en colaboración con el Deutsche Morgan Grenfel. Pero lo más importante es que comienza a develar el *modus operandi* del especulador:

"Las incursiones filantrópicas de Soros en Europa del Este le ayudaron a crear puentes con futuros políticos e intelectuales, que posteriormente le facilitaron oportunidades lucrativas de inversión en la compra de compañías en esa región". Esto se llama *formación de cuadros de gobierno.*

- *El caso de Bolivia sería similar.*

- Es idéntico. Ya comentamos su interés en la legalización de la cocaína y en bloquear las exportaciones de hidrocarburos bolivianos a California. A esto hay que agregar su posible participación en el gasoducto al norte argentino, lo que es más reciente. Pero sobre todo debemos hablar de uno de los proyectos mineros más grandes del mundo, situado en Potosí. A través de su hermano Paul, el multimillonario es accionista de la Apex Silver Mines Limited, con sede en las Islas Caimán y matriz de Minera San Cristóbal S.A. Esta empresa explota la mina de plata a cielo abierto más grande del mundo. Se sabe, además, que Soros tendría la intención de explotar el litio en el Salar de Uyuni.

- *Es bastante sintomático que la mina San Cristóbal no haya sido tocada por las nacionalizaciones de la "nueva política minera" de Evo Morales.*

- Ya veremos después cuál es la influencia directa de Soros sobre el actual gabinete ministerial. Mientras tanto quiero aclararle algo: no se trata de un inversionista que trabaje en el desarrollo a largo plazo de distintos sectores productivos, sino de un destructor de economías enteras. El financista del caos es un gran pescador en río revuelto.

- *Creo que ha llegado la hora de que me cuente quién es realmente George Soros.*

- Buena idea. El hombre ha ganado miles de millones al especular con la tasa de cambios en Inglaterra y en el sudeste asiático. En 1992 apostó a la desvalorización de la libra, haciendo temblar el Sistema Monetario Europeo y poniendo al borde de la quiebra al Bank of England. Su operación rompió la regla de oro de la bolsa: "No especules nunca contra el Banco Central", y le redituó nada menos que 1.100 millones de dólares. También los rusos fueron afectados por su ruleta financiera, que generó la crisis del rublo en 1998. El 20 de diciembre de 2002, el Tribunal Correccional de París lo condenó a pagar más de 2 millones de dólares de multa por delito financiero, cuando intentó un ataque en la Bolsa contra una importante empresa francesa, la Sociedad General. Un dato revelador: su fondo de inversiones, el Quantum Fund, administra entre otras fortunas prominentes la de la familia Bin Laden. En los pasillos del gobierno comunitario de la Unión Europea corre el fuerte rumor de que podría estar financiando movimientos terroristas del mundo árabe, como parte de su juego especulativo para extender sus redes de dominio en el sector petrolero. Incluso analizan la posibilidad de poner oficialmente su nombre en el índice de personalidades y organizaciones que apoyan al terrorismo.

- *¿No cree que estamos inflando demasiado al personaje?*

- Hasta ahora sólo le he mostrado la punta del iceberg. Tenga paciencia.

X vuelve a abrir el maletín, del que extrae recortes de prensa y un pasaje de avión.

- Es interesante la nota publicada por Gastón Pardo en Red Voltaire, bajo el título "*George Soros alienta proyecto mundial*". Dice que "un proyecto político de reordenamiento mundial se lleva a cabo en paralelo con los cambios que promueve el mega-especulador George Soros. Los operadores del proyecto son antiguos militantes comunistas. Una verdadera cultura que desprecia los valores democráticos del planeta va creciendo". El artículo de Pardo describe cómo el golpe de Estado que derrocó al presidente de Georgia, Eduard Shevardnadze, llevó a las primeras páginas al financiero: "Inmediatamente circularon comentarios de que el Open Society Institute, la fundación filantrópica establecida por George Soros, ha sido uno de los principales instigadores del cambio de poder en la antigua república soviética". La versión fue confirmada por el propio Shevardnadze, ex ministro de relaciones exteriores de la Unión Soviética antes de ser presidente de Georgia. En una entrevista concedida al periódico italiano La Stampa, Shevardnadze acusaba a Soros de estar detrás de su caída del poder.

- *¿Se comprobaron esas acusaciones?*

- En realidad, el Open Society Institute ha financiado los viajes de activistas políticos georgianos para aprender la experiencia del movimiento Otpor. Según un reportaje del 26 de noviembre de 2005, en el periódico canadiense Globe and Mail, la organización de jóvenes Kmara recibió 500.000 dólares de la fundación, y simultáneamente comenzó una campaña de posters y graffitis atacando la corrupción del gobierno. A fines del 2004 la fundación pagó los viajes a Georgia de activistas de Otpor, que impartieron cursos que enseñaban a más de 1.000 estudiantes cómo llevar a cabo una revolución. Por si esto fuera poco, trascendió que la fundación de Soros también financiaba una estación de televisión popular de la oposición que fue crucial en las movilizaciones de apoyo a la caída del poder de Shevardnadze. Y el mismo Soros, informaba el artículo, "mantiene una cálida relación" con Mikhail Saakashvili, el nuevo líder de Georgia. La nota se publicó después de que Soros anunciara una donación de 5 millones de dólares a MoveOn.org, una organización de activistas de izquierda[3]. Esto llevó hasta los 15,5 millones de dólares el total de sus contribuciones a la organización hasta el momento.

- *¿Cómo calificaría estas actividades?*

- Como golpismo ONG. Aprovechando la fragilidad institucional de las ex repúblicas comunistas, Soros ha impulsado redes de ONGs para imponer su voluntad política y económica. Así sucedió con el citado derrocamiento del presidente georgiano, y en la ascensión al poder de Viktor Yuschenko en Ucrania en diciembre de 2004. Aunque los sucesos de Georgia y Ucrania fueron calificados de "revoluciones", lo cierto es que las protestas y movimientos callejeros fueron promovidos por Organismos No Gubernamentales. ¿Empieza a encontrar un patrón común con lo sucedido en Bolivia? Pareceríamos estar ante una nueva doctrina de golpes de Estado "soft", cuyo eje es derrocar gobiernos mediante dispositivos que garanticen el apoyo de la opinión pública internacional. Los Organismos No Gubernamentales, tan populares ante los medios de comunicación, juegan un papel esencial. Como señala el periodista de Counterpunch, Jacob Levich: "las Organizaciones No Gubernamentales, asociaciones teóricamente independientes y con la reputación de humanitarias, están ya abiertamente incorporadas a una estrategia de supremacía global".

- *¿Qué papel juega exactamente la fundación de Soros?*

- El Open Society Institute, con sede en Nueva York, es una especie de ONG nodriza que crea y amamanta a muchas organizaciones. Según un informe disponible en su web, financia "un grupo de fundaciones y organizaciones autónomas en más de 50 países". El reporte explica que Soros fundó el Open Society Institute en 1993, para apoyar a Organismos No Gubernamentales en Europa del Este y en la antigua Unión Soviética. En los últimos años, la red se ha expandido por África, Latinoamérica y el Caribe, Mongolia, el sudeste de Asia, Turquía y Estados Unidos. Según el Capital Research Center, con sede en Washington D.C., el Open Society Institute "se prodiga en donaciones a organizaciones y activistas políticos de la izquierda radical". Entre 1994 y 1999, Soros dio 4 millones de dólares al Lindesmith Center, descrito por la Foundation Watch como "un grupo de interés en la legalización de las drogas". En los últimos años

3 Recientemente, MoveOn.org apoyó la nominación presidencial de Barak Obama en las primarias del Partido Demócrata.

entregó donaciones millonarias a organizaciones activas en la relajación del consumo de drogas, como Drug Strategies y American Civil Liberties Union. En el 2004, los gastos de la red de fundaciones de Soros totalizaron 474 millones de dólares.

- *Me gustaría que especifique más las actividades del Open Society Institute.*

- El informe anual que he citado dice que el Open Society Institute "se haya implicado en actividades discretas limitadas en algunos de los más cerrados países de la tierra". La información sobre lo que esto pueda significar no está clara. "No proporcionamos información sobre estas actividades porque comprometería la seguridad de los sujetos con los que trabajamos". En cuanto a la actividad de la fundación en Georgia en el 2002, el informe establece que su financiación sumó los 5,3 millones de dólares.

- *¿Cómo se convirtió Soros en un mega-especulador?*

- Posiblemente, el origen de sus prácticas especulativas esté en la experiencia que debió pasar durante la ocupación nazi de su Hungría natal. En 1944, George Soros tenía apenas 14 años. Había nacido en el seno de una familia judía y al llegar las tropas alemanas su padre le dio un consejo muy especial: "dejar de comportarse normalmente para salvar la vida". Desde entonces aplicó el consejo paterno a rajatabla, adquiriendo documentación falsa y empezando a trabajar en el Ministerio de Agricultura bajo la dirección de un jerarca nacionalsocialista. Su labor era despojar a las familias judías de sus propiedades. En 1947 escapó de la Cortina de Hierro a Londres y en poco tiempo logró convertirse en uno de los hombres más ricos del planeta. Su experiencia juvenil le enseñó a destruir el *medio ambiente económico* de las empresas, para luego comprarlas a precio de gallina muerta. Cuando logra controlarlas, la estabilidad vuelve milagrosamente. Con sus ONGs ha creado una seudoizquierda utilitaria, una nueva clase burocrática puesta al servicio de un gran capital global, monopolista y especulativo.

- *Aterricemos de nuevo en la realidad boliviana.*

- Además de los vínculos que ya señalé, existe otra ONG financiada por Soros en Bolivia, el Democracy Center, dirigido por Jim Schultz y que tiene a la hermana de Oscar Olivera en su directorio. Casualmente, Schultz también ha sido asesor del MAS en la Asamblea Constituyente. Según los autores de *"El regreso del idiota"* [4], hay 1.600 ONGs operando en el territorio boliviano: "Con algunas excepciones, se han dedicado a tumbar gobiernos legítimos y sabotear la inserción del país en la economía global. Su contribución al clima de enfrentamiento entre bolivianos es -como el del gobierno de La Paz y el MAS cuando estaba en la oposición- una apuesta por el desmembramiento violento de la república". La *mano invisible* de George Soros puede estar detrás de unas cuantas de esas organizaciones. También es muy posible que su verdadero objetivo sea Brasil, cuya economía ha comenzado a penetrar en los últimos años y al que podría desestabilizar desde Bolivia, poniendo trabas al aprovisionamiento energético o generando una crisis política de gran magnitud. Soros ha empezado la caza de acciones en la Bolsa brasileña y ya se adueñó de parte del paquete accionario en una de las empresas mineras más importantes del país vecino, la MMX S.A., donde es socio de Eike Batista. Soros podría compartir con Hugo Chávez la intención de desestabilizar al Brasil...

La voz en el altoparlante hace la última llamada para el vuelo internacional. X guarda los papeles apresuradamente y se levanta. Mientras paga el capuccino, promete volver a vernos pronto.

- En nuestra próxima conversación hablaremos sobre Álvaro García Linera, el EGTK y el grupo Comuna.

Lo despido y le tomo la palabra.

4 Plinio Apuleyo Mendoza, Carlos Alberto Montaner y Álvaro Vargas Llosa.

CAPÍTULO II

CONFIDENCIAL

Álvaro García Linera y el EGTK/Del foquismo a la teoría de la insurrección/Un manual para la subversión/Genealogía de la rebelión/El Censo 2001 y la re-etnización de Bolivia/Octubre negro: ataque al corazón del Estado.

A las tres de la tarde, el brillo del sol se refleja intensamente sobre el vidrio de la mesa en un café de la Avenida Monseñor Rivero, en Santa Cruz de la Sierra. Esta vez disparo primero.

- *En nuestro anterior encuentro usted pareció sugerir que la insurrección de octubre de 2003, y en general todo el accionar de los movimientos sociales de Bolivia, ha obedecido a influencias externas...*

- Eso es incorrecto. Intento transmitir la noción de que ciertas redes de ONGs están construyendo su propia versión de la globalización, y es en ese escenario internacional donde debemos inscribir y analizar el desarrollo de estos "movimientos sociales", funcionales a un proyecto político determinado. Esto no quiere decir que todo sea una simple aplicación mecánica de directrices foráneas, pero sí queda claro que las formaciones indigenistas radicales o neocomunistas cuentan con un amplio soporte exterior, logístico y propagandístico. En qué medida ese apoyo signifique relaciones de dependencia o subordinación es algo que tendremos que ir desentrañando. Pero sí hay actores políticos y sociales endógenos, sin cuya alianza las "trasnacionales de la revolución" no podrían implantarse a nivel local.

- *¿Por ejemplo?*

- Los grupos que motivan nuestra conversación de hoy. El aumento exponencial en la actividad de los movimientos insurreccionales no puede desconectarse de la excarcelación de los integrantes del Ejército Guerrillero Túpac Katari en 1997. Hablo del actual vicepresidente Álvaro García Linera[5] y de Felipe Quispe, entre otras personas que a comienzos de los ´90 y en plena democracia habían seguido la vía armada, amparados en una confusa ideología que mezclaba el marxismo con un peculiar racismo aymara. Más precisamente, el EGTK fue una experiencia de nacional-fo-

5 Por esa época se hacía llamar Q´ananchiri, voz aymara que significa "el que aclara las cosas". Una manera poco modesta de resaltar su papel como intelectual e ideólogo de la revolución indigenista. Otros de sus alias eran Alberto Rojas Valencia y José Rodríguez. Para estas "identidades" contaba con documentos falsos elaborados por su hermano Raúl.

quismo, donde la trasnochada tesis guevarista del foco guerrillero que habría de desatar la revolución se unía con un nacionalismo étnico andino. Todo el planteo reposaba en un falseamiento o idealización de la historia de las comunidades del Altiplano. La realidad es que en el incario, los elementos comunitarios del ayllu estaban integrados en un sistema opresivo de castas al servicio del estamento superior. La leyenda del "comunismo incaico" ya ha sido descartada por la investigación histórica objetiva.

- *¿Cuáles fueron las actividades del EGTK?*

- La agrupación terrorista realizó varias operaciones armadas, volando torres de alta tensión y oleoductos. Pusieron bombas en una iglesia mormona en La Paz y atacaron propiedades de USAID. También se los acusó de haber asaltado oficinas de la Universidad Mayor de San Simón, en Cochabamba, donde robaron los sueldos de los docentes y funcionarios administrativos[6].

- *Gente pacífica.*

- Ya ve. Tenían sus bases operativas principales en el altiplano paceño, cerca de la frontera con Perú, y adivine dónde más...

- *Dígame usted.*

- En El Chapare. El grupo también estaba integrado por la ex esposa de Álvaro García Linera, la mexicana Raquel Gutiérrez[7]; por su hermano Raúl y su cuñada Silvia Alarcón. El clan García Linera en pleno. Junto al sociólogo Juan Carlos Pinto conformaban el ala de extracción académica de la guerrilla, mientras que Felipe Quispe -el "Mallku"- capitaneaba a los dirigentes sindicales, campesinos y mineros. Todos participaban por igual en las "acciones de guerra". La desarticulación del Ejército Guerrillero Túpac Katari fue posible gracias a las chapucerías de Raúl García Linera en un operativo de compra de armas, y a la delación de un dirigente del Partido Comunista de Cochabamba. Éste avisó a las fuerzas de seguridad que el EGTK pensaba comprar 160 fusiles FAL de culata plegable, y que ya habían logrado adquirir diez ametralladoras de dos miembros de las Fuerzas Armadas. Un operativo policial encubierto consiguió que la transacción se realizara en la ciudad de La Paz, en una heladería de Miraflores. En el primer encuentro Raúl García Linera rechazó los rifles

6 "Colaboré en la recuperación de $us 430.000 dólares en la Universidad de San Simón en el mes de octubre de 1991. Los dineros recuperados son para emprender la lucha guerrillera". Declaraciones de Alvaro García Linera registradas en la publicación *Quién es Quién.*

7 Alias "Qhantat-Wara-Wara".

de culata fija que le ofrecían. Torpemente aceptó un segundo encuentro en el mismo lugar, donde recibió una ametralladora. Rato después fue detenido junto a su esposa cerca del Estadio Hernán Siles, en posesión del arma y de granadas de guerra. Era el 9 de marzo de 1992. A partir de ese momento los demás integrantes del EGTK cayeron rápidamente, 18 en total, aunque se estima que la organización tenía cerca de 100 miembros.

- *¿Qué pasó después?*

- El Ministerio Público los imputó por el delito de terrorismo y fueron encarcelados. En todo momento, Álvaro García Linera sostuvo que no había participado en las acciones armadas, sino que simplemente cumplía el papel de ideólogo. "Estoy preso por pensar", repetía. Recién en el 2006 se conoció la verdad, cuando el propio vicepresidente de la república sufrió un *lapsus lingue* durante un discurso dado en la localidad de Warisata, en la Provincia Omasuyos, donde había estado instalada una de las bases del EGTK. Entusiasmado por un desfile de indígenas que exhibían fusiles máuser, dijo: "Conozco cada hueco donde se esconden las vizcachas en todos estos cerros; caminábamos con un poncho rojo y debajo del poncho llevábamos un FAL... Aquí he aprendido a cocinar, a batallar; aquí he aprendido a amar y aquí también hemos aprendido a matar..."[8].

- *A confesión de partes, relevo de pruebas.*

- La liberación de estos personajes fue una paradoja ocasionada por la clásica retardación de justicia boliviana: pasaron cinco años en prisión sin que concluyera su proceso judicial, que fue llevado de manera negligente por el Estado. Al final, esto se convirtió en el argumento de oro para que la defensa demandara su salida en libertad provisional. Una vez en la calle, Álvaro García Linera y otros ex guerrilleros se dedicaron a pasearse por los medios de comunicación, victimizándose como perseguidos políticos y reclamando la extinción de su proceso penal. La intensa campaña de presión mediática sobre el Poder Judicial se completó con una queja planteada ante la Corte Interamericana de Derechos Humanos, denunciando los ultrajes cometidos por la fuerza pública durante su detención e interrogatorio. Pero el empujón decisivo lo dio el Nuevo Código de Procedimiento Penal, un traje confeccionado a su medida. ¿Sabe quiénes participaron en el diseño jurídico del NCPP?

8 *Quién es Quién* también consigna la siguiente confesión de García Linera: "He participado en el sabotaje de pan duro" (donde murieron los campesinos Severo Calza Villavicencio y Félix Mayta Mamani).

- *Soy todo oídos.*

- Varios amigos de Álvaro García Linera. Entre ellos el propio Juan Carlos Pinto, ex EGTK y por entonces asesor de la Pastoral Social. Actualmente, Pinto es el director de la Representación Presidencial para la Asamblea Constituyente, uno de los feudos políticos del vicepresidente de la república. En el equipo que promovió el Nuevo Código también estaban Sacha Llorenti, hoy viceministro de coordinación con los movimientos sociales; Reynaldo Imaña y el alemán Jört Stippel, entonces consultor de la GTZ y actual director de esa ONG en Chile. Se sabe de reuniones sostenidas entre los hermanos García Linera, Stippel y los otros. El trabajo de consultoría fue pagado por la GTZ y USAID. Paradójicamente, la misma agencia que había sido atacada por el grupo armado.

- *¿De qué manera se beneficiaron con el Nuevo Código de Procedimiento Penal los ex EGTK?*

- El NCPP entró en plena vigencia en el 2001 e incluía la figura de las "salidas alternativas al proceso". Bajo ese manto lograron la prescripción del proceso penal, algo que ha sido discutido por varios juristas, quienes afirman que esa figura puede ser aplicable a delincuentes comunes pero no a los terroristas. En todo caso, no fueron declarados inocentes ni sobreseídos, sino beneficiados por un tecnicismo y por "una ayudita de los amigos". Algo similar encontraremos más adelante, al analizar una grave causa contra Evo Morales. Por otra parte, las declaraciones de García Linera en Warisata, en las que confesó su participación en la lucha violenta contra la democracia, deberían ser base suficiente para una reapertura del proceso en su contra, de no ser porque la injerencia del Poder Ejecutivo en la justicia es cada vez más grande.

- *Quizás esa sea una de las muchas causas de la injerencia. Volviendo al eje de nuestra conversación: ¿qué papel tuvieron estas personas en el proceso político de los últimos años?*

- Después de su liberación, Álvaro García Linera se recicló como docente universitario y sumó a su título de matemático obtenido en la UNAM[9] el de sociólogo, carrera que estudió en prisión. Agrupó en torno suyo a otros intelectuales exaltados, con los que dio vida a una corriente denominada "autogestionaria", que fusiona elementos teóricos posmodernis-

9 Universidad Nacional Autónoma de México. Allí conoció a Raquel Gutiérrez y a Felipe Quispe. Al retornar a Bolivia a mediados de los ´80, los tres crearon los "Ayllus Rojos", especie de comunas aymaras socialistas. Tras el rotundo fracaso de esa experiencia vino la aventura del EGTK.

tas y posmarxistas en la veta de Toni Negri, el "pérfido maestro" de la extrema izquierda italiana, de quien hablaremos largo y tendido en otra oportunidad. También crearon la editorial Muela del Diablo, encargada de publicar sus libros como parte de una amplia campaña de propaganda. La corriente "autogestionaria" terminó prohijando al grupo Comuna, que hoy tiene cuotas de poder dentro del entramado oficialista, sobre todo en la Constituyente, con exponentes como Raúl "Chato" Prada y el vicepresidente de la Asamblea, Roberto Aguilar.

- *¿Qué evolución tuvieron las ideas de García Linera?*

- Evolución sería mucho decir. El término más apropiado sería "camuflaje". Él mismo ha dicho que "no vería una ruptura" entre su pasado de guerrillero y su rol de intelectual. Su reposicionamiento ideológico podría resumirse en esta frase de su autoría: "cabe retomar, como consigna, la conquista de la democracia". Lejos de significar una posición más liberal, como podría creerse en una lectura ingenua, la frase hace alusión a otra de Karl Marx incluida en el "*Manifiesto Comunista*", donde se asimila la "conquista de la democracia" con la "transformación del proletariado en clase dominante". García Linera es un maestro en el arte de encubrir verdades brutales con ropajes de terciopelo. Persigue los mismos objetivos por métodos algo distintos, pero no completamente democráticos.

- *¿Qué tienen de antidemocráticos sus métodos?*

- Habría que dividir su pensamiento pos-EGTK en dos fases: la primera es la conquista del gobierno, durante el periodo 1997-2005. La segunda es la concentración del poder, etapa en la que nos encontramos actualmente. En la primera, García Linera sustituye la estrategia absurda del foquismo guerrillero por otra de tipo insurreccional, basada en el control de zonas rurales mediante "tácticas político-militares comunitarias". Posteriormente, el levantamiento campesino debería derivar en un contagio hacia las zonas urbanas, como efectivamente sucedió en octubre negro. Claro que, antes de llegar a ese punto de eclosión, los movimientos sociales deberían pasar por un proceso de acumulación de fuerzas, una "gimnasia revolucionaria" ejercitada mediante periódicos bloqueos, ocupaciones de pueblos y enfrentamientos armados con policías y militares.

- *¿Dice que esto es lo que vivimos en los años que precedieron a la llegada de Evo Morales al gobierno?*

- Exacto. García Linera denomina "ciclo de protestas sociales" a esa gimnasia revolucionaria, que tiene su punto de partida en el 2000. La CSU-

TCB[10] encabezada por uno de sus viejos compinches, Felipe Quispe, tuvo mucho que ver en el desarrollo práctico de la teoría insurreccional.

El Ciudadano X saca unos impresos del infaltable maletín. Hay varios párrafos destacados con resaltador.

- El año mencionado, esa organización emprendió la ocupación de la Provincia Omasuyos, operativo descrito por García Linera en un ensayo titulado *"Indios y q´aras[11]: la reinvención de las fronteras internas"*. Ahí se habla de "una batalla de largo aliento que podría extenderse por varios meses y con múltiples intensidades". El texto es una auténtica apología de la sedición y está escrito en lenguaje bélico. "La maquinaria comunal comenzó a apropiarse de uno de los factores decisivos de cualquier guerra: el tiempo... En cuanto a la ocupación del espacio, la técnica de movilización indígena es similar a la de septiembre... manteniendo guardia al borde de las rutas según un sofisticado sistema de turnos entre las comunidades de los cantones movilizados". Incluso celebra la pérdida de un militar, en una frase que lo pinta de cuerpo entero: "el lugar de mayor compactación de este estado de ánimo de insurgencia es sin lugar a dudas la zona aledaña a Achacachi. No sólo porque allí hay toda una memoria de luchas que se remonta a décadas pasadas, sino, ante todo, porque en abril del año 2000 el ejército gubernamental fue derrotado con la muerte de un oficial". La violencia desatada alcanzó también a los civiles. Según el comentario eufórico de García Linera, "las personas que no son de los lugares eran registradas y en ocasiones escoltadas hasta su destino". ¿Ahora entiende por qué hablo de métodos autoritarios?

- *Perfectamente. Pero siga con su exposición.*

- El levantamiento creó una especie de "zona liberada", aunque la libertad no era precisamente un derecho que pudieran ejercer quienes quedaron a merced de los dictadores sindicales, que imponían su voluntad a punta de chicote. García Linera compara ese territorio con la franja de Gaza y Cisjordania, revelando cuál es el tipo de lucha que tenía -o tiene- en mente. "Las autoridades estatales como la policía y la subprefectura han sido echadas, quedando únicamente la alcaldía en pie, pero bajo la tutela de los sindicatos comunales... Hoy en día Achacachi es la capital

10 Central Sindical Única de Trabajadores Campesinos de Bolivia, arraigada en la zona andina del país.

11 Blancos.

de una republiqueta indígena cuyas fronteras móviles, pero visibles, se extienden por las provincias Omasuyos, Muñecas, Franz Tamayo, Camacho, parte de Larecaja, de Los Andes, Ingavi y Manco Cápac". Y sigue con la descripción de los operativos *político-militares-comunitarios*, indicando que "los indígenas aymaras han creado un sistema de vigilancia en los cerros que funciona las 24 horas del día... En torno al llamado Cuartel General Indígena ubicado en K´ala Chaca, y atrincherados en cientos de campamentos indígenas que ondean wiphalas, miles de comunarios de los alrededores y de las provincias sublevadas se han agrupado por zona de origen, con sus propias autoridades de movilización y su propia logística de movilización". Más adelante aplaude la creación de un Estado Mayor, que tenía la función de coordinar los destacamentos del "Ejercito Indígena Comunal".

- *Recuerdo que durante esas movilizaciones hubo una agresión al obispo de El Alto, Monseñor Juárez.*

- Algo que nuestro teórico del levantamiento aymara considera plenamente justificado. Cito nuevamente: "El desconocimiento de la autoridad religiosa manifiesta en la agresión a Monseñor Juárez, será solo un punto visible de un poderoso estado de disidencia y rebeldía india que ha comenzado a expandirse en numerosas comunidades altiplánicas. En todo caso, hay una continuidad histórica entre este desdén y afrenta a la jerarquía católica de hoy y la ordenanza hecha por Túpac Katari a su ejército aymara sublevado en el mismo territorio hace 210 años, de *no persignarse ni sacarse las monteras ante el santo sacramento*. Entonces como hoy, la iglesia católica es un soporte del Estado y la denuncia indígena del carácter colonial de ese Estado no puede menos que abarcar también a la propia institución religiosa, que durante siglos ha soldado su suerte con la del Estado". Todo un aviso de la ofensiva contra la religión que vendría después, con las políticas impulsadas por Félix Patzi desde el Ministerio de Educación. ¿Sabe cuál sido el principal pecado cometido por los demócratas bolivianos en la última década? No haber leído lo que escribían los ideólogos totalitarios. Cada paso, cada ataque contra las libertades ha sido planificado y anunciado, pero no quisimos verlo... ¿Se imagina lo que podrían haberse evitado los alemanes si hubieran leído a tiempo el Mein Kampf de Hitler?

- *¿Qué influencia práctica tuvo García Linera en esos operativos?*

- Siempre ha usado su condición de intelectual a manera de coartada, como en la caída del EGTK, cuando dijo que lo apresaban "por pensar". Pero la verdad es que fue mucho más que un simple comentarista de los disturbios. Cumplió un papel fundamental en el adiestramiento de los "movimientos sociales" en las nuevas técnicas golpistas. Incluso llegó a publicar una especie de manual de la insurrección con más de setecientas páginas, titulado *"Sociología de los movimientos sociales en Bolivia: estructuras de movilización, procesos enmarcadores y acción política"*. Allí da pautas para que doce grupos estratégicos sepan cómo organizarse, y les explica quiénes son sus aliados y enemigos. Como él mismo dice en esa publicación, el manual está dirigido a "los actores sociales... pero también puede ser aprovechado por académicos, periodistas, investigadores extranjeros, políticos...". Evidentemente, tenía muy en cuenta a sus lectores de las ONGs financiadoras.

- *Por favor, comente el contenido de ese libro.*

- Por esa época, García Linera aún apostaba a los sindicatos controlados por Felipe Quispe como punta de lanza de su revolución. Eso fue antes de que empezara a deslizarse de manera pragmática hacia el grupo que resultó ganador en la "interna" de la izquierda radical: el MAS. Así que en ese manual todo apuntaba a resaltar el papel de vanguardia asumido por los aymaras, entendidos ante todo como la CSUTCB y el CONAMAQ[12]. Otorgaba un segundo rango de importancia a los cocaleros, el Movimiento Sin Tierra, los regantes y la Coordinadora del Agua; desvalorizaba a la Central Obrera Boliviana como expresión de una "vieja izquierda cadavérica de los años ´50 y ´70" y expresaba su insatisfacción por la escasa combatividad de las organizaciones campesinas e indígenas del Oriente boliviano: "la CPESC[13] y el Bloque Oriente son débiles, no se movilizan como los cocaleros, no bloquean ni paralizan como los aymaras...". Ahí queda expuesta su incapacidad para entender las singularidades culturales de los originarios amazónicos, que no responden a la visión nacional-aymarista. Pero en cierto pasaje parece volver a tener esperanza de que estas etnias se plieguen a su prédica violentista: "E incluso los pueblos indígenas del oriente van evolucionando, porque los guaraníes ya cercan áreas petroleras"...

- *Promovía la radicalización de las posturas.*

- En el manual hay un cuestionamiento muy fuerte a los sectores sociales que asumían posturas legalistas, reformistas o conciliadoras. Al mismo tiempo, destaca los métodos radicales de la CSUTCB, como los bloqueos, los "cuarteles indígenas" y la toma de pueblos. Según él, se trata de cons-

12 Consejo Nacional de Marqas, Ayllus y Suyus.

13 Confederación de Pueblos Étnicos de Santa Cruz.

truir "un movimiento étnico nacional con un proyecto de sustitución del poder estatal... Éste es el emblema de Felipe Quispe, que reza la *indianización* del Estado, donde los mestizos perviven pero bajo el predominio indígena". Como se ve, el viejo racismo aymara del EGTK seguía vivo. Sobre Quispe hay que agregar que llegó a proponer que los blancos sean encerrados en un ghetto y pretendió utilizar la esvástica como emblema de su partido en las elecciones del 2002, arguyendo que es "un símbolo tiahuanacota". ¿Entiende por qué hablo de nacional-aymarismo?

- *Con claridad. Volviendo al libro, ¿dice que da pautas sobre los métodos de combate?*

- Por ejemplo, se explica con lujo de detalles cómo realizar un bloqueo caminero. Entre otras cosas, expone el denominado sistema de turnos: "Cada comunidad está asociada a una cantonal, de ella no todos salen a bloquear sino escalonadamente, como una rueda. Si funciona esa maquinaria comunidad–cantón–Subcentral–Central, es invencible y los campesinos pueden estar bloqueando indefinidamente. Aparte, si una comunidad decide bloquear, el comunario no puede contradecir la orden, bajo pena de ser objeto de castigo". Aquí se ve la coerción interna que impera en esas organizaciones, la dictadura sindical. García Linera defiende esas prácticas y afirma que "en Bolivia, las identidades colectivas normativas por barrio, ayllu, comunidad y gremio laboral preceden mayoritariamente a cualquier manifestación de individualidad". Un disparate mayúsculo, que pone en evidencia su desprecio por el individuo y sus derechos.

- *Imagino que el diseño intelectual de estas prácticas no habrá sido un esfuerzo en solitario de García Linera.*

- Claro que no. La corriente "autogestionaria" y el grupo Comuna tuvieron una participación importante. Uno de sus camaradas que escribió sobre el tema es Raúl "Chato" Prada, quien describió al periodo de acumulación de fuerzas de las organizaciones radicales como una *genealogía de la rebelión,* la "gimnasia revolucionaria" de la que hablábamos: "En la medida en que evoluciona este proceso de alianzas, de simultaneidades, de creación de dispositivos alternativos, se expande la rebelión... Ahora son los dispositivos los que forman cadenas, series, cuadros, matrices. Avanzando su transformación hacia máquinas de guerra. Es cuando la rebelión se convierte en una subversión, inventando territorialidades, desterritorializando la geografía del poder, configurando un mapa de contrapoderes... Esta genealogía de la rebelión no se desentiende de las temporalidades inmanentes a la praxis de la subversión".

- *¿Cómo resumiría los grandes ejes de ese proyecto político?*

- Se persigue la *re-etnización* de la sociedad boliviana, es decir, que las mayorías mestizas y urbanas del país "redescubran" sus raíces étnicas, instalando una polarización que dé oxígeno al movimiento revolucionario para la toma del poder. Se trata de "sustituir las antiguas divisiones discursivas dominantes por otras: indios contra q´aras, aymara-qhechuas contra mestizos". Constantemente se busca deslegitimar a la democracia liberal, frente a la cual se postula como alternativa una supuesta "democracia comunitaria", basada en métodos coercitivos como los que ya he descrito. Claro que, en todo este esquema, la lucha callejera o en el campo es sólo una parte de la estrategia, reservada a las tropas de combate sindicales, que hacen de carne de cañón para que los verdaderos conductores del proceso puedan copar el Estado. El mismo García Linera reconoce que el proyecto indigenista radical "no surgió inicialmente, como muchos piensan, del mundo campesino, sino del mundo urbano, apoyado en una *intelligentzia*, en una intelectualidad frustrada por no encontrar el ascenso social prometido".

- *¿Cuáles serían los otros componentes de esa estrategia de poder?*

- Una pieza fundamental para la construcción del proyecto fue la influencia sobre el diseño de las preguntas del Censo Nacional en el año 2001. Una vez más, se demostró la capacidad de infiltración y manipulación de ciertos consultores y Organismos No Gubernamentales, que purgaron la categoría de "mestizo" en las opciones de autoidentificación étnica. De esa manera, los bolivianos no tenían más remedio que elegir entre la pertenencia a un pueblo indígena, denominarse blancos o poner la x en la casilla "otros", cosa que pocos harían, por supuesto. El resultado fue más de un 60% de población indígena a nivel nacional. Esa es la Gran Mentira, el artificio estadístico que sirve de justificación al proyecto de re-etnización. Como se pudo comprobar más tarde, mediante encuestas realizadas por el PNUD[14] y la Fundación Unir en las que sí se incluyó la categoría "mestizo", casi el 70% de los bolivianos optó por esa denominación, mientras que la pertenencia a alguna etnia indígena quedó reducida al 19%. Pero la Gran Mentira ya estaba instalada, y serviría para desinformar a la comunidad internacional sobre la verdadera estructura social y demográfica de Bolivia.

- *¿Qué vinculación tuvo Álvaro García Linera con las redes de ONGs que ha mencionado?*

---

14 Programa de las Naciones Unidas para el Desarrollo.

- Uno de los Organismos No Gubernamentales que lo cobijaron fue el CEJIS[15], encargado de la penetración política en el Oriente boliviano. Esa organización se ha dedicado desde hace muchos años a reclutar dirigentes indígenas y campesinos, y a tratar de incorporarlos a la estrategia radical de toma del poder. Tropezaron con los líderes históricos de los pueblos originarios de la Amazonia, que tienen una mentalidad diferente, enfocada en la gestión de reformas legales y en proyectos de desarrollo. Sin embargo, el CEJIS encontró un *nicho ecológico* en el cual sobrevivir y prosperar: el proceso de saneamiento agrario, que le sirvió tanto para potenciar las divisiones entre colonos altiplánicos y productores agropecuarios como para ganar millones de dólares en consultorías, según denuncia escrita del abogado y periodista Roque Armando Camacho. Con esos fondos socorrieron al MAS cuando ese partido no contaba con recursos. Pero hay otro vínculo muy interesante entre García Linera y la red de ONGs de George Soros...

X sonríe de manera irónica y los ojos le brillan por encima de las gafas. Se inclina hacia mí sobre la mesa, dispuesto a contarme un secreto.

- Del 12 al 15 de febrero de 2003, la organización Narco News, dedicada a difundir noticias contrarias a la lucha antinarcóticos, realizó en la ciudad mexicana de Mérida una Cumbre Internacional para la Legalización de las Drogas[16]. Álvaro García Linera fue uno de los conferencistas destacados de ese encuentro que, nótese bien, no perseguía la despenalización de la coca sino de la cocaína. Ya imaginará quién habrá sido uno de los financiadores de la conferencia. Y un dato adicional: una de las firmas más asiduas de Narco News es la del mexicano zapatista Luis A. Gómez, estrecho colaborador de Wálter Chávez. La participación del actual vicepresidente de la república en la convención de Mérida sugiere que habría una agenda oculta del gobierno en cuanto a las drogas, ya que la liberación total del cultivo de coca sólo parecería ser un paso intermedio hacia otro objetivo mucho más amplio.

- *Que es el propugnado por Soros.*

- Vamos atando cabos. Ya ve usted cómo se han ido articulando los actores políticos internos con los externos, y cómo la *genealogía de la rebelión* fue dibujando el contexto para que pudiera darse la gran arremetida contra las instituciones democráticas en octubre negro, el "ataque al corazón del Estado", para usar la expresión de Toni Negri que bien conoce

15 Centro de Estudios Jurídicos e Investigación Social.

16 Ending drug prohibition in the 21 st century.

García Linera. A todo lo anterior hay que agregar una serie de factores, que completan las condiciones objetivas y subjetivas para el proceso insurreccional desarrollado entre los años 2000 y 2003. En primer lugar, las crisis cambiarias de Brasil y Argentina, así como la abrupta caída de los precios internacionales de varias materias primas, ocasionaron el fin de un largo ciclo de expansión económica que tuvo lugar entre 1987 y 1998, y que había contribuido a darle estabilidad a la frágil democracia boliviana. Por otra parte, la activa política de erradicación de cocales ilegales impulsada por Hugo Banzer y Jorge Quiroga entre 1997 y 2002 -exitosa en cuanto logró un notable descenso en la producción de cocaína- provocó la reacción inmediata del narcotráfico. A partir de ese momento, se multiplicaron las acciones violentas de los cocaleros del Chapare, que iban desde las agresiones a los productores que optaron por el desarrollo alternativo hasta el bloqueo sistemático de carreteras, la proliferación de cazabobos[17] y el asesinato de efectivos policiales y militares. Finalmente, hay que tener en cuenta la estrecha distancia en la votación que separó al ganador de las elecciones del 2002, Gonzalo Sánchez de Lozada, de Evo Morales: menos del 2% de los sufragios escrutados. Esto generó obvias impaciencias en el Movimiento Al Socialismo, que comenzó a considerar alternativas para "patear el tablero" y acceder al gobierno a la brevedad posible[18].

- *¿Qué influencia tuvieron las tácticas político-militares desarrolladas por García Linera y el nacional-aymarismo en el golpe de octubre?*

- Una influencia decisiva. Fue una clara aplicación de la teoría de la insurrección rural que se extiende gradualmente hacia los centros urbanos. La estrategia triunfó donde había fracasado la apresurada intentona de febrero del mismo año, en la que se trató de llevar el alzamiento al núcleo mismo del poder: la Plaza Murillo, sede del Poder Ejecutivo y del Congreso. En contraposición, la vía seguida en el segundo levantamiento era lenta pero mucho más efectiva, porque permitía la acumulación de fuerzas. Todo comenzó a principios de septiembre, con el bloqueo de caminos decretado por la organización de Felipe Quispe[19]. La excusa coyuntural

17 Minas caseras elaboradas con dinamita.

18 En buena medida, el crecimiento del MAS fue un resultado inesperado de la estrategia electoral de Goni, quien desató una intensa campaña contra el candidato presidencial que encabezaba las primeras encuestas, Manfred Reyes Villa. La guerra sucia desgastó a Sánchez de Lozada y a su contendor, abriéndole paso al tercer postulante, Evo Morales.

19 En su escritorio, en un block de papel amarillo, estaba escrito con bolígrafo azul: Guerra Civil Septiembre 2003.

fue el proyecto de exportar gas a California a través de un puerto chileno, que ocasionó la molestia de ciertos intereses que ya hemos comentado, así como un brote de chauvinismo nacionalista que fue hábilmente aprovechado por los promotores de la revuelta. Una convocatoria al diálogo abierta por el gobierno fue rechazada por los "movimientos sociales", luego de un viaje de Evo Morales y Felipe Quispe a Venezuela, en el que habrían conseguido un importante financiamiento adicional.

- *¿Cómo llega la insurrección hasta El Alto?*

- Progresivamente, por medio de la ocupación de áreas rurales primero y de pequeñas poblaciones después, de acuerdo al diseño ensayado a través de la "gimnasia revolucionaria" de los años anteriores. Es la "reterritorialización del poder" de la que habla Raúl Prada. El 20 de septiembre, un operativo policial y militar para rescatar a turistas secuestrados en Sorata produjo las primeras muertes. El gobierno había caído en la trampa. A partir de allí los sucesos se precipitaron. Los bloqueos y tomas de pueblos, salpicados de numerosos hechos de violencia, fueron cerrando el cerco a la ciudad de La Paz: corte de carreteras y caminos a Copacabana, Achacachi, Sorata, Camacho y Bautista Saavedra, Tambo Quemado, Palca, Yungas, Quime y parcialmente a Oruro. Dirigentes sindicales y vecinales de El Alto obligaron a cerrar a los mercados de La Paz, completando el dispositivo de asfixia a los habitantes de la sede de gobierno, y el 8 de octubre impusieron el paro indefinido. El desabastecimiento alcanzó un punto crítico y el gobierno tuvo que utilizar al Ejército para garantizar el transporte de gasolina y gas licuado, pero la operación culminó con nuevas muertes. Si la primera etapa de la insurrección había estado a cargo de *milicianos sindicales*, solventados con los viáticos correspondientes, las bajas entre la población alteña encendieron la mecha para la socialización del conflicto, orquestada por la dirigencia local que hoy comparte el poder con Evo Morales. Mientras los fondos facilitados por Hugo Chávez y George Soros aceitaban la maquinaria de guerra, El Alto comenzó a parecerse cada vez más, ahora sí, a la franja de Gaza.

- *¿Cómo seguía los sucesos García Linera?*

- A juzgar por sus crónicas del levantamiento, los seguía muy de cerca y con ánimo exultante. Finalmente había llegado el momento tan anhelado. Déjeme leerle un fragmento de un artículo suyo, titulado *"Rebelión en la ciudad más joven de Bolivia"*: "Miles de bloqueos impiden todos los accesos a los barrios; cientos de barricadas, a veces de dos metros de altura y decenas de zanjas antitanques, surcan las principales avenidas que atraviesan El Alto; las wiphalas coronan los escombros, los insurrectos se comunican en aymara por altoparlantes y los chicotes andinos marcan el principio de autoridad del comité de huelga que ha asumido, de hecho, la soberanía política en cada territorio". ¿Qué le parece?

- *Siga por favor.*

- "A modo de mojones de cultivo, cada junta de vecinos demarca el control de su territorio con alambres de púas y fogatas, en tanto que grupos de jóvenes, mujeres y varones, organizados en torno al mando central recorren cada uno de los lados del espacio territorial de la junta vecinal. Los cohetes y dinamitazos, junto con los golpes en los postes de luz, generan una tonalidad guerrera que mantiene en alerta a los vecinos". La organización desplegada habla claramente de una planificación estratégica. Junto al control territorial en El Alto vendría "La amenaza de los vecinos sublevados de castigar a los familiares de los militares o de marchar *al sur,* donde viven las élites económicas y políticas del departamento". García Linera también describe el cerco a la planta de Senkata, establecido para impedir la salida de los camiones cisterna; el asalto a las oficinas de Electropaz y Aguas del Tunari, a una gasolinera y al regimiento 5 de policía, que fue asediado durante toda una noche. El escritor argentino Tomás Eloy Martínez llegó a decir que El Alto estaba dominado por "lúmpenes y marginales de toda laya, en estado de perpetua ebullición".

- *¿Qué armas usaban los insurrectos?*

- Dinamita y armas blancas, básicamente, aunque también hubieron armas de fuego. Pero el objetivo de la *intelligentzia* que había diseñado el levantamiento no era tanto el provocar bajas en policías y militares, sino entre los propios manifestantes. Recuerde que los totalitarios siempre han usado a sus propias bases como escalera de ascenso. Y cada muerto de su bando los ponía un paso más cerca del poder.

- *¿Cómo reaccionó el gobierno?*

- Al principio osciló entre los llamados a la negociación y una línea dura impulsada por el ministro de defensa, Carlos Sánchez Berzaín, que empeoró toda la situación. Hubieron grandes discusiones en el gabinete ministerial sobre el rumbo a tomar. Hacia el final del conflicto el presidente Sánchez de Lozada buscó una solución política, proponiendo un referéndum consultivo para decidir si el gas se exportaría por Chile o Perú. Pero ya era demasiado tarde. Además, ése nunca había sido el tema de fondo para los alzados, aunque sí fuera importante para sus financiadores. Vuelvo al manual escrito por García Linera, donde critica a los sectores sociales que buscan reivindicaciones y frente a los cuales postula la necesidad de articular movimientos que se propongan la conquista del Estado.

Otra postura decisiva que determinó el curso de los acontecimientos fue la del vicepresidente Carlos Mesa, quien, con un gran sentido de la oportunidad, se desmarcó del gobierno mediante una supuesta renuncia que nunca llegó a hacer efectiva. Era la señal que esperaban los golpistas, que vieron la posibilidad de la sucesión constitucional y lanzaron la ofensiva final. Por esos días, una reunión sostenida por Mesa con personeros del Movimiento Al Socialismo alimentó la versión de que hubo algún tipo de coordinación. Mientras tanto, las muertes habían provocado una ola de indignación en sectores de la clase media urbana y un grupo de intelectuales comenzó a exigir la renuncia del primer mandatario. También pesaba el temor de que los insurrectos cumplieran su amenaza de "marchar al sur" y atacaran las zonas acomodadas, cuyos vecinos se vieron forzados a improvisar unos "comités de defensa" por si llegaba a darse la invasión. Luego vino lo que todos sabemos: la salida de Goni y la instalación de un gobierno de transición encabezado por Carlos Mesa. De acuerdo a los esquemas ideológicos de la izquierda neocomunista, comenzaba la etapa *democrático-radical* de la revolución boliviana. Una fase preparatoria antes del asalto final.

CAPÍTULO III

Mesa y el gobierno "menchevique"/El cogobierno del MAS/La fabricación de enemigos/La oligarquía andina/La Logia TAU/Intelectuales orgánicos del centralismo/Las dos periferias/El surgimiento de la burguesía nacional.

DENCIAL

Encuentro al Ciudadano X en el lobby del hotel donde tendremos nuestra tercera conversación. Al acercarme apaga su celular.

- Para que nadie interrumpa. ¿Dónde habíamos quedado?

- *El gobierno de Mesa.*

- Ah, sí. El periodo menchevique de la revolución.

- *Me gustaría que aclare esa expresión.*

- No olvide que la revolución rusa sigue siendo el gran referente para las corrientes neocomunistas, aunque sus representantes hayan aprendido a disimular esa veneración. Todavía es el modelo a seguir. Fíjese incluso en el simbolismo de la fecha elegida para la gran ofensiva en la insurrección del 2003: 17 de octubre. La toma del poder por los revolucionarios rusos tuvo lugar en octubre de 1917. Esto no es casual, conociendo la importancia que dan al manejo de personajes, emblemas y fechas icónicas. A la *construcción simbólica del socialismo.* Como aquí, en la revolución rusa hubo un primer levantamiento en febrero del mismo año, que instaló en el poder al socialista moderado Alexander Kerenski. Éste era el jefe de los mencheviques[20], mientras que Lenin encabezaba a los bolcheviques[21], partidarios de la "dictadura del proletariado". Los radicales dejaron un tiempo en el gobierno a los moderados, lo suficiente para completar su proceso de acumulación de fuerzas y dar un golpe que concentró todo el poder en sus manos. En la teoría marxista se denomina a ese periodo de transición como la "etapa democrático-radical de la revolución", donde provisoriamente hay alianzas con las "fuerzas pequeño-burguesas". Es un momento táctico, antes de deshacerse de los tontos útiles y compañeros de ruta...

- *¿En qué medida el gobierno de Carlos Mesa habría encajado en ese perfil?*

- El analista político Roberto Barbery, que fue ministro de ese gobierno, ha dicho que "Mesa fue el Kerenski boliviano". Sólo estoy ampliando su

---

20 "Minoritarios" en el Partido Obrero Social-Demócrata Ruso.

21 "Mayoritarios" en la misma fuerza política.

tesis. Mesa reunió en su entorno al "ala izquierda del gonismo": intelectuales que habían participado en el diseño de la Participación Popular y del Bonosol, la cara social del proyecto impulsado por Sánchez de Lozada en su primera presidencia. También contó con el apoyo del alcalde paceño, Juan del Granado, de centroizquierda. Al menos a nivel discursivo, Mesa apostaba a cierto perfil socialdemócrata. Por su parte, los radicales cogobernaron con él, sabiendo siempre que esa era sólo una alianza temporal que habría que romper en el momento indicado, como sucedió finalmente.

- *Sin embargo, no le dieron un golpe de Estado.*

- No, pero promovieron su caída e impusieron por medios violentos la sucesión constitucional hasta el presidente de la Corte Suprema de Justicia, adelantando las elecciones para que se realizaran en la coyuntura más favorable para ellos. Pero ya llegaremos a ese punto.

- *¿Dice que cogobernaron con Mesa? ¿A quiénes se refiere exactamente?*

- El Movimiento Al Socialismo tuvo importantes cuotas en ese gobierno, con ministros como Justo Seoane o Donato Ayma en la cartera de educación. Este último era nada menos que el tío de Evo Morales. Cuando Mesa promovió el Referéndum sobre los Hidrocarburos, el MAS redactó tres de las cinco preguntas de esa consulta.

- *¿Ha encontrado otros indicios sobre del cogobierno?*

- Desde el inicio de su gestión, Carlos Mesa buscó apaciguar a los radicales con espacios de poder, discursos inflamados donde denostaba al "neoliberalismo" y gestos patéticos, como ir a revolcarse en El Alto para impregnarse con la tierra de esa ciudad. También incorporó a Álvaro García Linera como analista en su canal de televisión, la Red PAT[22]. Éste se transformó en una especie de vedette mediática y obtuvo una plataforma para difundir propaganda política de forma más o menos solapada, mientras comenzaba a trabajar su imagen de futuro candidato. Mesa planteó que el eje de su gobierno sería el cumplimiento de la llamada "agenda de octubre", es decir, la redacción de una nueva ley de hidrocarburos y la convocatoria a una Asamblea Constituyente. Con eso consiguió una "tregua social" de distintos sectores, como el MIP[23] de Felipe Quispe. Éste fue generosamente cooptado por el gobierno a través de cuotas de poder en

22 Periodistas Asociados Televisión.

23 Movimiento Indígena Pachacutik, expresión del indianismo radical.

algunos viceministerios. La COB de Jaime Solares[24] también sostuvo la "tregua", aunque manteniendo un lenguaje combativo y desplazándose paulatinamente hacia la oposición. Al mismo tiempo que Mesa buscaba afianzar su alianza con los insurrectos, comenzó la *fabricación de enemigos* hacia quienes desviar la cólera de los exaltados. En el plano externo Chile resultó ser el enemigo perfecto, que le permitía al nuevo presidente mostrarse *patriota* y utilizar los sentimientos chauvinistas potenciados durante octubre negro. Así nació la política de "reivindicación marítima" de Carlos Mesa, que emprendió una ofensiva diplomática en cuanto foro internacional pudo encontrar. El presidente dijo que no se exportaría "ni una molécula de gas a Chile". La maniobra enrareció el ambiente y llegó a extremos peligrosos cuando militares de ambos países tuvieron una breve escaramuza en la frontera. Obviamente, la idea de exportar gas a través de un puerto chileno fue descartada, con lo que se perdió el mercado de California, que fue aprovechado por el Perú con su proyecto gasífero de Camisea y por las empresas de Soros en las ex repúblicas soviéticas. Pero también hubo que fabricar un enemigo interno, una supuesta oligarquía que distrajese a la izquierda radical. Santa Cruz y su empresariado acabaron siendo el chivo expiatorio adecuado, que permitía redirigir la creciente polarización social lejos de La Paz y de las auténticas élites dominantes.

- *¿Qué élites?*

- Las que gobernaron el país durante la mayor parte de su historia republicana, la oligarquía minero-feudal andina con epicentro en La Paz. Basta con ver la lista de los presidentes de Bolivia para comprobar esto. En cambio, la nómina de mandatarios procedentes de Santa Cruz es raquítica: Velasco, Busch y Banzer. Sólo tres en 182 años. Carlos Mesa proviene del seno mismo de la élite andina, muchos de cuyos integrantes tuvieron que tomar directamente las riendas de la administración pública en su gobierno, ante la crisis de la mediación política desatada por el derrumbe de los partidos tradicionales. Le aconsejo un ejercicio muy simple. Vea los apellidos de los funcionarios que rodearon a Mesa y encontrará un catálogo resumido de lo más granado de la alta sociedad paceña.

- *Dice que con Mesa tuvieron que tomar las riendas directamente. ¿Cómo ejercían antes el poder?*

- Como le comentaba, antes de la crisis de los partidos tradicionales buena parte de los políticos hacían de administradores para esa clase domi-

24 El mismo Jaime Solares que tras el 11 de septiembre pedía "uno, dos, tres, muchos Bin Laden".

nante, que se enriqueció con el manejo patrimonialista del Estado. Con esto quiero decir que usaron la *cosa pública* como si fuera su patrimonio privado. El exacerbado centralismo les permitió concentrar el poder y los recursos, pero ese mecanismo perverso se convirtió en un freno para el desarrollo de las distintas regiones del país. Además, la élite andina siempre mantuvo una mentalidad rentista, nacida en parte de sus orígenes mineros, que le inculcaron una concepción *extractiva* y no productiva de la riqueza. Las peores tradiciones burocráticas del periodo colonial –como las subastas de puestos públicos- también influyeron en el perfil de ese estamento dirigente, que tiene mucha responsabilidad en los altos niveles de corrupción de Bolivia. Nunca llegaron a convertirse en un empresariado moderno y competitivo, sino que encarnaron el significado etimológico de la palabra "oligarquía": el gobierno de unos pocos que usan el poder para beneficiarse a sí mismos. Su parecido con la clase ociosa retratada por Thorstein Veblen es notable. Pero usted me pregunta cómo ejercían el poder. Para entender su metodología de dominación tenemos que hablar de la Logia TAU.

- No me haga esperar más.

- Se trata de un grupo muy reservado y selecto formado en La Paz, una vez que el poder fue centralizado a través de la mal llamada "Guerra Federal", que le arrebató la sede de gobierno a Sucre[25]. Su objetivo principal es retener el control del Estado y su esquema de concentración geográfica. Aclaremos que no se trata de una logia masónica, sino de una facción puramente regionalista y clasista. Aunque ha circulado la versión de que su nombre significaría "Todos Andinos Unidos", lo más probable es que se deba a la letra TAU, que aparece tanto en el alfabeto griego como en el hebreo. Le sorprendería saber cuántos presidentes de Bolivia han formado parte de la Logia. Me basta con decirle que, entre los más recientes, han militado en sus filas Hernán Siles Zuazo, Gonzalo Sánchez de Lozada, Eduardo Rodríguez Veltzé... También se puede encontrar en sus listas a varios obispos, como Monseñor Gutiérrez Granier de La Paz y Monseñor

25 Según la historia oficial de TAU, editada de manera restringida por el Ministro de Hacienda de Carlos Mesa, el cofrade Xavier Nogales, el origen de su "Fraternidad" se remontaría al año 1936, una vez concluida la Guerra del Chaco. Sin embargo, admite que logias anteriores como Beta-Gama y Estrella de Hierro serían directas predecesoras de su organización. Esta última fue acusada varias veces de representar intereses de extrema derecha y estuvo vinculada a la logia militar RADEPA.

Wálter Rosales de Cochabamba[26]. Tradicionalmente, el Ministerio de Hacienda ha sido un feudo de TAU, y es posible encontrar representantes de esa organización en el Alto Mando de las Fuerzas Armadas. Los integrantes pertenecen principalmente a la élite blanca de La Paz, aunque han extendido tentáculos hacia otros puntos del país, como Sucre, Cochabamba y Santa Cruz, a través del sistema colonial-centralista de las "Encomiendas". Durante años se opusieron férreamente al Plan Bohan, una iniciativa planteada por una misión técnica norteamericana que sugería desarrollar las tierras de la Amazonia boliviana. Y cuando ya no pudieron evitar su implementación se convirtieron en los articuladores de la *marcha hacia el oriente*, garantizando que serían los beneficiarios de esa política. Se comenta que Carlos Montenegro y Augusto Céspedes -los teóricos de la revolución del ´52- también habrían formado parte de la Logia.

- *¿Qué papel han tenido los intelectuales en la formación y preservación de esa oligarquía andina de la que habla?*

- La élite andina ha parido sus propios intelectuales orgánicos, en el sentido gramsciano del término, encargados de mantener la *hegemonía ideológica* sobre toda la nación. Recuerde que el verdadero poder de una clase dominante radica en la capacidad para controlar lo que piensa o sabe la gente. Y eso sólo se logra hegemonizando las instituciones culturales de la sociedad, los *medios de producción del conocimiento*. Los centros de estudio, los medios de comunicación de masas, los núcleos de producción artística y, sobre todo, la interpretación de la historia. Ahí es donde ha tenido un papel muy importante Carlos Mesa en su rol de historiador, al igual que sus padres. La oligarquía paceña siempre se las ha arreglado para escribir la historia a su manera[27]. Han convertido esa versión sesgada en la historia oficial de Bolivia, imponiéndola en los programas educativos y alienando a las regiones periféricas de sus propias identidades y trayectorias sociales. Exportaron una imagen exclusivamente andinocéntrica y altiplánica del país, donde no existen dos tercios del territorio -formados por selvas, valles y llanuras- ni las numerosas etnias amazónicas o los mestizos del oriente y del sur, que tienen sus propias singularidades culturales.

---

26 Ver la nómina completa de integrantes de la Logia TAU en los anexos de este libro.

27 Al parecer, Mesa no ha tomado nota del cambio de los tiempos y pretendió reincidir en esa práctica en un reciente libro de su autoría, "*Presidencia sitiada*", donde trata de justificar los pasos que siguió durante su fallido mandato, mostrándose como un incomprendido que fue saboteado por la "oligarquía camba".

- *Hablamos de un manejo excluyente del poder político, económico y cultural...*

- A lo largo de su dominación histórica, la oligarquía agrupada en torno al signo de TAU fue generando dos periferias en torno a su posición central: una *periferia social*, conformada por masas de mestizos e indígenas empobrecidos que fueron poblando las laderas de la Hoyada paceña y que acabarían por crear la ciudad de El Alto; y una *periferia regional*, integrada por los departamentos a los que se negaba cualquier forma de autogestión. En cierto sentido, el proceso político de los últimos años podría resumirse como la crisis terminal de la oligarquía minero-burocrática paceña, y la emergencia y empoderamiento de esas dos periferias excluidas. Sin embargo, la élite andina ha sido muy hábil para enfrentar a las dos periferias entre sí, desviando las tensiones sociales del Altiplano hacia una supuesta "oligarquía cruceña", que poco participó del poder político y que no tiene responsabilidades en la pobreza extrema del occidente del país. El discurso de polarización regional contra Santa Cruz y la "media luna" fue el pan de cada día durante todo el gobierno de Mesa, que de esa manera buscó oxigenar el liderazgo de su deprimida élite en ruinas. En general, los movimientos sociales asimilaron esa línea de manera acrítica, cayendo en la trampa de la manipulación. Actualmente, vemos que ese discurso es continuado por Evo Morales...

- *¿Por qué afirma que las élites cruceñas no conforman una oligarquía?*

- Por varias razones: en primer lugar, porque han reducido drásticamente la pobreza, que en Santa Cruz es del 38% en contraposición al 83% de la zona andina. Y esto en sólo 30 años. El empresariado cruceño ha difundido la riqueza y eso es lo contrario de lo que hacen las oligarquías, que la concentran y pauperizan al resto de la población. Por otra parte, la mayoría de los empresarios cruceños deben su riqueza al trabajo productivo y no a la utilización patrimonialista del sector público. Con sus impuestos aportan casi la mitad de los ingresos del Tesoro General de la Nación, lo que no es correspondido por el gobierno central con obras de infraestructura importantes. Por último, ese empresariado es un crisol de Bolivia, integrando emprendedores de todas partes del país. En vez de oligarquía, lo que hay en Santa Cruz es el germen de una *burguesía nacional*, esa burguesía desarrollista que reclamaba René Zavaleta Mercado. ¿Lo ha leído?

- *Un poco.*

- Entonces sabrá que el pensamiento de Zavaleta renovó la sociología boliviana, con una lectura muy personal del nacionalismo revolucionario y del marxismo. Una de las categorías que más divulgó fue la de *burguesía nacional*. Por tal entendía a un empresariado que aún no existía en Bolivia, y cuyo nacimiento planteaba como necesario. Sería lo contrario de la *clase señorial* que gobernaba el país, como él la denominaba, y que a grandes rasgos se corresponde con la oligarquía andina de la que hemos estado hablando. A diferencia del rentismo y parasitismo que caracterizan a esa clase, la *burguesía nacional* sería capaz de emprender tareas fundamentales del desarrollo, diversificando la economía e impulsando un enfoque productivo. Varias décadas después de esa profecía, podemos afirmar que Zavaleta erró en muchas cosas pero acertó en lo más importante. Fiel a su concepción socialista creyó que el Estado debía incubar a esa nueva burguesía, y sus ideas sirvieron de excusa a los gobiernos de la "revolución nacional" para subvencionar a una clase de políticos-empresarios, dependientes de favores públicos y vulnerables a las tentaciones de la corrupción. Así se caía nuevamente en las prácticas patrimonialistas y mercantilistas, que fueron aprovechadas por la *clase señorial andina* para su propio reciclaje. Mientras tanto, la verdadera *burguesía nacional* se estaba forjando a la intemperie, lejos del poder. En la orfandad estatal, los cruceños aprendieron a hacer las cosas por sí mismos: para dar servicios básicos a sus habitantes Santa Cruz no se los pidió al gobierno central, sino que los hizo a través de sus propias cooperativas, y son los mejores de todo el país. También fue cooperativo el éxito del sector agroindustrial, como los grandes ingenios azucareros que integran a miles de agricultores y transportistas. La Cámara de Industria y Comercio se fue llenando de pymes y así se echó a andar un modelo productivo que pronto atrajo a personas de todas partes del país y del exterior. En sólo tres décadas, Santa Cruz de la Sierra pasó de tener 50.000 habitantes a un millón y medio de pobladores, y de un rol absolutamente marginal en la economía nacional pasó a liderarla. Ésa es la gloria y el fracaso de René Zavaleta Mercado: profetizó el nacimiento de una burguesía moderna, pero no supo ver que florecería lejos de la asfixiante presencia del Estado, del *Ogro Filantrópico* denunciado por Octavio Paz.

CAPÍTULO IV

Capital social/Élites permeables/Santa Cruz y el liderazgo nacional/La agenda de junio/La falacia del "empate catastrófico"/Caudillismo en el MAS/Diálogo Santa Cruz-El Alto/Visión País: un plan de desarrollo nacido de la sociedad civil.

- *Quisiera que amplíe su concepto sobre la burguesía nacional.*

- Cuando hablo de burguesía lo hago en el sentido más amplio del término, englobando a pequeños, medianos y grandes empresarios, y a toda una gama de capas medias urbanas como los profesionales liberales, que han tenido un papel muy importante en el surgimiento de la institucionalidad regional. Justamente, creo que la fortaleza de la sociedad civil es una de las claves para el éxito del modelo de desarrollo cruceño. El intenso asociacionismo ha posibilitado la acumulación de *capital social*, con la construcción de las *redes de confianza* de las que habla Fukuyama. Otra de las características de esa nueva burguesía es la movilidad social, es decir, las posibilidades abiertas de ascenso por medio del trabajo productivo, sin barreras artificiales de castas como las que existen en el sistema andino. Está claro que las élites de Santa Cruz son altamente *permeables* en comparación con las paceñas. Le doy un ejemplo muy simple: la oligarquía comercial que monopoliza los mercados de La Paz está organizada a la manera de las corporaciones medievales, con sus santos patronos y su "prueba de sangre", que en este caso sería la pertenencia a un reducido grupo de familias, que practican una rigurosa endogamia.

- *¿Cuál sería la proyección política de esa burguesía nacional que está naciendo en Santa Cruz?*

- Ha hecho una pregunta muy interesante, porque esa burguesía emergente está comenzando a desarrollar un liderazgo político nacional. Las autonomías, que en España y otras naciones europeas han sido promovidas por las fuerzas de izquierda, son planteadas en Bolivia por esta nueva burguesía que busca reformar las estructuras profundas del Estado. Claro que la interpelación cruceña al centralismo viene de muy atrás, desde la misma colonia, cuando Santa Cruz se manejaba como una gobernación autónoma y se rebelaba contra los dictados virreinales. A lo largo de su historia republicana, los planteamientos federalistas o autonómicos volverían a aparecer recurrentemente, con hitos como la *revolución igualitaria* de Andrés Ibáñez, donde se mezclaba el federalismo con un socialismo utópico y romántico a la manera de Saint-Simon. A fines del siglo XIX y a lo largo del XX siguieron varios movimientos que demandaban la descentralización política y administrativa. Esas ideas fueron retomadas con fuerza luego del retorno a la democracia en 1982, y a comienzos del siglo XXI se plasmaron en el proyecto de autonomía departamental. Por supuesto, la oligarquía andina puso el grito en el cielo...

- *Sánchez de Lozada dijo que él "nunca permitiría la implementación de las autonomías".*

- Precisamente. Después, Carlos Mesa siguió el mismo camino y buscó descalificar el proyecto autonómico por todos los medios posibles. Él fue quien comenzó a asimilar las autonomías con separatismo y desintegración, y quien divulgó la frase de que "en Santa Cruz no hay liderazgo nacional", cliché que ha sido repetido alegremente por muchos. Actuaba como el guardián de los intereses de su clase y trataba de apuntalar la debilitada hegemonía ideológica de la oligarquía paceña con sus discursos.

- *Que fueron muchos y muy abundantes.*

- Publicados por cuenta del Estado, primero en la prensa nacional y luego en un libro lujoso que intenta ser la síntesis de su gestión. Usted también recordará sus frecuentes cadenas nacionales. Realmente, fue muy activo como vocero de la élite andina. Mientras Mesa libraba una batalla infructuosa por el imaginario colectivo de los bolivianos, Santa Cruz lograba impulsar una agenda política alternativa, mediante un cabildo multitudinario realizado a mediados del 2004. La *agenda de junio* puso en el centro del debate nacional la demanda de un referéndum sobre autonomías departamentales.

- *¿Recuerda cuál fue la reacción de Carlos Mesa?*

- El gobierno alegó que primero se debía instalar la Asamblea Constituyente y después vendría el referéndum. Un engaño, claro. En septiembre de ese año, en el Foro Económico de CAINCO[28], Mesa dijo que "los cruceños tienen un chip provinciano". Como ya he señalado, toda esa política de polarización regional le servía para desviar las tensiones sociales de La Paz y El Alto. Dirigentes como el alteño Roberto de la Cruz le hacían el juego y periódicamente anunciaban su intención de "marchar contra Santa Cruz". Otros voceros de la izquierda radical, como el ex MRTA[29] peruano Wálter Chávez, descalificaban la demanda autonómica desde las páginas de su órgano de propaganda -El Juguete Rabioso-, diciendo que

28 Cámara de Industria, Comercio, Servicios y Turismo de Santa Cruz.

29 Movimiento Revolucionario Túpac Amaru, guerrilla desarticulada luego de la toma de la Embajada de Japón en el Perú. Tuvo presencia en Bolivia, donde desarrolló actividades terroristas.

era "una maniobra de las trasnacionales para dividir Bolivia". Mientras tanto, los cruceños recolectaron en tiempo record 500.000 firmas para la realización del referéndum, el doble de la cantidad exigida por la normativa electoral. Sin embargo, el gobierno se negó a considerar el proyecto, lo que ocasionó un paro cívico de 24 horas el 11 de noviembre. Ante el silencio del gobierno central, el Comité Pro Santa Cruz decidió formar el Consejo Pre-Autonómico, integrado por expertos y encargado de consolidar la propuesta jurídica para la autonomía, así como de hacer el seguimiento a las firmas pro-referéndum.

- *A comienzos de diciembre se llevaron a cabo las elecciones municipales.*

- Es cierto, y los resultados favorables comenzaron a sacar al MAS del letargo del cogobierno. Ya en esa campaña pudo evidenciarse que el partido de Evo Morales manejaba ingentes recursos para movilización y control territorial, procedentes de Venezuela. El caso es que el Movimiento Al Socialismo quedó posicionado como la primera fuerza política del país, con lo que empezaron a ponerse en marcha los planes para adelantar las elecciones presidenciales. El año se cerraría con vientos de tormenta, cuando Mesa dictó un decreto el 30 de diciembre subiendo el precio de los combustibles, medida conocida como "el dieselazo" y que afectaba principalmente a Santa Cruz. Así que el 2005 se inició con un paro del transporte y con una huelga de vecinos, que exigía el congelamiento del pasaje urbano.

- *Entonces comenzó la toma de instituciones públicas en Santa Cruz.*

- Primero hubo un paro de 48 horas los días 11 y 12 de enero. A partir de ahí se masificaron las huelgas de vecinos y universitarios. El 18 de enero comenzó la toma de las instituciones dependientes del gobierno central en el departamento: Impuestos Internos, Aduana, Senasir, la Dirección de Trabajo y el Palacio Prefectural. Los estudiantes de la Federación Universitaria Local tuvieron un rol preponderante en esa lucha. Finalmente, el movimiento concluyó con la celebración del segundo cabildo, el 28 de enero. Más de 350.000 personas dijeron sí a la pregunta del cabildo, que proponía la conformación de una Asamblea Provisional Autonómica, encargada de conducir el proceso hacia la plena vigencia de la autonomía en Santa Cruz.

- *¿Cómo seguían ese proceso desde el gobierno?*

- Como imaginará, fue un verdadero terremoto, no sólo para el gobierno de Mesa, sino para la oligarquía paceña en pleno y también para los movimientos de la izquierda radical. Todos veían desafiados sus planes. Ante el temor de que los cruceños nombraran gobernador al presidente del Comité Pro Santa Cruz -Rubén Costas-, Mesa tuvo que ceder y el mismo 28 de enero dictó el Decreto Supremo 27988, que estableció la elección directa de los prefectos por voto popular. Esa conquista histórica significó un gran paso adelante en el proceso de descentralización departamental, no sólo para Santa Cruz sino para todas las regiones de Bolivia. Una vez más, como ya sucediera con las autonomías municipales en 1984, la lucha cruceña daba frutos en todo el país. ¿Qué mejor prueba de liderazgo nacional?

- *¿Qué pasó con las firmas?*

- Inicialmente se guardaron en la bóveda de un banco de Santa Cruz. Se temía que hubiera un sabotaje o que se perdieran los libros, así que se procedió con un gran operativo de seguridad, sobre todo cuando hubo que trasladarlas en febrero a la ciudad de La Paz, donde está la sede de la Corte Nacional Electoral. Incluso se fotocopiaron y digitalizaron todos los libros. Pero no hubo mayores inconvenientes y la Corte registró 350.000 firmas, luego de lo cual detuvo el conteo, porque sólo se necesitaban 250.000 para que el referéndum tuviera validez. Desde ese momento, el Congreso estaba en la obligación de sancionar una ley de convocatoria al referéndum autonómico, con lo que el panorama político nacional varió sustancialmente. ¿Sabe qué decía García Linera por esos días?

- *Cuénteme.*

- Difundía la teoría del "empate catastrófico", una falacia que sedujo a muchos incautos. En resumidas cuentas, decía que al haber paridad de fuerzas en el país -entre la *agenda de octubre* y la *agenda de junio*- se producía un "empantanamiento" político que había que desempatar. En realidad, estaba preparando el terreno para el adelantamiento de las elecciones nacionales, después de los auspiciosos resultados logrados por el MAS en las municipales. Coincidentemente, en los meses siguientes se vivió una súbita reactivación de los "movimientos sociales", que promovieron tomas de tierras y bloqueos. Pero también hubo otro plan para acceder a la presidencia de la república a través de la sucesión constitucional, que fue abortado por el propio Evo Morales.

- *¿Cómo es eso?*

- Al iniciar la legislatura 2005 había que renovar las directivas de las cámaras legislativas, y quien ocupara la presidencia del Senado quedaría en la línea de sucesión presidencial. El senador Filemón Escóbar, mentor de Evo y fundador del Movimiento Al Socialismo, comenzó a operar para presidir la Cámara Alta. ¿Sabe qué pasó entonces? Evo Morales lo expulsó violentamente del partido, sin tribunales de honor ni nada parecido, alegando que Escóbar había recibido dinero de Carlos Mesa para pagar una deuda con "una ONG que le había financiado la campaña". Vea usted, que curiosa confirmación de nuestras teorías, de boca del actual presidente de la república.

- *¿Cuál fue la verdadera razón para la expulsión?*

- Caudillismo puro y duro. Morales no podía admitir que otro representante de su partido tuviera chance de acceder a la primera magistratura. No le importaba esperar un poco más; lo importante era que solo él podría llegar a la presidencia. Filemón Escóbar tuvo que resignar su intención de presidir el Senado, cargo para el que fue reelecto el cruceño Hormando Vaca Diez.

- *Por esa época, también comenzaron los enfrentamientos entre Mesa y el Congreso.*

- Sí. Mesa no tenía una bancada propia, ya que había sido invitado a la vicepresidencia de la república por Sánchez de Lozada y el MNR[30] se rehusaba a obedecerlo. Así que intentó crear su propio grupo parlamentario, pagando sobresueldos con fondos de los gastos reservados: la famosa "bancada patriótica" formada por tránsfugas de todos los partidos. Sin embargo, ese grupo siguió siendo minoritario. Frustrada esa tentativa, Mesa comenzó a polarizar con el Poder Legislativo, sobre todo en el tratamiento de la nueva ley de hidrocarburos... Pero antes de llegar a eso quiero comentar una interesante experiencia de acercamiento entre El Alto y Santa Cruz que se dio por esos días, y que avala mi hipótesis sobre el surgimiento de una *burguesía nacional.*

- *Adelante.*

- Como le decía, entre abril y mayo del 2005 volvió la agitación social al país y había grandes convulsiones en El Alto. Como siempre, la respuesta de Mesa fue intensificar la política de polarización entre oriente y occidente del país. En ese momento, representantes de las instituciones cruceñas visitaron al Cardenal Julio Terrazas para pedir que la Iglesia Católica interviniera, para desactivar las tensiones regionales que eran potenciadas desde el gobierno. En la reunión, el Cardenal le planteó un reto al presidente de la Cámara de Industria y Comercio de Santa Cruz, Gabriel Dabdoub. ¿Estaría dispuesto a ir hasta El Alto a dialogar con los sectores sociales? La idea presentaba muchos riesgos por los conflictos

30 Movimiento Nacionalista Revolucionario.

que se desarrollaban en esa ciudad, pero los empresarios cruceños aceptaron el desafío y le sugirieron a la Iglesia que hiciera el contacto. Monseñor Juárez fue el encargado de sondear a los dirigentes sociales alteños y se acordó la reunión, que acabaría superando ampliamente todas las expectativas. "Había que romper el estigma de la polarización Santa Cruz-El Alto", dijo Gabriel Dabdoub, quien logró articular una masiva delegación cruceña. Participaban CAINCO, la Central Obrera Departamental, la Federación de Juntas Vecinales, la Cámara Agropecuaria del Oriente y la Federación de Empresarios Privados. También se hizo contacto con la Cámara Empresarial de El Alto, en cuya sede se realizaría la reunión. Por los sectores alteños participaron Abel Mamani, entonces presidente de las Juntas Vecinales; Edgar Patana de la Central Obrera Regional y Humberto Sandalio, dirigente de una asociación que nuclea a 8.500 microempresarios. La delegación cruceña también hizo contacto con el alcalde de El Alto, José Luis Paredes, un habitual crítico de Santa Cruz, que sin embargo los felicitó por el mensaje de unidad boliviana que estaban dando con la iniciativa. Comenzaron las primeras charlas y, para sorpresa de todos, se multiplicaron las coincidencias: cruceños y alteños querían trabajo productivo, prosperidad económica, exportaciones con valor agregado y apertura de nuevos mercados internacionales. En realidad, empezaron a descubrir que los pilares estructurales de las economías de Santa Cruz y de El Alto eran muy parecidos, basados en la producción y la exportación, y no dependientes de la burocracia estatal como La Paz. De la coincidencia se pasó a la complementariedad, porque la producción forestal sostenible de Santa Cruz ya había comenzado a alimentar las fábricas de muebles de El Alto, que eran exportados a terceros países.

- *¿Cómo terminó todo?*

- Los resultados fueron tan auspiciosos que hubo que acordar la conformación de mesas de trabajo, que se reunirían en Santa Cruz. Así que poco después los dirigentes alteños retribuyeron la visita y en la capital oriental se echaron a andar tres mesas de diálogo: económica, social y de comercio internacional. En la mesa económica se habló de industrialización y materias primas, de crear condiciones en las diferentes regiones para fortalecer a los microempresarios. Ahí se incorporaron representantes de CADEPIA[31]. En lo social se habló sobre los medios para atender los servicios básicos, analizando en qué forma la experiencia de las cooperativas cruceñas podría ser aplicada en El Alto. En la mesa de comercio internacional se incorporaron los fabriles alteños. Ahí se planteó incentivar la

31 Cámara Departamental de la Pequeña Industria y Artesanal de Santa Cruz.

diversificación y apoyar el ATPDEA[32], e incluso se coincidió en la necesidad de que Bolivia negociara un Tratado de Libre Comercio con Estados Unidos, que redundaría en la creación de miles de empleos. Fíjese bien: dirigentes alteños y cruceños unidos, obreros y empresarios, sin diferencias regionales ni de clase, hablando de promover el libre comercio. Toda una herejía, ¿no cree?

- *¿Qué repercusiones tuvo el acercamiento?*

- Del lado del gobierno significó un dolor de cabeza para la oligarquía paceña, que veía materializarse una de sus peores pesadillas: la unión de las dos periferias excluidas. La izquierda radical guardó un riguroso silencio ante un fenómeno que desafiaba todos sus dogmas. ¿Dónde quedaban la lucha de clases y el enfrentamiento entre kharas e indígenas? Los profetas del odio y la división no podían entender lo que estaba pasando. Lo más interesante de todo fueron las vías abiertas hacia el futuro, porque ese acercamiento sirvió para que, meses después, se desactivara una importante pugna interregional de la que ya hablaremos oportunamente. Entusiasmada por el camino que había comenzado a explorar, la Cámara de Industria y Comercio cruceña comenzó a delinear un ambicioso proyecto: reproducir en toda Bolivia la experiencia de concertación entre actores de la sociedad civil. Así nació *Visión País*, un programa de mesas de diálogo en los nueve departamentos que permitió diseñar estrategias de desarrollo productivo para todas las regiones. La iniciativa se extendió a lo largo del 2005 y comienzos del 2006, con el apoyo de la Agencia Sueca de Cooperación Internacional para el Desarrollo, el INCAE y los Consejos Departamentales de Competitividad.

- *¿Quiénes participaban en esas mesas?*

- Universidades, grupos sociales, trabajadores, empresarios, indígenas, campesinos, comités cívicos... No se trabajó solamente en las capitales departamentales, sino también en las provincias. El sector público estuvo representado por los municipios y las prefecturas. Se sorprendería si le doy algunos nombres de los participantes en esas mesas, que después estuvieron ligados al gobierno de Evo Morales.

- *Estoy impaciente.*

- El ex prefecto de Chuquisaca, David Sánchez, ahora exiliado en la ciudad de Lima, Perú. O el alcalde de Cochabamba, Gonzalo Terceros, quien llegaría a ser un firme aliado del Movimiento Al Socialismo. Pero esas son

32 Acuerdo de Preferencias Arancelarias, programa del gobierno estadounidense que beneficia a los países andinos que luchan contra el narcotráfico.

anécdotas jugosas y nada más. Lo importante es que se abrió un proceso de concertación y consenso por el desarrollo, que no sólo integró a los nueve departamentos, sino que incluso logró propiciar el diálogo intersectorial al interior de cada región. El trabajo de las mesas comenzó por un análisis de la estructura socioeconómica de Bolivia, donde se concluyó que el énfasis puesto en la macroeconomía durante los últimos años no era suficiente: los resultados microeconómicos mostraban una alta concentración de la actividad en pocos sectores, basados en la explotación de materias primas y con baja generación de empleo. Ante esa realidad se planteó la necesidad de un cambio radical en la matriz productiva.

En ese momento el Ciudadano X tomó el maletín negro, pero en vez de extraer papeles sacó una laptop. Rato después, abrió un archivo y comenzó a leer el contenido.

- La propuesta global de *Visión País* respondía a ese desafío, planteando como meta para el año 2025 una Bolivia con "alto desarrollo humano, con una economía basada en actividades de amplio efecto multiplicador económico y social, con énfasis en unidades productivas de pequeña y mediana escala en base a las potencialidades de cada región, sumando un país productivo, competitivo, integrado, exportador y generador de productos y servicios de alto valor agregado". Para alcanzar esas metas se proponía una serie de herramientas, como la implementación de mecanismos de coordinación institucional público-privada, el desarrollo de infraestructura prioritaria de transporte y logística, la atracción selectiva de inversiones, y el incremento y diversificación de las exportaciones. El siguiente paso fue hacer una valoración de las vocaciones económicas de cada región. Como resultado de esa etapa de trabajo surgieron proyectos de desarrollo productivo para los nueve departamentos, que de aplicarse generarían miles de millones de dólares.

- *¿Puede darme algunos ejemplos?*

- Para La Paz se diseñó una estrategia de promoción y posicionamiento de una marca-imagen y se elaboraron planes de producción orgánica. Se delinearon las bases para el proyecto de Puerto Seco en Oruro y se planteó cuáles son las vías camineras que deberían priorizarse en los próximos años: Santa Bárbara-Yucumo; carretera en "Y" para conectar Sucre-Cochabamba-Santa Cruz; tramo Cobija-Extrema, que facilitaría una nueva salida hacia el Perú; Santa Cruz de la Sierra-Misiones de Chiquitos; Tarija-Villamontes; tramo Oruro-Pisiga, abriendo una salida a Chile... En base a un consenso entre los nueve departamentos se identificó al turismo como el sector con mayor potencial de desarrollo económico. Para impulsarlo se propuso un Fondo Nacional de Turismo y la creación de una red o ruta que integre los distintos atractivos del país. Se esbozaron proyectos para desarrollar el turismo en cada región: promoción de la ruta del vino en Tarija, huellas de dinosaurios en Cal-Orko, la "Atlántida perdida" en Oruro, la construcción de un pueblo artesanal para La Paz y El Alto, Salar de Uyuni, circuito agroturístico de la castaña y la goma en Beni y Pando, la cultura hidráulica de los llanos de Moxos, Misiones de Chiquitos, el turismo amazónico... Se trata de un turismo con sostenibilidad, de pequeñas unidades productivas, con fuertes relaciones con otros sectores y efectos multiplicadores, que toma en cuenta la inmensa riqueza cultural, histórica y de recursos naturales de Bolivia. De aplicarse las estrategias y líneas de acción propuestas se proyecta un crecimiento del Producto Interno Bruto a una tasa anual promedio cercana al 7%, lo que reduciría sustancialmente la pobreza en toda Bolivia. Con esta iniciativa, los empresarios cruceños trasladaban a todo el país la fórmula con la que habían reducido la pobreza en su región en las últimas tres décadas.

- *¿Cree que es viable la aplicación de estas propuestas?*

- La agenda es optimista pero realista. Plantea resultados a 20 años y toma en cuenta la posibilidad de que en Bolivia persista cierto nivel de inestabilidad política por algunos años más. Por eso se propone el rápido desarrollo de actividades productivas con una amplia participación de la población de menores ingresos. El desarrollo económico requiere de cierto nivel de paz política, pero a su vez, el crecimiento económico, si es de amplio alcance, con responsabilidad social y equidad, promueve la paz política. *Visión País* es un verdadero Plan Nacional de Desarrollo, emanado de una iniciativa de la sociedad civil. ¿Necesita que le dé más pruebas del surgimiento de una *burguesía nacional*? Mientras esto sucedía, Carlos Mesa y otros *talking heads*[33] de la hegemonía andina miraban para otro lado y repetían mecánicamente: "en Santa Cruz no hay liderazgo nacional".

- *Parece que es la oligarquía paceña la que tiene un "chip provinciano-centralista".*

- Usted lo ha dicho. De alguna manera, se transmitió al resto del país la experiencia de integración sectorial cruceña, que tiene su mejor exponente en el Comité Pro Santa Cruz. Hace poco, un enviado de las Naciones Unidas me comentaba su sorpresa al enterarse de que esa entidad agrupa

33 "Cabezas parlantes", voceros.

tanto a obreros como empresarios, vecinos, universitarios, agropecuarios, indígenas, grupos culturales... Llegó a decir que habría que llevar esa experiencia a otras latitudes. El caso es que *Visión País* mostró otro camino posible para Bolivia, basado en la concertación social, vocación productiva, complementariedad económica, equilibrio público-privado, valoración positiva de la diversidad cultural, protagonismo de las regiones en su propio desarrollo... Pero al mismo tiempo que la sociedad civil se articulaba para diseñar un proyecto nacional, en el mundo político seguía imperando la lógica de la división, el mutuo devorarse de las facciones: la *antropofagia*.

Dicho lo cual X cerró su laptop y bajó la vista hasta el reloj.

- Pero ese será tema para nuestro próximo encuentro.

CAPÍTULO V

Los últimos días de Mesa/Vuelven los bloqueos/Evo contra el IDH/Pacto por la Democracia/"Sin gobierno ni timón"/El veto cruceño/¿Fujimorazo a la boliviana?/Rumores de autogolpe/El corralito de Sucre/Lula al teléfono.

CONFIDENCIAL

- A comienzos del 2005, Carlos Mesa se había hecho de muchos enemigos. Por un lado estaba la izquierda radical con el MAS a la cabeza, que apostaba sigilosamente por el adelantamiento de las elecciones, para lo que reactivó toda su maquinaria de agitación social. Por otra parte, la política de polarización regional le había granjeado el rechazo de las instituciones cruceñas, que en un gesto sintomático se negaron a invitarlo a los actos de posesión de sus nuevas directivas, tanto en el Comité Pro Santa Cruz como en la Cámara de Industria y Comercio. El presidente intentó demostrar que aún tenía "llegada" en la capital oriental, por lo que aprovechó el 50 aniversario de un conocido diario cruceño para hacer una aparición pública. Pero la maniobra se volvió en su contra, cuando los asistentes a la fiesta comenzaron a golpear las mesas y a gritar: *¡autonomía!* Ése fue el primer acto público de repudio que tuvo que sufrir.

- *Al mismo tiempo, Mesa había empezado a chocar contra el Congreso.*

- Se abrió un tercer frente de lucha con el Poder Legislativo. Después de su fracaso en conformar una bancada oficialista, comenzó a denostar al Congreso alegando que representaba a la clase política tradicional, mientras amenazaba con gobernar por decreto. En ese difícil contexto se llevaba a cabo el tratamiento de la nueva Ley de Hidrocarburos. Carlos Mesa exigía que se votara la denominada "Ley corta", una norma que le daba discrecionalidad al Poder Ejecutivo para diseñar y negociar los nuevos contratos petroleros. Las distintas fuerzas en el Parlamento coincidieron en no darle un cheque en blanco al gobierno. Además, querían asegurar que hubiese un ajuste tributario sustancial para las empresas petroleras, que habían hecho un gran trabajo de exploración pero que aportaban poco al sistema impositivo. Ante la resistencia de los legisladores a votar la "Ley corta", Mesa echó mano a un recurso de chantaje que ya había utilizado durante octubre negro. ¿Lo recuerda?

- *La renuncia.*

- La falsa renuncia querrá decir. La carta enviada al Poder Legislativo omitía el carácter de "irrevocable" y los parlamentarios se negaron siquiera a analizarla, por considerarla un truco. En vez de eso, siguieron adelante con el tratamiento de la nueva norma de hidrocarburos, tal como la estaban concertando. Pero el *impasse* con el Congreso le sirvió a Carlos Mesa para montar un show político-mediático con grupos de "ciudadanos patriotas", que se congregaban en la Plaza Murillo a la hora de los noticieros de televisión para defender a su presidente. Todo convenientemente aceitado con fondos de los gastos reservados y orquestado por sus operadores. También usó el mismo recurso para intentar descalificar la demanda autonómica de varios departamentos: reunía a algunos cientos de *pongos políticos* y les ponía banderas bolivianas. Luego saludaba desde los balcones del Palacio Quemado y lanzaba las clásicas consignas de la oligarquía TAU, que identifican al dominio paceño con "la unidad nacional" y que estigmatizan toda interpelación a ese poder como traición y separatismo.

- *Por favor, comente cómo se resolvió el debate sobre la Ley de Hidrocarburos.*

- El Parlamento logró legislar de forma independiente, pasando por alto las presiones del Ejecutivo. Así nació el Impuesto Directo a los Hidrocarburos o IDH, que grava el 32% de la producción de petróleo y gas en boca de pozo, y que sumado al 18% de regalías hizo que la mitad de los ingresos por hidrocarburos queden en manos fiscales. Esa ley es el origen de los nuevos recursos manejados por la administración pública, aunque recientemente Evo Morales ha intentado desinformar a la ciudadanía y a la comunidad internacional, alegando que se deben a su decreto de seudo-nacionalización. Sería bueno recordar que, en su momento, los parlamentarios del MAS se opusieron a votar la ley del IDH, y que el partido cocalero incluso impulsó una ola de bloqueos para que la norma quedara sin efecto. Lo cierto es que, para aprobar la nueva Ley de Hidrocarburos, el Congreso tuvo que sortear los obstáculos puestos tanto por el gobierno como por el Movimiento Al Socialismo. La última traba de Carlos Mesa fue su negativa a promulgar la ley, por lo que llegó a inventarse un viaje al exterior para no tener que firmarla. Pero fue promulgada por el titular del Senado, Hormando Vaca Diez, que había asumido interinamente la presidencia de la república ante la ausencia de Mesa.

- *¿Qué posición tuvieron las instituciones cruceñas sobre la política de hidrocarburos? Recuerdo que desde los órganos de la izquierda radical se las acusaba de "defender a las trasnacionales"...*

- En enero de 2005, el Comité Pro Santa Cruz pidió que se votara una nueva ley en cumplimiento del Referéndum de Hidrocarburos, que entre otras cosas ordenaba la tutela estatal sobre el sector. También por esa época, CAINCO pedía una mejor fiscalización a las empresas petroleras para que el Estado cobrara más impuestos. No hay cliché que resista a un buen archivo de prensa.

- *Mientras tanto, ¿cómo evolucionaban los conflictos sociales?*

- Se intensificaban peligrosamente. Los parasindicales de El Alto bajaban a La Paz sembrando el pánico, haciendo tronar dinamitas y dando chicotazos a las vendedoras callejeras de verduras, mientras gritaban: "¡Hay que matar de hambre a los kharas!". Se bloqueó la salida al aeropuerto y todas las vías terrestres, cortaron el suministro de gas y nuevamente obligaron a cerrar los mercados. Felipe Quispe declaraba a una radio peruana que tenía que "haber una guerra a como dé lugar, una lucha racial de blancos e indígenas". El conflicto le ocasionó a la sede de gobierno una pérdida de 120 millones de dólares. Dos policías resultaron heridos en El Alto, mientras en El Chapare una larga fila de vehículos con cientos de pasajeros era el centro de una crisis humanitaria, ya que los viajeros se estaban quedando sin alimentos ni atención médica. Mesa tenía miedo de desbloquear las carreteras o rescatar a los pasajeros atrapados, luego de la fatídica experiencia de octubre negro. Salió en cadena nacional y dijo que jamás iba a desbloquear por la fuerza. Pero no ofrecía otra cosa que la pasividad, y entonces quedó claro que el gobierno tenía los días contados. En ese momento hubo un pronunciamiento muy importante desde Santa Cruz: la Cámara de Industria y Comercio le propuso al país un *Pacto por la Democracia, el Trabajo y la Producción* como vía para pacificar Bolivia, abrir caminos institucionales que condujeran al Referéndum Autonómico y la Asamblea Constituyente, y construir una agenda económica de la que el gobierno carecía por completo. Se planteaban ocho puntos para que fueran debatidos por la opinión pública, tratando de resolver los desacuerdos. Ahí se reclamaba un proceso pre-constituyente como requisito previo a la convocatoria de la Asamblea, con una amplia discusión sobre las reformas a introducir en la Constitución Política del Estado.

- *¿Qué más planteaba el pronunciamiento?*

- Rechazaba la política de polarización entre oriente y occidente promovida por el gobierno. Leo textualmente: "Lo que existe es una diferencia de visiones del tipo de sociedad y Estado que debemos ser, que trasciende las regiones, pues enfrenta a una mayoría trabajadora, productiva y pacífica, diseminada por todo el territorio nacional, con una minoría violenta y antidemocrática, que responde a intereses e ideologías que desde el exterior quieren utilizar a nuestra patria como un laboratorio político para la expansión de sus ideas". El documento era propositivo pero también firme: se decía que en Bolivia no había "ni gobierno ni timón", cuestionando la falta de gestión económica y la pasividad ante la ola de conflictos violentos. Finalmente, se exhortaba a Carlos Mesa a “dar un paso al costado si no puede gobernar”.

- *Realmente, Mesa tenía los días contados.*

- Se había activado el veto cruceño.

- *¿Qué cosa?*

- Contrariamente a los que repiten que “Santa Cruz no tiene un liderazgo nacional”, la verdad es que el creciente peso económico e institucional del departamento se ha transformado en una innegable gravitación política. El punto es que ningún presidente deja el cargo sin que antes Santa Cruz haya dado una señal clara en ese sentido. Por lo general, esto es un gesto de desprendimiento para que no hayan más enfrentamientos en occidente. Lo vimos en octubre de 2003, cuando Sánchez de Lozada viajó a la capital oriental el día previo a su renuncia. Con Carlos Mesa pasaría algo similar.

- *¿Cómo respondió el gobierno?*

- Atacando. Inauguraron la nefasta tradición de denunciar conspiraciones imaginarias, que ha sido continuada por Evo Morales. Dijeron que representantes de los empresarios cruceños habían ido a España a traer armas y a Washington a pedir dinero. Pero el auténtico plan golpista comenzaba a incubarse en el mismo gobierno. ¿Le interesa conocer más sobre el tema?

- *Por supuesto.*

- Antes de caer por su propio peso, Carlos Mesa aún tenía un as bajo la manga. Anunció que iba a convocar a la Asamblea Constituyente y al Referéndum Autonómico por decreto, algo completamente ilegal, con lo que ponía al país al borde de la ruptura institucional. Y en los primeros días de junio envió una nueva carta de renuncia al Congreso, esta vez con el adjetivo “irrevocable”. Pero no crea que se estaba declarando derrotado. En realidad, la maniobra llevaba implícito un grave riesgo para la democracia.

- *¿En qué sentido?*

- El envío de esta segunda renuncia estuvo acompañado por fuertes rumores de autogolpe, operación que, según esas versiones, el presidente de la república pretendía concretar a través de la disolución de ambas cámaras del Poder Legislativo. La veracidad de estos rumores fue confirmada en el 2006 por altos mandos militares, como los generales Freddy Bersatti y Marcelo Antezana, desde posturas políticas completamente distintas: el primero en el marco del programa "Aló Presidente" realizado por Hugo Chávez a orillas del Lago Titicaca; el segundo durante la crisis política surgida tras el intento del MAS de imponer la mayoría absoluta en la Asamblea Constituyente, agregando este último un dato revelador: la participación -expresa o tácita- del partido de Evo Morales en la conspiración antidemocrática. El diseño del autogolpe apostaba a la toma del Congreso por "movimientos sociales" afines al MAS, en rechazo a una sucesión presidencial que pusiera el bastón de mando en manos del cruceño Hormando Vaca Diez o del tarijeño Mario Cossío[34], ambos represenantes de departamentos periféricos y tachados por la propaganda gubernamental y radical de "oligarcas". Ante el vacío generado el poder retornaría al presidente Mesa, quien daría visos de legitimidad al cierre del Parlamento con el decreto emitido días atrás, en el que convocaba a elecciones para la Asamblea Constituyente en octubre de 2005. Obviamente, la decisión sería apuntalada por una campaña mediática que apelaría a la descalificación del Legislativo como órgano controlado por los partidos tradicionales. Se completaría de esta manera un *fujimorazo a la boliviana*, digitado desde el poder pero operado por los movimientos sociales, con apoyo del aparato militar y policial.

- *¿Tiene otros datos que confirmen la tentativa de autogolpe?*

- Recuerde que Jaime Solares, menos sutil que Carlos Mesa, llegó directamente a las puertas de un cuartel pidiendo el golpe de Estado. Desde contactos en esferas gubernamentales se filtró a Santa Cruz una lista de 28 personalidades que iban a ser detenidas si se concretaba el autogolpe: el presidente cívico Germán Antelo; su antecesor en el cargo, Rubén Costas; los dirigentes agropecuarios José Céspedes, Mauricio Roca y Carlos "Chipa" Rojas; el presidente de CAINCO, Gabriel Dabdoub; y los líderes estudiantiles de la Federación Universitaria Local. Estas personas tuvieron que tomar medidas de resguardo, como dormir fuera de sus casas y en algunos casos mandar a sus familias al exterior. Además de los intensos rumores que circularon por aquellos días y de las posteriores confirmaciones, avalan la hipótesis la amplia movilización de fuerzas militares hacia Santa Cruz producida a comienzos de junio, junto a una intensa actividad de los servicios de inteligencia en el departamento. ¿Era lógico movilizar contingentes de las Fuerzas Armadas hacia Santa Cruz, en momentos en que los focos de conflicto estaban en La Paz y Sucre? La respuesta negativa parece confirmar la veracidad de los preparativos golpistas.

34 Entonces presidente de la Cámara de Diputados.

- *Mientras tanto, ¿qué pasaba en el occidente del país?*

- Dado el clima de violencia generado por sectores alteños como la Federación de Juntas Vecinales y la Central Obrera Regional, que habían intentado agredir a varios legisladores en las afueras del Parlamento, la sesión del Congreso para tratar la renuncia de Mesa se hacía inviable en la ciudad de La Paz. A esto se sumaban las declaraciones del propio presidente renunciante, quien afirmaba que no permitiría la sucesión a Vaca Diez o Cossío. Entonces se siguió la alternativa de convocar al Congreso en la capital de la república. La alcaldesa de Sucre -Haydée Nava- y otras autoridades de Chuquisaca ofrecieron garantías a los legisladores para que trataran en la capital constitucional la problemática renuncia de Mesa. De esta manera comenzó la afluencia de senadores y diputados hacia Sucre, donde el gobierno y los sectores sociales digitados por Evo Morales activarían un verdadero "corralito".

- *¿Cómo se realizó ese corralito?*

- La trampa comenzó a cerrarse una vez llegados los congresistas, con el doble objetivo de impedir su salida y de evitar que las misiones de observadores internacionales, enviadas por Argentina y Brasil, se hicieran presentes en el lugar de los hechos. Para esto el MAS movilizó rápidamente a contingentes de sindicalistas mineros de Potosí, que efectuaron el cerco terrestre a la ciudad al tiempo que colocaban piedras en las inmediaciones del aeropuerto, bloqueando también el acceso aéreo. Desde el gobierno se hizo otro tanto, inviabilizando vuelos a través de una directiva cursada a AASANA[35] y levantando el resguardo policial para permitir que los mineros, armados con dinamita y armas de fuego, se hicieran presentes en los alrededores de la Casa de la Libertad. Durante la movilización minera hacia Sucre se produjo un incidente confuso y no esclarecido hasta hoy, que desembocó en la muerte de uno de los marchistas, Carlos Coro Mayta. Desde el Movimiento Al Socialismo se habló de un enfrentamiento armado con fuerzas policiales, pero otras versiones apuntaban a un disparo efectuado por uno de sus compañeros, reavivando las denuncias sobre una supuesta y terrible metodología de "fabricación de cadáveres" practicada por ciertas organizaciones sociales, con el fin de azuzar los conflictos a niveles extremos.[36] Así tensionado el ambiente, la llegada de los mineros a Sucre

35 Administración de Aeropuertos y Servicios a la Navegación Aérea.

36 Las versiones son insistentes y han sido corroboradas por antiguos pobladores del Chapare, que la mencionan como una práctica común en sectores cocaleros. Reaparecieron durante el "enero negro" de Cochabamba, tras el examen del cuerpo de Juan Ticacolque, que parece aportar elementos de veracidad a esa teoría.

produjo un clima de terror, tanto entre los pobladores como entre varios legisladores, que se vieron perseguidos y obligados a huir por los techos de los hoteles. La persecución afectó sobre todo a los representantes de Santa Cruz, Beni, Pando y Tarija, incluyendo el riesgo para la vida de los presidentes del Senado y de la Cámara de Diputados, que debieron ser resguardados en guarniciones militares. Mientras esto sucedía en tierra, un avión daba vueltas sobre el cielo de Sucre con delegaciones de los gobiernos de Néstor Kirchner y Lula Da Silva. Pedido el permiso para aterrizar, la respuesta de la torre de control fue terminante: debían volver a Santa Cruz de la Sierra porque el bloqueo a la terminal aérea hacía imposible el descenso. Ya en la capital cruceña, los observadores internacionales convocaron a una reunión de urgencia en el Hotel Los Tajibos a los directivos de las principales instituciones empresariales. Encabezando la delegación brasileña se encontraba Marco Aurelio García, jefe de la Casa Presidencial y asesor personal de Lula, quien había seguido de cerca la situación de Bolivia a partir de octubre de 2003, visitando el país en todos los momentos de crisis y recalando invariablemente en Santa Cruz.

- *¿Sabe de qué se habló en esa reunión?*

- Marco Aurelio García le pidió a los empresarios cruceños su apreciación sobre cuán hondo podría llegar la crisis política. Le informaron de la extrema gravedad del momento, que podía desembocar en una escalada de violencia y en la pérdida de más vidas humanas, incluyendo las de senadores y diputados. También lo pusieron al tanto de los rumores sobre un quebrantamiento deliberado del orden constitucional y le comunicaron la posición de la institucionalidad cruceña: la prioridad era la continuidad del Estado de Derecho, más allá de quien asumiera la presidencia. Alejándose de la mesa, Marco Aurelio García habló por teléfono durante quince minutos y al regresar comentó escuetamente: “Hemos hecho la llamada. Esperemos que todo resulte”. Una hora y media después, los mineros retornaban a sus regiones de origen, la calma volvía a Sucre y el Congreso se reunía sin incidentes. En la Casa de la Libertad, donde se proclamara la independencia de Bolivia, el Parlamento aceptaba la renuncia de Carlos Mesa a la presidencia de la república, así como las declinaciones de Hormando Vaca Diez y Mario Cossío a asumir la jefatura del Estado. En toda la noche, la actuación de la bancada del MAS fue por demás tranquila y discreta, lejana a su costumbre. De esa manera, el mando de la nación pasaba al presidente de la Corte Suprema de Justicia, Eduardo Rodríguez Veltzé.

- *¿Qué había pasado?*

- El enigma de la llamada misteriosa sería resuelto meses más tarde, cuando un grupo de dirigentes empresariales de Santa Cruz se reunió nuevamente con Marco Aurelio García en Brasilia. El asesor presidencial les agradeció por la reunión sostenida en Los Tajibos, señalando que fue el impulso para hablar con Lula y explicarle que Bolivia podía perder la democracia. A consecuencia de esa llamada, Lula tuvo un contacto telefónico con Hugo Chávez y le pidió que usara su conocida influencia sobre Evo Morales, para que éste dejara de convulsionar Sucre y permitiera la sesión del Congreso. Cabe preguntarse cuál habría sido la situación del país de no haber mediado la gestión de los representantes de la sociedad civil ante los observadores internacionales. Esta no sería la primera ni la última vez que, desde Santa Cruz, el liderazgo institucional hiciera contribuciones decisivas a la preservación del marco democrático y de la legalidad.

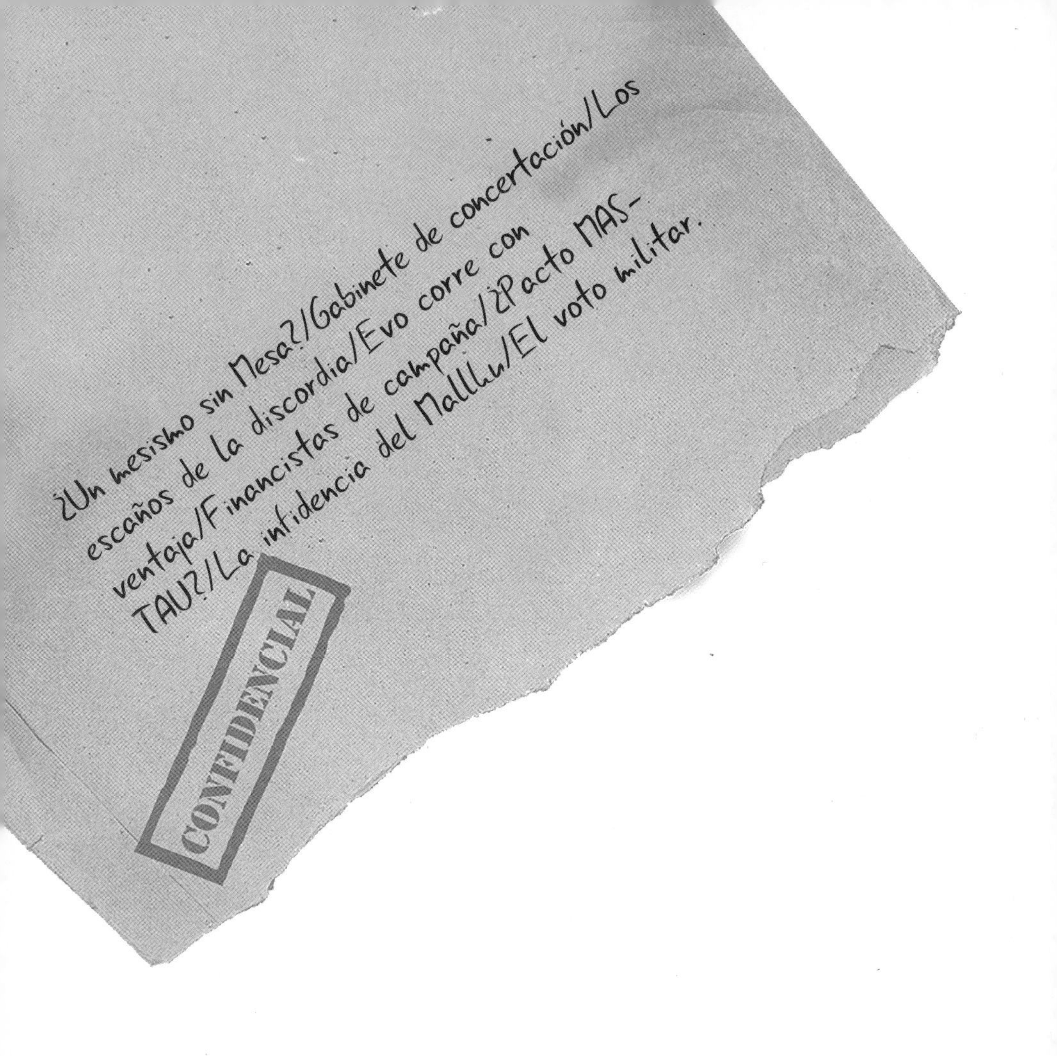
¿Un mesismo sin Mesa?/Gabinete de concertación/Los
escaños de la discordia/Evo corre con
ventaja/Financistas de campaña/¿Pacto MAS-
TAU?/La infidencia del Mallku/El voto militar.
CONFIDENCIAL

CAPÍTULO VI

- Tras su posesión por el Congreso, celebrada en la Casa de la Libertad de Sucre, Rodríguez Veltzé fue investido por Carlos Mesa con la banda presidencial y demás símbolos de la jefatura del Estado, en un segundo acto realizado en la ciudad de La Paz. ¿Qué expectativas generaba el nuevo gobierno en Santa Cruz?

- La rotunda negativa de Mesa a aceptar una sucesión por parte del presidente del Senado o del titular de la Cámara de Diputados creó la sospecha de que Rodríguez Veltzé era parte de su proyecto político, y sembraba dudas legítimas de que la nueva gestión presidencial pudiera ser un simple continuismo. Se hablaba de una estrategia para impedir que algún representante de la "media luna" asumiera la presidencia de la república en caso de sucesión constitucional. Es decir, que se habría planificado bloquear el acceso a la primera magistratura de ciudadanos del oriente y sur del país, en una maniobra destinada a preservar la *hegemonía andinocéntrica* de ciertos grupos de poder. En todo caso, la pregunta sobre si Carlos Mesa mantendría los hilos del poder desde las sombras no era nada ociosa. Los rumores sobre una posible ratificación del gabinete proyectaban el escenario de un "mesismo sin Mesa" y crearon cierta alarma entre los sectores cruceños, que veían con preocupación la continuidad de ministros que habían impulsado la confrontación interregional en la administración saliente.

- ¿Hubieron otros elementos que alimentaran esas dudas?

- El día siguiente a su posesión, el flamante presidente dio la primera señal política sobre cuál sería su rumbo a seguir, visitando El Alto y entrevistándose con los dirigentes de FEJUVE que habían cercado la sede de gobierno en los últimos días de Mesa. Los mismos sectores que, casualmente, también se habían mostrado como férreos opositores a una sucesión constitucional por parte de Hormando Vaca Diez. La incertidumbre sobre la orientación que habría de tomar el nuevo gobierno aumentaba en Santa Cruz, dando lugar a reuniones de emergencia como la que esa misma noche tuvo lugar en el séptimo piso de una conocida institución empresarial. "Únicamente está cambiando la cara del gobierno", era el tipo de comentarios que circulaban en la sala de reuniones, hasta que a las 21:30 el teléfono sonó con una noticia que cambiaría por completo el panorama. Rodríguez Veltzé estaba al otro extremo de la línea y anunciaba su deseo de visitar Santa Cruz a la brevedad, para concertar la formación de un gabinete de unidad.

- *¿Se produjo esa reunión?*

- Sí. Ahí Rodríguez Veltzé dijo que el gabinete no aportaba a la unidad del país y que su intención era nombrar nuevos ministros, con un perfil concertador. Se mostró decidido a seguir sus propios pasos e incluso le achacó algún problema en su carrera a Carlos Mesa. Comentó que nunca había pensado ser el próximo presidente de la república y contó algunos entretelones previos a su designación.

- *¿Cómo cuáles?*

- Horas antes de la sesión del Congreso en Sucre, hubo una reunión reservada entre Hormando Vaca Diez, Mario Cossío y Eduardo Rodríguez Veltzé. Entonces acordaron que él asumiría la presidencia, para evitar que la renuncia de Mesa volviera para atrás, que es cuando podía darse el autogolpe. Rodríguez Veltzé fue muy claro en decir que únicamente haría el papel que le correspondía de acuerdo a la Constitución Política del Estado, es decir, convocar a elecciones anticipadas en un plazo de 180 días.

- *Volviendo a la conformación del nuevo gabinete. ¿Qué se habló del tema en la reunión de Santa Cruz?*

- Se le dieron sugerencias de nombres, de los que él designó libremente a algunos. De ahí surgió la participación de varios cruceños en el gabinete ministerial, como Carlos Díaz, Guillermo Rivera y Mario Moreno. También se nombró como prefecto de Santa Cruz a Rubén Darío Cuéllar, jurista que había participado en el diseño de las propuestas de descentralización política y administrativa desde el Consejo Pre-Autonómico. Después de la instalación del nuevo gobierno, el país entero se dio un respiro y comenzó a prepararse para las elecciones nacionales, que tendrían lugar en diciembre.

- *Antes de llegar a eso, ¿cómo fueron las relaciones entre el poder central y la periferia durante la gestión de Rodríguez Veltzé?*

- Se descomprimieron notablemente, en comparación al periodo de Carlos Mesa. Pero de todas formas hubieron algunos dolores de cabeza, sobre todo con la distribución del IDH y de los escaños parlamentarios. En el primer caso, el gobierno quiso restringir la coparticipación de las prefecturas, los municipios y las universidades, aduciendo que no se trataba de un impuesto nacional. Eso generó una ola de movilizaciones y protestas de esas instituciones, que rápidamente le doblaron el brazo al centralismo. Rodríguez Veltzé tuvo que flexibilizar su posición y así nació el esquema de distribución del Impuesto Directo a los Hidrocarburos, que ahora Evo Morales nuevamente intenta centralizar. La crisis de los escaños fue más grave y obligó a postergar la fecha de las elecciones por varios días. La legislación boliviana obliga a reasignar periódicamente el número de escaños para cada departamento, de acuerdo a los resultados del último Censo Nacional. El rápido crecimiento demográfico de Santa Cruz hacía que le correspondieran cuatro nuevas bancas en la Cámara de Diputados, mientras que La Paz perdería otro tanto por su merma poblacional. La pugna por los escaños reavivó las tensiones interregionales y llegó a amenazar la realización misma del proceso electoral. Los sectores políticos se mostraron incapaces de llegar a algún acuerdo, por lo que una vez más la respuesta tuvo que venir de la sociedad civil. Ahí fue muy útil el acercamiento previo que había existido entre Santa Cruz y El Alto, que comentamos anteriormente. A pedido de los actores políticos, Gabriel Dabdoub habló con Edgar Patana y Abel Mamani para que El Alto cediera y se viabilizara una fórmula de compromiso, por la que Santa Cruz recibía dos nuevos escaños y La Paz perdía igual número de bancas. Así se hizo posible el acuerdo y se allanó el camino para las elecciones nacionales. El diálogo Santa Cruz-El Alto seguía dando frutos...

- *¿Recuerda otros hechos importantes de ese periodo?*

- Entonces se hizo patente el descalabro del Lloyd Aéreo Boliviano, una capitalización o privatización mal diseñada y peor administrada. Ya profundizaremos en el tema en otra de nuestras conversaciones. También por esa época se dio la licitación para la explotación de El Mutún, uno de los yacimientos de hierro más grandes del planeta situado en el sudeste del departamento de Santa Cruz, cerca de las fronteras con Brasil y Paraguay. Cuando se estaba por abrir los sobres el MAS exigió la postergación, argumentando que ese era un gobierno de transición y que la adjudicación del Mutún debía hacerla el presidente que fuera electo en diciembre. El tema de fondo era la intención de la COMIBOL[37] de adueñarse del yacimiento, y más tarde veremos que también existe un gran interés de Venezuela. El gobierno cedió a la presión, en la que sería sólo una de las muchas postergaciones que sufriría ese proyecto de desarrollo minero-industrial.

37 Corporación Minera de Bolivia. Entidad que manejó la minería durante la época del capitalismo de Estado. Su gestión ineficiente y corrupta arrojó un gigantesco déficit fiscal, que finalmente se tradujo en la hiperinflación de los ´80. La burocracia y los sindicatos de COMIBOL forman parte del entramado de intereses corporativos que sustentan el proyecto del MAS.

Un caso parecido sucedió con los nuevos contratos que debían firmarse con las empresas petroleras. La Ley de Hidrocarburos sancionada a mediados del 2005 estipulaba un plazo de 180 días para que las empresas se readecuaran a la nueva normativa, operación denominada "migración de contratos" y que debió hacerse en diciembre. Sin embargo, esto también fue postergado por temor a las presiones del Movimiento Al Socialismo, que ya se veía en el poder.

- *Por esos días se produjo el sonado caso de los misiles chinos.*

- Rodríguez Veltzé entregó a Estados Unidos un lote de misiles de fabricación china obsoletos, chatarra de algún negociado de un gobierno anterior, con la intención de que fueran desactivados. Posteriormente, el armamento habría vuelto a poder de los militares bolivianos, pero ya no podría explotar de improviso. Esos son los hechos objetivos, pero los representantes del partido cocalero tejieron una serie de leyendas, sugiriendo que el "imperio" habría buscado reducir el potencial militar de Bolivia anticipando el ascenso de la izquierda radical. Lo que abre una serie de interrogantes sobre las verdaderas intenciones de Evo Morales, que en Japón habló de convertir al país en una zona sin armas, que hizo incluir en el proyecto de Constitución masista un artículo donde Bolivia "renuncia a la guerra" y que hasta se postuló al Premio Nobel de la Paz, pero que sin embargo quería misiles para una eventual "guerra antiimperialista".

- *Entremos de lleno en la campaña electoral.*

- Me parece bien. Como ya hemos visto, el MAS promovió por medios violentos la sucesión constitucional hasta el presidente de la Corte Suprema de Justicia, lo que aseguraba el llamado a elecciones anticipadas en breve plazo. De esa forma, lograron que el proceso electoral tuviera lugar en el momento más conveniente para ellos, por lo que corrían con una primera ventaja estratégica.

- *¿En qué medida los beneficiaba la coyuntura?*

- Los partidos tradicionales estaban desarticulados, mientras que el MAS ya tenía una estructura nacional, cimentada a través de varias elecciones. Cualquier candidato que pretendiera hacerle frente a Evo Morales se vería forzado a improvisar un aparato partidario inexistente. Fue el caso de Jorge Quiroga, que debió crear en tiempo record una agrupación ciudadana, PODEMOS[38], meses antes de los comicios. Por otra parte, el partido del empresario cementero Samuel Doria Medina, Unidad Nacional, sólo

38 Poder Democrático Social.

tenía año y medio de vida. Es decir, que el Movimiento Al Socialismo era el partido con más trayectoria, el más "tradicional" de los que compitieron en el 2005, si exceptuamos al MNR, que sólo jugó a la sobrevivencia. En segundo lugar, la conformación de las candidaturas dejó un mapa favorable a la acumulación electoral por parte del MAS: el centro-derecha acudía a las urnas dividido en tres fuerzas que se disputaban el mismo electorado, mientras que por la izquierda Evo Morales no tenía competidores de peso. Para que esa concentración del voto tuviera lugar confluyeron dos sucesos: el fracaso en conformar una fórmula de centro-izquierda encabezada por el alcalde de Potosí, René Joaquino, y el deshaucio a la candidatura de Felipe Quispe por parte de Hugo Chávez.

- *¿Puede explicar lo último?*

- Como lo oyó. Hasta ese momento, tanto Morales como Quispe habían recibido fondos de Venezuela, pero en las elecciones del 2005 la apuesta de Chávez se concentró en un solo caballo ganador. Según el Mallku, "el Evo es el niño mimado de Chávez. Se cuadra ante él, se subordina, le dice comandante, nunca le habla de presidente a presidente". Entonces, debemos suponer que la *docilidad* tuvo mucho que ver en la elección del autócrata venezolano. El despliegue de recursos del gobierno "bolivariano" en favor del MAS fue mucho más importante de lo que suponemos, pero sólo podremos conocer las cifras exactas si algún día cae el madamás de Caracas y son abiertos sus archivos secretos. También hubieron otros financistas...

- *¿Puede darme los nombres?*

- El PT[39] de Brasil aportó un millón de dólares. Lula todavía creía que Evo era "su compañero", como le comentó en algún momento a los norteamericanos. Pero la inversión más fuerte vino de un personaje que ya nos ha ocupado en otro momento. Adivine...

- *Soros.*

- Si la campaña de Alejandro Toledo había recibido un millón de verdes americanos, Morales merecía mucho más. Su triunfo significaba un avance sustancial para el proyecto de Soros, así que la chequera del especulador global dejó caer diez millones de dólares.

- *La cifra mágica para ganar una elección en Bolivia.*

- Correcto. Además, hay que tener en cuenta otras fuentes de financiamiento. Recuerde que el 96% de la coca cosechada en El Chapare va a

39 Partido de los Trabajadores.

parar a la producción de cocaína, así que saque usted sus propias conclusiones. También hubieron algunas empresas petroleras que pretendieron comprarse un "seguro contra nacionalizaciones" y pusieron lo suyo.

- *Lenin solía decir que los burgueses le iban a vender a los comunistas las sogas con las que los ahorcarían...*

- Puede aplicarse al caso. Las ONGs que sustentan el proyecto radical hicieron lo propio, canalizando recursos *made in Europe*. Pero hubo otro apoyo que tuvo una influencia decisiva para la victoria de Evo Morales en las elecciones presidenciales, un poderoso grupo paceño que también hemos nombrado.

- *¿Habla de la Logia TAU?*

- Se sabe de una reunión mantenida en octubre de 2005, entre altos representantes del Movimiento Al Socialismo y personeros de TAU, donde se delineó el pacto que actualmente nos gobierna.

- *¿Perdón?*

- La cohabitación gubernamental entre la nueva burocracia nacida de las ONGs y los restos de la oligarquía andina. ¿Nunca le ha parecido sospechoso que el MAS haya ganado en las circunscripciones ricas de La Paz? Varios empresarios de la Hoyada dieron un generoso apoyo material a la campaña de Evo Morales. Si necesita pruebas, me basta con decirle que el actual gobierno quiso nombrar a uno de ellos como embajador en España, pero la jugada fue bloqueada en el Senado por la oposición. ¿Sabe quién tuvo un papel fundamental en el acercamiento MAS-TAU? Álvaro García Linera. Desde las pantallas del canal de Carlos Mesa, donde fungía de analista político, comenzó a difundir un discurso centrado en la idea de "compartir el poder". Ése era un verdadero canto de sirena para la oligarquía paceña, que no dudó en estrechar la mano ofrecida tan gentilmente. García Linera fue el ideólogo y el arquitecto del pacto, en el que también tuvo algo que ver Carlos Mesa, con quien siempre mantuvo una fluida comunicación. Ya en el gobierno, el vicepresidente se transformó en el garante del acuerdo.

- *¿Puede darme alguna prueba del pacto?*

- Las mismas palabras de García Linera. En una entrevista dada a José Natanson, del periódico argentino Página 12, confiesa que "Desde que llegamos al gobierno hemos definido una estrategia de distribución pactada del poder... La historia nos enseña que la lucha por el poder puede tener tres desenlaces clásicos. Que el sector emergente desplace directamente, mediante cualquier medio posible, al bloque anterior. Que este bloque de poder antiguo logre derrotar, contener, cooptar o aplastar al bloque emergente. O que entre ambos se logre redistribuir el poder. Como gobierno, hemos optado por la tercera opción... Lo que está ocurriendo en Bolivia es una *ampliación de élites*... Hay pedazos de la anterior que van a mantenerse, pero ya no van a definir ellos solos el camino".

- *Contundente.*

- ¿Verdad que sí? Vivimos en el gobierno de la *oligarquía andina ampliada*, a la que se han incorporado los yuppies seudo-revolucionarios fabricados por el mundillo ONG. Alrededor de esa élite híbrida se despliegan las milicias sindicales, transformadas en una especie de *guardia indígena pretoriana* del nuevo poder. Ésa y no otra es la función de los ponchos rojos. Esto no es tan extraño como puede sonarle, ni es la primera vez que sucede: recuerde que los sectores dominantes de La Paz ya emplearon la misma táctica en la Guerra Federal, durante su enfrentamiento con Sucre. Se aliaron con las fuerzas del caudillo aymara Zárate Willka, con quien compartieron el poder el tiempo necesario para ganar la contienda, después de lo cual se deshicieron de él. Por otra parte, la revolución del ´52 provocó un reciclaje parecido, otra *ampliación de élites*...

- *¿Cómo se conformó el binomio Morales-García Linera?*

- García Linera fue deslizándose gradualmente desde el MIP de Felipe Quispe hacia el MAS, intuyendo hábilmente cuál sería el caballo ganador por el que apostarían ciertos poderes fácticos. La transición entre las dos fuerzas la realizó defendiendo una "táctica frentista" de la izquierda radical, pasando a hablar luego de un "bloque antineoliberal" en torno al Movimiento Al Socialismo. Así comenzó a vender su imagen de articulador de la "unidad". A Evo Morales le convenía mucho llevarlo como acompañante de fórmula, ya que García Linera podía sumar el voto de la izquierda urbana e intelectual. Además, la capacidad retórica del candidato a vice supliría su propia incapacidad para debatir con los otros candidatos. Pero el transfugio de García Linera fue un golpe duro para Felipe Quispe, el "Mallku", que en represalia dejó escapar gruesas infidencias. Dijo que Álvaro era "maricón" por ofrecerse a varios partidos y que en la cárcel él lo había conocido "como a su mujer". Frases con las que reavivaba las dudas y rumores sobre la sexualidad del vicepresidente. Algo que ha sido muy comentado, obviamente, pero que el propio García Linera ha alimentado con la ambigüedad de sus frases.

- *¿Por ejemplo?*

- En un debate con la candidata a la vicepresidencia María René Duchén, una periodista le preguntó a quemarropa si él había tenido relaciones con personas del mismo sexo. Álvaro contestó: "todavía no". El tema llegó a ser tan controvertido que hasta motivó una declaración de solidaridad de un movimiento gay internacional, que criticaba "la homofobia de la derecha boliviana".

- *No me haga reír. Volvamos a hablar en serio.*

- El asunto es que Felipe Quispe no comprendió que la consigna de estos tiempos era el pacto con la oligarquía paceña, y quedó fuera de juego.

- *Volviendo a la campaña, ¿qué otros apoyos importantes recibió la candidatura de Evo Morales?*

- Una facción minoritaria del empresariado cruceño se sumó a las huestes del MAS, liderada por Salvador Ric, uno de los hombres más ricos del oriente, con una fortuna personal estimada en 40 millones de dólares. Durante la campaña hicieron cenas de recaudación en hoteles cinco estrellas, como recordará. Además de los apoyos económicos, hubieron otros de un tipo algo distinto. Un sector de la alta oficialidad militar, con responsabilidades en la represión de octubre negro, quiso asegurarse alguna forma de inmunidad. Apoyaron a Evo con votos, abundantes votos de la tropa, a cambio de los cuales quedarían fuera de los procesos, que únicamente se enfocarían en los responsables políticos.

- *Pruebas, pruebas...*

- El general César López, uno de los principales operadores de ese pacto, comandó el Estado Mayor en octubre de 2003. Actualmente ha sido designado por Evo Morales como director de la Aduana Nacional, una plaza muy rentable y requerida. El general José Antonio Gil Quiroga -firmante de la carta "Lealtad por Bolivia"- también declaró públicamente haber apoyado a Morales, aunque luego acabó desmarcándose del gobierno. Otros que trabajaron a favor de la victoria masista fueron un grupo de periodistas del canal estatal, como Freddy Morales y Amalia Pando, que convirtieron ese medio público en un órgano de propaganda de la campaña "Evo Presidente". Ya hablaremos de ellos luego...

- *¿Recuerda algunos episodios importantes de la campaña?*

- Claro que sí. En particular uno o dos, que delinearon una de las prácticas más importantes impulsadas por el MAS para hacerse con las riendas del Estado. Hablo del *chantaje a la democracia.*

- *El tema merece otro capítulo, junto con los demás detalles de la campaña.*

- Lo dejamos hasta entonces.

CAPÍTULO VII

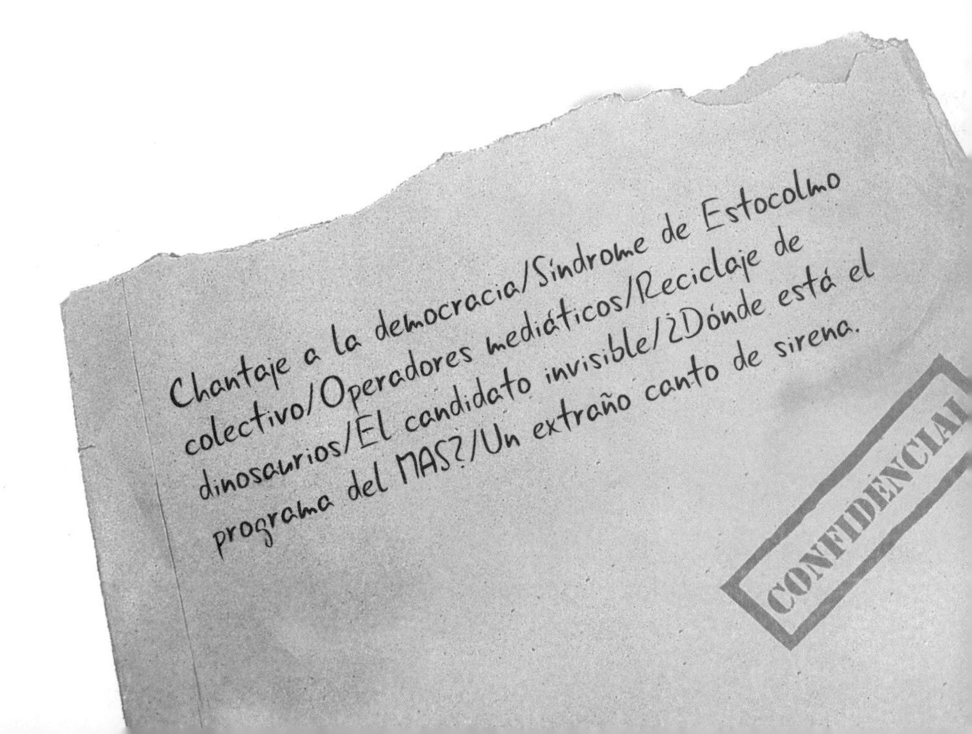

Sentado en un banco de la plaza 24 de septiembre, en Santa Cruz, X da de comer a unas palomas. Entretanto, saco mis notas y retomo la conversación sobre las elecciones nacionales.

- *¿A qué llama "chantaje a la democracia"?*

- A una estrategia de campaña, o debería decir de *guerra psicológica,* muy bien montada y orquestada por Álvaro García Linera y Wálter Chávez, en la que se combinaban la intimidación sutil con la amenaza más franca y brutal. Una estrategia que caló hondo, a nivel subliminal, en gran parte del electorado, sobre todo en la sede de gobierno. El 8 de septiembre de 2005 el operativo comunicacional fue lanzado en un acto proselitista en Oruro, cuando Evo Morales afirmó que la gente le decía: "Cuando seas presidente, ¿qué harás con el bloqueo de caminos? Yo les digo, ¿cómo el bloqueador se va a bloquear?". Aunque dicho con torpeza el mensaje comenzaba a aparecer, y sería ampliado y reiterado varias veces por el candidato a vicepresidente. El 24 de octubre García Linera se encargó de transmitir el mensaje a la nación con toda claridad, con declaraciones que serían reproducidas por los principales medios de prensa: "Sólo nosotros garantizamos gobernabilidad social. Somos los únicos que la damos, porque los movimientos sociales están de nuestro lado. Los cinco grandes movimientos que pueden movilizarse en el país con procesos de desestabilización están en el MAS".

- *¿Adónde querían llegar?*

- Se dejaba entrever que no habría paz social si se elegía a otro presidente. Se ofrecía paz a cambio de poder. Comenzaba la amenaza velada, que luego se haría mucho más explícita durante un acto de campaña realizado una semana después en Chimoré, en pleno Chapare. En esa ocasión, Evo y Álvaro llevaron la violencia verbal al paroxismo, en un verdadero ejercicio de terrorismo psicológico. García Linera dijo sin tapujos: "Llegaremos al poder aunque sea a las malas y con derramamiento de sangre". El chantaje estaba planteado: no dejarían gobernar a nadie más, y si los mecanismos democráticos no los favorecían, ellos tomarían el poder a través de un proceso de desestabilización, con violencia y sangre. Pero el operativo no culminó allí. Había que reforzar el mensaje y para eso se utilizó a un importante dirigente del MAS, Román Loayza, quien advirtió que tomarían el poder "por las buenas o por las malas" y que para eso su partido estaba coordinando con "algunos militares y policías". Ya ve: ahora el chantaje incluía la amenaza de golpe de Estado. Para terminar de generar un clima de terror latente, García Linera declaró a las organizaciones sociales en "estado de alerta", aprestándolas para la lucha armada. Otro tanto hizo el inefable Oscar Olivera, quien declaró que si la votación no favorecía a los "movimientos sociales" desconocerían las elecciones.

- *¿Qué efecto electoral tuvo esa maniobra?*

- Altísimo. Sobre todo en las zonas que más habían sufrido las acciones insurreccionales, como La Paz y Cochabamba. ¿Ha oído hablar del *síndrome de Estocolmo*? Ya sabe: el caso de varias personas secuestradas en la capital sueca por un grupo terrorista, y que ante la intensa presión psicológica originada por su situación límite comenzaron a asimilar las razones de sus captores, identificándose con ellos. El suceso se convirtió en un caso de estudio para los especialistas en comportamiento humano, que tipificaron esa conducta con el nombre mencionado. En el caso que nos ocupa, las poblaciones que habían sufrido la actividad insurreccional reaccionaron de igual manera, cediendo ante el chantaje con la esperanza de que eso los salvaría de volver a pasar el trago amargo de los levantamientos violentos. Tenemos que ser muy claros en esto. Los bloqueos promovidos por Morales, Quispe y García Linera, así como el golpe de octubre de 2003, significaron verdaderas catástrofes humanitarias: ambulancias varadas en el camino sin poder circular, con enfermos graves que morían en su interior; hospitales a los que se cortaba el suministro de energía; pobladores que debían pelear entre sí en los mercados por un huevo o un poco de pan, ante la terrible escasez generada por el cerco de los "revolucionarios". Para no hablar de las violaciones callejeras a mujeres y niños. Es perfectamente comprensible que no quisieran volver a pasar por eso. Si el precio era darles la razón y el gobierno, qué más daba. Creo que a fines del 2005 Bolivia vivió un síndrome de *Estocolmo colectivo*.

- *¿Puede demostrar esto de alguna manera?*

- Si usted hablaba con paceños de clase media durante el periodo electoral, ese tipo de actitud era el pan de cada día. Se racionalizaba el miedo de muchas formas, pero el fondo era siempre el mismo. Además, para completar el clima de terror larvado el MAS lanzó una campaña de agresiones contra los demás partidos políticos, dando a entender que hablaban en serio. No quiero aburrirlo con la enumeración de estos hechos, pero citaré los más importantes: el 6 de septiembre, militantes del Movimiento Al Socialismo atacaron con palos a los adherentes del prinicipal contrincante de Evo Morales, Jorge Quiroga, frente a la puerta de la Corte Nacional Electoral. El 12 de octubre, simpatizantes de la misma fuerza política fueron agredidos con empujones y pedradas por gente del MAS, cuando participaban del acto de inauguración de su sede de campaña en la zona de Villa Dolores, en El Alto. El 29 del mismo mes, un grupo de estudiantes de la Universidad San Francisco Xavier, afines a la izquierda radical, atacaron la sede de PODEMOS en Sucre. Forzaron los candados de las puertas, lanzaron piedras contra las ventanas, rompieron vidrios y destrozaron el parabrisas de un automóvil. El hecho fue tan grave que la policía tuvo que usar gases lacrimógenos para dispersar a los vándalos. A comienzos de noviembre, militantes del MAS dispararon cinco veces con armas de fuego contra un local de la agrupación contraria, en la ciudad de La Paz. Como verá, el matonaje político fue de gran intensidad, pero el objetivo real no era causar daños materiales o físicos a los rivales, sino mantener activo el clima de intimidación a la población. Si eso sucedía en la campaña, ¿qué pasaría si el MAS no llegaba al gobierno por la vía electoral? El mecanismo era tan perverso como efectivo.

- *¿Qué otros componentes tuvo la estrategia de campaña del MAS?*

- Uno de los elementos centrales fue la estigmatización de los adversarios como continuadores de los partidos tradicionales. Para eso contaron con el apoyo de operadores de prensa como los que habían tomado el control del canal estatal, y otros cuyos nombres develaremos cuando analicemos los equipos comunicacionales del gobierno actual. Si bien Jorge Quiroga y Samuel Doria Medina habían tenido militancias anteriores en ADN[40] y el MIR[41], respectivamente, sus listas presentaban un 90% de candidatos nuevos, entre los que se mezclaba algún que otro político conocido. Sin embargo, la campaña mediática machacó sobre el punto con insistencia, y ya se sabe que "una mentira repetida mil veces"...

- *O en este caso, una verdad a medias. Pero también hubieron políticos tradicionales acompañando a Evo Morales.*

- Muchos. Procedentes del MBL[42], MNR, UCS[43], MIR y ADN. El MAS recicló dinosaurios de todo el arco partidario. A medida que se desarrolla la gestión de Morales, vemos asomar a cada vez más viejos políticos en

40 Acción Democrática Nacionalista.

41 Movimiento de Izquierda Revolucionaria.

42 Movimiento Bolivia Libre.

43 Unidad Cívica Solidaridad.

esferas gubernamentales. Incluso Felipe Quispe ha acusado al mismo Evo de haber pasado por el MBL y el MIR[44]. Pero en ese momento los medios asimilaron la campaña de estigmatización contra los adversarios el MAS, partido que logró instalar plenamente ese punto de su estrategia de comunicación. De esa manera se aseguraron que el vago *voto castigo*, que buscaba culpables por la situación de inestabilidad política y económica, alimentara su propio caudal electoral. Usted conocerá a muchas personas que votaron por el Movimiento Al Socialismo como una forma de protesta, sin pensar que ese partido pudiera llegar efectivamente al poder, y que se arrepintieron al conocer el resultado del 15 de diciembre.

- *Demasiadas. Pero sígame comentando sobre las tácticas de campaña del MAS.*

- Otro punto importante fue la renuencia deliberada a debatir, que tuvo dos aristas: el ocultamiento de Evo Morales y del programa de gobierno masista. Lo primero se hizo desde el comienzo mismo de la campaña, por la evidente desventaja del candidato en comparación a sus contendores, en materia de preparación económica y política en general. Además, era obvio que el tipo de consignas básicas manejadas por Morales no podrían resistir un debate racional. Cuando las encuestas comenzaron a colocarlo en el primer lugar de preferencia, la decisión fue reforzada por los expertos de campaña, que sacaron a relucir sus manuales. Evo se justificó a su estilo: "No tengo por qué debatir con delincuentes; Tuto (Quiroga) representa al fascismo, al racismo y a los republicanos de Estados Unidos". En ese momento volvió a ser útil García Linera, que recorrió los sets de televisión supliendo la ausencia del candidato presidencial. Hubo que cancelar varios encuentros por la defección de Morales, incluyendo el tradicional Foro de CAINCO, que en cada elección reúne a los postulantes a la presidencia para conocer sus propuestas de política económica.

- *¿Por qué se escondió el programa de gobierno?*

- Porque nadie hubiera votado por el MAS.

- *¿Tanto así?*

- Al principio no divulgaron ningún plan oficial, pero con cierto esfuerzo un servidor pudo hacerse de dos documentos: *"Territorio, soberanía, vida"* y *"50 propuestas concretas para salir de la crisis"*, este último apro-

44 Esto habría sucedido durante la campaña electoral de 1997, cuando Morales, siendo candidato a diputado uninominal por Izquierda Unida, le retiró su apoyo al postulante presidencial de esa fórmula, Alejo Véliz, para promover el voto cruzado con el jefe mirista, Jaime Paz Zamora.

bado como programa de gobierno por el V Congreso Nacional del MAS. ¿Quiere conocer algunos puntos de esos textos programáticos? Escuche esto: "Consultaremos a la hoja sagrada y ella nos dirá qué hacer... Anularemos la Ley 1008 y el Plan Dignidad... No permitiremos la injerencia de organismos, entidades o poderes extranjeros, como la DEA... Nuestras riquezas renovables y no renovables, incluyendo los yacimientos petroleros y las minas, pasarán a manos de las comunidades indígenas... Todos los bolivianos contribuirán con una jornada de trabajo anual, destinada al desarrollo de las zonas fronterizas... Cambio total de la estructura del sistema judicial, controlado por las organizaciones originarias y sociales". Lo más interesante de todo es la política de hidrocarburos, diseñada para que Bolivia no le dispute mercados a Venezuela: "En el uso de las reservas para exportación de gas natural, se dará prioridad a los mercados regionales... Argentina, Brasil, Paraguay y Uruguay, y eventualmente a Chile. En la medida de prosperar, *estos mercados serían los únicos y últimos para exportar gas natural*... Procesos avanzados de integración de los Estados a través de alianzas estratégicas de sus empresas estatales, tales como los proyectos de Petrocaribe, Petrosur y Petroamérica".

- *Queda claro por qué Chávez financió la campaña de Evo Morales.*

- Al final, ante la insistencia de la prensa tuvieron que pergeñar a la carrera un documento algo más presentable, titulado *"Bolivia digna, soberana y productiva para vivir bien"*. Este programa fue presumiblemente elaborado por el actual ministro de hidrocarburos, Carlos Villegas, de línea cepalina. En ese texto se camuflaban las propuestas disparatadas de los programas anteriores con un lenguaje tecnocrático, pero de todas formas podemos encontrar varias perlas: "La licitación para la explotación de los yacimientos del Mutún debe realizarse a través de la COMIBOL". ¿Recuerda lo que le dije antes? "Impuesto al ingreso de las personas... Ampliar la base tributaria a los sectores pymes, comerciantes minoristas, artesanos y vivanderos...". Y vea este artículo, seguramente propuesto por el hoy canciller David Choquehuanca: "Educación bio-cosmocéntrica"...

- *Ahora entiendo por qué no divulgaban su programa.*

- Esa última versión del plan tampoco fue difundida masivamente. Así llegó el MAS al día de los comicios, amenazando con una revolución si no eran ungidos por vías legales, sin presentarle sus propuestas al país y escondiendo a su candidato para que no abriera la boca. En la jornada clave desplegaron un gigantesco aparato de movilización y control electoral, que les permitió tener presencia hasta en las mesas de votación más remotas, y acarrearon gente en camiones violando la ley. En sus feudos políticos, como El Chapare, Omasuyos o Yapacaní, le impidieron a los otros partidos realizar cualquier forma de campaña. En esas zonas tampoco fue posible desarrollar un control electoral normal por parte de dichas fuerzas, por lo que el escrutinio que tuvo lugar allí fue altamente irregular. Una importante porción de los recursos de campaña del MAS fueron gastados en esos operativos de control electoral-territorial. Esas tácticas son una lección que deberían aprender las restantes fuerzas políticas, que concentraron el grueso de sus recursos en propaganda mediática.

- *Me gustaría que analice los resultados de la votación.*

- Los resultados son conocidos: el Movimiento Al Socialismo concentró el 53,74% de los sufragios emitidos y Poder Democrático Social el 29%, mientras que Unidad Nacional y el Movimiento Nacionalista Revolucionario sólo alcanzaron cifras menores al 10%. El partido de Felipe Quispe desapareció del mapa. Un dato interesante es la concentración geográfica de la victoria del MAS en los cinco departamentos de occidente, mientras que los cuatro del oriente y sur quedaron en manos de la oposición. Como se ve, la política de polarización regional promovida por Carlos Mesa también contribuyó a sentar las bases para el triunfo de Evo Morales. Aunque la mayoría absoluta alcanzada por la izquierda radical abría un preocupante escenario de hegemonización del poder, otro de los resultados de los comicios generaba la esperanza de un equilibrio o contrapoder: por primera vez en la historia de Bolivia se había elegido por votación popular a los prefectos de los nueve departamentos, seis de los cuales no respondían a la línea del partido cocalero. Se anunciaba la pugna entre concentración totalitaria y descentralización del poder... Pero quiero hacer dos salvedades importantes sobre el resultado electoral.

- *¿Cuáles?*

- En primer lugar, hablar de un 53 o 54% puede dar una falsa impresión, sobre todo en el exterior del país, si no explicamos que la votación alcanzada por el MAS fue de 1.500.000 votos, es decir, el 15% de la población de Bolivia. Fenómenos como la alta emigración de los últimos años, la baja carnetización en las provincias, la abstención y la gran cantidad de niños y adolescentes, influyen para que los participantes en los procesos electorales sean menos de la mitad de los bolivianos. A esto hay que agregar mi segunda observación, bastante más grave: la enorme depuración de votantes de Santa Cruz, 231.967 ciudadanos que fueron excluidos del padrón por el sistema informático "Sirena" de la Corte Nacional Electoral. Es curioso que la mayor cantidad de los depurados del país se hubiera dado en el departamento que representa las antípodas del Movimiento Al

Socialismo. Y de la oligarquía paceña. El sistema informático fue puesto en funcionamiento durante la gestión de Carlos Mesa, para el Referéndum de Hidrocarburos que no podía perder de ninguna manera. Técnicos en informática de varios partidos han señalado que "Sirena" dificulta las tareas de seguimiento, control y auditoría. Han dicho que la Corte Nacional Electoral incumple acuerdos para conectar los resultados en red a las oficinas de los partidos políticos. También hay que recordar las denuncias de fraude que pesaron sobre el anterior sistema informático, "Regina", en las elecciones del 2002.

- *¿No está exagerando un poco?*

- Cada vez que me ha preguntado eso le he dado pruebas contundentes. Y yo prefiero seguir el ejemplo de Ulises, atado al mástil del barco para no ser seducido por el canto de las sirenas...

CONFIDENC

La broma castiza/El falso apartheid/Evomanía/La chompa viajera/Evo en el Comité/El presidente coronado/La escenificación del cambio/La élite andina sigue en el poder/Pagando deudas con Chávez.

CAPÍTULO VIII

- *¿Qué hizo Evo Morales en los días previos a la asunción del poder?*

- En diciembre tuvo su primera prueba, ante la broma que le gastó una radioemisora católica de España, cuando un locutor imitó la voz del presidente Zapatero. Morales tragó el anzuelo y habló o creyó hablar durante varios minutos con su "colega". La reacción del presidente electo y de su entorno, tras conocer por la prensa boliviana que la conversación con Zapatero había sido un truco, dejó entrever la baja tolerancia a la crítica, o aún a la ironía, de la que haría gala en lo sucesivo el gobierno de Evo Morales. El equipo de transición del presidente entrante desplegó toda la presión necesaria para obtener una rectificación o *mea culpa* de la radioemisora española, tanto a través de los canales oficiales de la Cancillería boliviana como por medio de los contactos directos del MAS con el PSOE[45]. Y aunque el canciller Moratinos se hizo eco de los pedidos, sólo lograron unas aclaraciones muy moderadas de parte de la cadena de radio, que se negó a ofrecer las disculpas que exigía el ego herido del caudillo de la "revolución democrática".

- *Por esas fechas comenzaron sus viajes internacionales como presidente electo.*

- La primera visita sería sintomática para anticipar el rumbo que tomaría su gobierno y para calibrar el radicalismo de su apuesta ideológica. El destino elegido en los últimos días del 2005 fue Cuba, donde Evo Morales logró que el dictador más viejo de América Latina luciera un casco de minero potosino ante las cámaras. Ambos firmaron, además, el Acuerdo de Cooperación Cuba-Bolivia, que incluía el apoyo del régimen castrista a través de "misiones" similares a las impulsadas en Venezuela, con la intención supuesta de acabar con el analfabetismo boliviano en un lapso de treinta meses. Tiempo después se verían, durante la aplicación del Acuerdo, los propósitos de adoctrinamiento político. Ya de vuelta en Bolivia y mientras festejaba el Año Nuevo con sus allegados en su natal Orinoca, Evo ultimó los detalles para un periplo internacional más amplio, un viaje

45 Partido Socialista Obrero Español.

pre-asunción de mando que le serviría como carta de presentación ante el mundo.

- *¿Recuerda cuáles eran los destinos previstos?*

- España, Francia, Bélgica, Sudáfrica, China, Brasil, Argentina, Irán... Pero la visita a las tierras del teocrático Ahmadinejad, negador del Holocausto y promotor de la energía atómica para fines "pacíficos", se vería frustrada por la negativa de los mullahs iraníes a permitir la entrada en su territorio de un avión de fabricación norteamericana. Curiosa ironía, al tratarse de una lujosa aeronave puesta a disposición de Evo Morales por el presidente venezolano Hugo Chávez, en una primera muestra de las *relaciones carnales* que unirían a ambos. La elección misma de Irán como destino en su gira mundial fue otra demostración del cordón umbilical que une a Morales con el mandatario venezolano. ¿Qué otra razón que no fuera el alineamiento con la política exterior chavista podría haber puesto en la agenda del presidente la visita a un país que no representa un interés comercial o estratégico para Bolivia? ¿No habría sido más lógico recalar en la India, que es uno de los grandes mercados globales emergentes? La visita a Argentina, que fue incluida a último momento en su gira, le sirvió para rayarle la cancha a García Linera, que ya había anunciado su viaje al vecino país y se vio desautorizado. Evo le enviaba al mundo entero la señal de que él era quien mandaba, y que no necesitaba ningún vocero internacional.

- *En Sudáfrica también tuvo un tropiezo.*

- Sí. A Evo le fue imposible lograr una entrevista con Nelson Mandela. Se estropeaba de esa forma una jugada mediática largamente acariciada por los asesores del Movimiento Al Socialismo, que soñaban con la foto del cocalero abrazando al anciano líder del CNA[46], dando vueltas por el mundo a través de las agencias internacionales. Algún tiempo antes de ese viaje al África austral, Álvaro García Linera había ensayado la identificación de Evo Morales con Mandela, al afirmar que Bolivia había vivido un "apartheid" hasta el triunfo electoral del MAS. Distorsión grosera de la historia, que olvidaba el sufragio universal establecido por la revolución del ´52 y los avances del empoderamiento indígena en los años de la democracia reconquistada, especialmente en los ´90 y comienzos del siglo XXI, cuando proliferaron alcaldes, diputados, senadores y ministros de raíces originarias, incluyendo a un conocido vicepresidente aymara, Víctor Hugo Cárdenas. Muy por el contrario, algún eco de la política de com-

46 Congreso Nacional Africano.

partimientos raciales impulsada por el apartheid, con sus "bantustanes" o territorios indígenas autárquicos, parece resonar en las propuestas del partido de gobierno cuando se habla de *autonomías étnicas* o de otorgar a los pueblos originarios una *ciudadanía diferenciada*. Lo cierto es que, tras dos años de gestión divisora y confrontacional, no es difícil concluir que Evo Morales no ha sido ni será un Mandela.

- *Pero la gira sí tuvo sus éxitos.*

- Sobre todo en Europa, donde el romanticismo del "buen salvaje" propiciado hace más de tres siglos por Michel de Montaigne parece seguir plenamente vigente. Más que el propio presidente electo, la estrella de la gira europea fue la *chompa de Evo*, que rápidamente alcanzó el estatus de ícono de la cultura left-pop, entre las camisetas con el rostro del Che Guevara y los pasamontañas a lo Subcomandante Marcos. La *evomanía*, verdadero furor consumista desatado por la chompa de Evo, sirve para aquilatar la mezcla de ingenuidad y frivolidad con la que el mundo exterior ha recibido al "primer presidente indígena de Bolivia", cuya indumentaria arco iris ha terminado vistiendo hasta a Ken, el novio rubio de la muy capitalista Barbie. En España, Evo se las arregló para disimular sus resentimientos anticoloniales, aunque, fiel a su particular oratoria, no pudo evitar decir: "No voy a la reunión con Rodríguez Zapatero para pedir que reparen los daños de 500 años de colonización de América Latina. No se trata de eso". Alternando bravatas del tipo de necesitamos-socios-no-patrones para, acto seguido, estirar la mano y pedir cooperación internacional, Evo Morales fue perfilando el estilo que caracteriza a su política exterior, en la que algunos han querido ver oscilación y otros, más lúcidamente, duplicidad. De cualquier forma, ya fuese por ingenuidad, frivolidad o corrección política, el respaldo internacional ofrecido al nuevo mandatario fue amplio y la buena expectativa mereció haber sido capitalizada de manera más eficiente, abriendo mercados para la generación de empleo, mercados que permitieran exportar productos en vez de gente. Dentro y fuera del país, por esos días muchos se preguntaban: *¿Y por qué no?*, aludiendo a la posibilidad de que, quizás, el presidente entrante daría respuesta a los acuciantes problemas de Bolivia. El beneficio de la duda fue generalizado, pero los hechos del 2006 y 2007 se encargaron de dar una respuesta tajante e incontrovertible de *por qué no*.

- *Antes de eso, volvamos a los días previos a la asunción del mando. Recuerdo que Evo Morales también visitó Santa Cruz en enero de 2006.*

Inicialmente, Salvador Ric buscó articular una visita de Evo a la Cámara de Industria y Comercio, pero de inmediato comenzaron las pugnas entre las cuatro facciones del MAS que se disputaban la representación del caudillo en tierras orientales. Hugo Salvatierra, líder de otro de los grupos, gestionó en paralelo una visita a la Cámara Agropecuaria del Oriente. Al fin, industriales y productores agropecuarios decidieron con buen tino no caer en el juego de intrigas de las facciones, y se consensuó que la llegada del presidente electo debía ser al Comité Pro Santa Cruz, que reúne a todas las instituciones cruceñas. Desde el Comité se ofrecieron garantías para que todo se diera con la mayor tranquilidad, sin que hubieran actos de repudio, pero los dirigentes locales del MAS tenían preparado algo distinto, como veremos. En la reunión estuvieron presentes casi todos los sectores regionales que participan en la estructura de la entidad cívica: universitarios, empresarios, juntas vecinales, obreros, agropecuarios... Evo Morales llegó acompañado por Álvaro García Linera y por dirigentes como Hugo Salvatierra, el concejal Oswaldo "Chato" Peredo e Isaac Ávalos. Los únicos oradores fueron el presidente cívico -Germán Antelo- y Evo Morales, quien se mostró conciliador en su discurso: dijo que apoyaba la demanda autonómica y que el Comité no era lo que él había creído, un grupo de poder, sino que representaba a todos los sectores cruceños. Mientras hablaba, García Linera lo contemplaba ensimismado, con las manos unidas en actitud piadosa: Evo había aprendido a endulzar sus palabras antes de la guerra. Después de todo, no era tan mal discípulo. La reunión significó un momento de apertura, pero al terminar, las barras bravas pagadas por Salvatierra, Peredo y Ávalos rechiflaron a los empresarios que salían de la reunión.

- *Mientras tanto, ¿qué pasaba en La Paz?*

- La sede de gobierno se agitaba por los intensos preparativos para la asunción presidencial. Se habló de 1.500 delegaciones que llegarían desde las más diversas procedencias, incluyendo a representantes indígenas de casi toda América Latina: Guatemala, México, Ecuador, Colombia, Honduras, Venezuela, mapuches de Chile y Argentina, y hasta *charrúas del Uruguay*[47]. El discurso globalifóbico y antioccidental de los organizadores[48] contrastó con la parafernalia tecnológica desplegada para asistir

47 Ignoramos cómo habrá sido posible la presencia de representantes charrúas, teniendo en cuenta que esa etnia fue trágicamente exterminada por el general Fructuoso Rivera, en la cuarta década del siglo XIX. Quedan tres posibilidades: a) el túnel del tiempo, b) la viveza criolla de un grupo de *turistas revolucionarios* que se hicieron pasar por indígenas, y c) un bluff propagandístico del Movimiento Al Socialismo. Elija el lector la opción que le parezca más creíble.

48 Evo había dicho que "la cultura occidental es la cultura de la muerte".

a los 1.200 periodistas acreditados. Zonas Wi Fi para equipos de computación portátiles, 80 computadoras conectadas a Internet, 40 puntos de conexión libre, puntos play out para los canales de televisión, acceso a FO hasta el puerto satelital de la Estación Terrena de Tiahuanaco, circuitos satelitales, cinco estaciones de trabajo con servicio de fax y, para el público, seis pantallas gigantes y dos televisores de plasma de 64 pulgadas para que nadie se perdiera ni un momento de la transmisión de mando.

- *¿Cuánto costó todo eso?*

- Un presupuesto muy superior al destinado normalmente a las ceremonias de investidura, como lo reconoció el vocero del MAS por aquellos días, Alex Contreras, luego Vocero Presidencial: "Generalmente es un presupuesto menor, pero el gobierno ha estimado el gran interés del evento y ha incrementado el dinero". Diez millones de bolivianos que mal conjugaban con los propósitos de austeridad del gobierno entrante. La alcaldía de La Paz, encabezada por el camaleónico Juan del Granado -aliado de Evo Morales como antes lo había sido de Carlos Mesa y Gonzalo Sánchez de Lozada-, también hizo su parte. El maquillaje municipal incluyó servicios higiénicos emplazados en puntos estratégicos, baterías de fuegos artificiales ubicadas en seis lugares de la sede de gobierno y hasta una ordenanza que prohibía la presencia de vendedores ambulantes en las calles paceñas, medida que permitió mostrarle a los visitantes llegados en busca de color local una imagen de La Paz tan pulcra como irreal.

- *¿Qué mandatarios vinieron a la transmisión de mando?*

- Fueron arrastrados por el fenómeno de la evomanía once presidentes y el príncipe de Asturias, amén del vicedictador de Cuba, Carlos Lage. Infaltable entre los mandatarios latinoamericanos, eufórico en su papel de padrino de la revolución boliviana, ese Hugo Chávez a quien Carlos Fuentes ha llamado, con certeza, el "Mussolini tropical". Mientras los huéspedes ilustres y de los otros se acomodaban en la sede de gobierno, los asesores del presidente electo ultimaban detalles sobre un aspecto crucial: la vestimenta que Evo Morales debería lucir en el acto de investidura. El éxito rotundo logrado por la *chompa de Evo* en la gira europea impulsó a los consejeros áulicos a continuar por esa vía, explorando el impacto de imagen de una indumentaria característica, capaz de singularizar aún más a un personaje de por sí pintoresco. En esto el MAS bebía en antiguas tradiciones de la izquierda revolucionaria: gorra obrera de Lenin, traje Mao, barba y uniforme de Fidel Castro, boina roja de Chávez... Aunque el vocero Alex Contreras declaraba poco antes del acto que "El presidente electo aún no ha decidido si usará un tradicional traje y corbata, poncho, o si lucirá como siempre lo hizo", lo cierto es que ya había una decisión tomada. La exclusiva diseñadora Beatriz Canedo Patiño, asidua de las pasarelas parisinas y cuyos trajes oscilan entre los 800 y los 5.000 dólares de costo, sería la encargada de ofrecer la solución salomónica, uniendo la elegancia occidental y la imaginería andina en un terno negro con cuello de aguayo. Surgía así el *evo-style*, que luego sería tan imitado por sus lugartenientes polpotistas[49], David Choquehuanca y Félix Patzi. Claro que la coquetería presidencial no se limitó a los trajes alta costura, sino que el mandatario electo hizo confeccionar "Tres medidas de bandas presidenciales antes de decidir", como lo informó Contreras. Tal vez para restarle importancia a esos devaneos o en un imperdonable lapsus verbal, el colaborador dijo que "El hábito no hace al monje". Frase que muchos, tanto en la oposición como entre los crecientes desencantados, hoy compartirían.

- *En realidad, hubieron dos ceremonias de transmisión de mando...*

- Antes de que se produjera la ceremonia oficial en el Congreso Nacional, los asesores de imagen tenían preparado un aperitivo muy especial, financiado por la GTZ: la coronación de Evo a la manera de un imaginario monarca aymara, en el Templete de Kalasasaya de Tiahuanaco. Era la "escenificación del cambio" de la que ha hablado García Linera, un montaje teatral al gusto de un público internacional, que no tenía cómo saber que tanto los rituales, indumentarias y otros elementos del acto eran pura invención contemporánea.

- *Pero el acto gustó mucho a la prensa internacional.*

- Por supuesto, fue muy colorido y facilitaba el trabajo de fotógrafos y camarógrafos. Otra muestra de la inagotable inventiva de los intelectuales indigenistas, como el clásico "Volveré y seré millones" extraído de la novela *"Espartaco"* y luego atribuido a Túpac Amaru, o como el "Ama Sua, Ama Llulla, Ama Quella" creado por un escritor cuzqueño. Además, toda la simbología fue supuestamente aymara-quechua, olvidando olímpicamente a los más de treinta pueblos indígenas de tierras bajas.

- *Vamos a la ceremonia en el Congreso.*

- Ése fue el momento para que Evo estrenara uno de los trajes confeccionados por Beatriz Canedo. Una vez posesionado, su discurso dejó a un lado las fintas conciliadoras de las últimas semanas y arremetió contra la prensa, acusando al canal Unitel de haberse opuesto a su campaña presidencial; y contra los ex presidentes, varios de ellos presentes en el

49 Aymaristas radicales.

Congreso, a los que trató invariablemente de corruptos[50]. Se anunciaba todo un estilo, oratorio y de gestión, caracterizado por la confrontación y el ánimo revanchista. Un dato importante: quien se hubiera tomado el trabajo de ver quiénes estaban presentes en los palcos del Parlamento, se habría encontrado con varios de los más conspicuos representantes de la vieja oligarquía andina. Así lo confirma la historiadora Paula Peña, para quien "la élite paceña se ha reinventado en el MAS y no está dispuesta a ceder parte del poder a través de las autonomías. La élite paceña sigue en el poder, no he visto grandes cambios".

- *Hubo un epílogo luego de la asunción.*

- Después de la posesión vino la verbena en la Plaza San Francisco, con amplia participación de *turistas revolucionarios* como Eduardo Galeano, quien dijo que la asunción de Evo era "el último día del miedo en Bolivia". ¿Qué le dirían a Galeano los familiares de los muertos de Huanuni, de Christian Urresti o de los jóvenes asesinados en Sucre?... También hubo el tradicional cóctel en el Palacio Quemado, con un Evo totalmente agotado por la seguidilla de eventos. En la recepción se mezcló un público de lo más variopinto. Estuvieron presentes algunos de los hombres de la élite andina que hicieron posible el ascenso del nuevo mandatario, como Abendroth y Mustafá, además del empresario Ernesto "Tito" Asbún, socio mayor del LAB[51]46, quien lograría una importante cuota en el gabinete de ministros. En la parte de atrás del salón se agolpaban los dirigentes del MAS cruceño que querían asumir el poder: Salvador Ric, Hugo Salvatierra, Isaac Ávalos, Roger Ortiz Mercado, Adriana Gil... Esta última divisó la presencia de los líderes de las instituciones empresariales de Santa Cruz, que dialogaban con el Nuncio Apostólico, y rápidamente se sumó al grupo por casi toda la noche. Algo parecido hizo el vicepresidente de la república, quien luego de saludar a Miss Bolivia, Desirée Durán, se acercó a ellos y les adelantó que habrían dos representantes de Santa Cruz en el gabinete, aunque no reveló nombres.

- *¿Recuerda cuál fue el primer acto de gobierno de Evo Morales?*

- Claro. Al día siguiente firmó varios convenios "de cooperación" con Hugo Chávez, entre ellos el acuerdo de defensa que habilita a las Fuerzas

50 Puntapié inicial para una "judicialización de la política", similar a la practicada por Hugo Chávez en Venezuela. Siguiendo ese modelo, el oficialismo impulsó juicios contra los ex presidentes Jaime Paz Zamora, Jorge Quiroga, Carlos Mesa y Eduardo Rodríguez Veltzé. Se trata de un mecanismo de hostigamiento y neutralización de opositores.

51 Lloyd Aéreo Boliviano.

Armadas de Venezuela a intervenir en el país para hacer "gestión de crisis", tutelando a los militares bolivianos. Como ve, la primera medida de gobierno fue retribuir el generoso apoyo brindado por el mandatario de Caracas.

- *Luego de eso vendría la posesión del gabinete.*

- Tema muy importante. Que dejaremos, por supuesto, para nuestra próxima cita.

CAPÍTULO IX

CONFIDENCIAL

Los gabinetes de Evo/Poder ONG/El hombre de Soros/La nueva clase burocrática/"Brigadas internacionales"/Equipos de comunicación/Asesor en las sombras/El monje negro/Voceros "incrustados"/Infotácticas.

Estamos en un restaurant del Prado, en Cochabamba. El Ciudadano X hace chocar los hielos en su vaso de whisky y lentamente retoma nuestro diálogo anterior.

- En realidad, prefiero hablar de *los gabinetes de Evo*, para destacar cómo ciertos Organismos No Gubernamentales han ido copando espacios de poder.

- *Adelante.*

- Estas ONGs ya estaban presentes en el primer consejo de ministros, pero a lo largo del 2006 fueron ampliando su participación hasta lograr una clara hegemonía en el segundo. La más influyente de todas es el CEJIS, que ya nombramos. Esa organización comenzó por tener un ministro -Hugo Salvatierra[52]- en la cartera de Desarrollo Agropecuario, y dos viceministros: Alejandro Almaraz en Tierra y Alfredo Rada en Coordinación con los Movimientos Sociales. Tras la crisis de Huanuni un nuevo ministro del CEJIS pasó a formar parte del gabinete: Guillermo Dalence, en Minería. En la recomposición del gabinete hecha en enero del 2007 la organización ya controlaba tres ministerios: Gobierno, Minería y Desarrollo Rural. Susana Rivero Guzmán sustituyó en este último a Salvatierra, que cayó en desgracia por sus negociados con la "mecanización de la agricultura" y las donaciones del TCP-ALBA[53]. También se mantuvo el viceministerio encabezado por Almaraz, que está secundado en la Dirección Nacional de Tierras por otro *CEJIS-man*: Cliver Rocha. Carlos Romero, de la misma ONG, presidió la Comisión de Recursos Naturales, Tierra y Territorio de la Asamblea Constituyente. El interés central del "Centro de Estudios Jurídicos e Investigación Social" es la desarticulación del sistema agroproductivo del oriente, estrategia que persigue minar la base económica de la región que contrapesa los afanes hegemónicos del MAS. El nombramiento de Rada en el Ministerio de Gobierno completó el esquema del CEJIS, sugiriendo que la toma de tierras con apoyo de la fuerza

52 También director de otra ONG, la Fundación ALAS.

53 Tratado de Comercio de los Pueblos – Alternativa Bolivariana para las Américas.

pública estaría en la agenda de la organización[54]. Además, su designación puede leerse como un premio a las movilizaciones violentas organizadas contra el prefecto de Cochabamba a comienzos del 2007, que contaron con el impulso del Viceministerio de Coordinación con los Movimientos Sociales, que Rada encabezaba en ese momento. Como ya le expliqué, Álvaro García Linera también ha estado muy vinculado al CEJIS, al igual que el Defensor del Pueblo, Waldo Albarracín, electo por la presión y los votos del MAS. Marco Antonio Aimaretti, de la misma ONG, se ha desempeñado como director del canal de TV estatal en Santa Cruz.

- *¿Qué otras ONGs tienen una participación importante en el gobierno?*

- El segundo lugar en el ranking lo ocupa el CEDLA[55]. Sus integrantes son más moderados que los del CEJIS pero igualmente limitados en cuanto a su experiencia con la economía real. Están vinculados con organismos internacionales de desarrollo y representan un enfoque cepalista o neokeynesiano. Como buenos representantes de esa corriente, son grandes productores de proyectos de papel que rara vez llegan a hacerse realidad. El grupo comenzó manejando un solo ministerio en enero del 2006: Planificación del Desarrollo, con Carlos Villegas. Éste fue uno de los artífices de la nefasta política económica del gobierno de la UDP[56]. Cuando Villegas pasó a desempeñarse como Ministro de Hidrocarburos, tras el portazo de Andrés Soliz Rada, una segunda figura de la organización pasó a ocupar una cartera ministerial: Hernando Larrazábal, quien sustituyó al líder de la ONG en el Ministerio de Planificación del Desarrollo. En el esquema presentado por Evo Morales en enero de 2007, Larrazábal fue reemplazado por otro miembro del CEDLA, Gabriel Loza. Un año después, en el tercer gabinete, éste fue sustituido por Graciela Toro Ibáñez, proveniente de otra ONG: el CIPCA[57], de objetivos y métodos similares a los del CEJIS.

---

54 Los recientes intentos de expropiación contra productores rurales de Camiri, orquestados por Alejandro Almaraz entre marzo y abril de 2008, parecen confirmar esa tesis. Las acciones de fuerza, que fueron resistidas por los pobladores de la zona, han ido acompañadas de una ofensiva propagandística gubernamental que habla de una supuesta "esclavitud" en el Chaco cruceño. Este proceso de "saneamiento" también apuntaría a convertir en Tierras Comunitarias de Origen las áreas correspondientes a importantes megacampos gasíferos por explorar.

55 Centro de Estudios para el Desarrollo Laboral y Agrario.

56 Unidad Democrática Popular, en cuyo gobierno se desató la hiperinflación más grave de toda la historia boliviana.

57 Centro de Investigación y Promoción Campesina. En el 2006, esta organización manejó un presupuesto de cuatro millones de dólares.

- *¿Hay más organizaciones en la lista?*

- La APDHB[58]. Al principio, el gobierno quiso nombrar al ex presidente de esa ONG, Sacha Llorenti, como embajador en Estados Unidos, pero sus credenciales fueron rechazadas por el Departamento de Estado. Le dieron como consuelo el Viceministerio de Coordinación Social tras la promoción de Alfredo Rada a Gobierno. Además, nombraron viceministra a Nardi Suxo, de la misma organización, en Transparencia y Lucha contra la Corrupción. Y otro ex presidente de la APDHB, Adalberto Rojas, encabeza el Viceministerio de Trabajo. También hay que tener en cuenta a UNITAS[59], en realidad una red de ONGs, que tiene entre sus integrantes al ministro de relaciones exteriores, David Choquehuanca, y a su viceministro Hugo Fernández. Adicionalmente, UNITAS tiene peso en la definición de las políticas de salud y educación.

- *¿Qué puede decirme sobre la Fundación Solón?*

- Tiene una gran influencia sobre la Cancillería. De hecho, esa fundación maneja la política de comercio internacional de Bolivia a través de su presidente, el "embajador plenipotenciario" Pablo Solón. La Fundación Solón también ha pisado fuerte en la Asamblea Constituyente y en las directrices sobre la política de agua. En total, si hace una sumatoria, los Organismos No Gubernamentales controlan al menos seis ministerios y cinco viceministerios en la administración del MAS.

- *Una influencia nada despreciable.*

- Pero el "hombre fuerte" del gabinete es Juan Ramón Quintana, delegado de George Soros en el gobierno boliviano. También podríamos contarlo entre los representantes de las ONGs, por sus lazos con el Open Society Institute, pero merece una mención aparte por sus características singulares y el enorme poder personal que ha llegado a acumular. Su nombramiento como Ministro de la Presidencia bien podría ser una retribución al generoso apoyo brindado por Soros a los "movimientos sociales" en octubre de 2003, y por supuesto a la campaña electoral del Movimiento Al Socialismo. Ex mayor de ejército y sociólogo, Quintana fue asesor de Fernando Kieffer, ministro de defensa del gobierno de ADN. Se comenta que habría llegado al cargo recomendado directamente por Hugo Banzer. Recuerde que durante esa gestión, la cartera de Defensa realizó el negociado del avión Beechcraft. En el 2006, Evo y Quintana viajaron a Nueva York y cenaron con Soros, luego de lo cual el presidente de la re-

58 Asamblea Permanente de Derechos Humanos de Bolivia.

59 Unión Nacional de Instituciones para el Trabajo de Acción Social.

pública defendió la despenalización de la hoja de coca ante la Asamblea General de las Naciones Unidas. Quintana es el virtual primer ministro de Evo Morales, posición desde la cual ha tendido una extensa red de poder: tutela las políticas de defensa y gobierno; articula la alianza con sectores militares; controla la Aduana Nacional a través del general César López; dirige a los delegados presidenciales, especie de "prefectos paralelos" nombrados para entorpecer la labor de los electos por la población; supervisa las relaciones internacionales; digita todo el sistema de comunicación estatal, que integran canal 7, ABI[60], Radio Illimani y la red de radios Patria Nueva, financiada por Hugo Chávez. El vocero de la presidencia, Alex Contreras, trabaja bajo su mando. Quintana también tiene una gran influencia sobre la actual ministra de educación, Magdalena Cajías; y por si todo lo anterior fuera poco, maneja la administración del Palacio Quemado, donde no vuela una mosca sin su permiso. Esta increíble concentración de funciones ha hecho que Juan Ramón Quintana comience a competir con García Linera, a quien disputa el segundo lugar en la pirámide del poder. Un dato más sobre él, que no es nada irrelevante: Quintana estudió en la Escuela de las Américas, institución en la que se formaron la mayoría de los dictadores que gobernaron el continente entre las décadas de los ´60, ´70 y ´80.

- *¿Qué participación tiene García Linera en el gabinete?*

- Escasa. Su cuota fija de poder era el Ministerio de Transporte y Obras Públicas, encabezado en el primer gabinete por Salvador Ric, y más tarde por Jerjes Mercado y José Kinn. Pero en enero de 2008 esa cuota parece haber pasado a otro sector del oficialismo, ya que la cartera fue asumida por Óscar Coca Antezana, militante del MAS que fungió como vicepresidente del Concejo Municipal de Cochabamba. El *alvarismo* compensa su modesto peso en el gabinete con su tutela sobre la ABC[61], presidida por su prima, Patricia Ballivián. También tuvo importantes cuotas en YPFB[62], pero posteriormente fue desplazado de esa entidad por el avance de Santos Ramírez y su segundo, Guillermo Aruquipa. Nótese que estas áreas de influencia son particularmente rentables, por decirlo de alguna manera. Ya volveremos sobre el punto, que no es nada menor. A lo anterior hay que agregar la Asamblea Constituyente, donde tiene dos asambleístas del

60 Agencia Boliviana de Información.

61 Administradora Boliviana de Carreteras.

62 Yacimientos Petrolíferos Fiscales Bolivianos.

grupo Comuna, como recordará. También maneja la REPAC[63] a través de su hermano Raúl y otros ex EGTK.

- *¿Qué ministros responden directamente a Evo Morales?*

- El canciller David Choquehuanca, a quien ya contamos entre los representantes de las ONGs; y Celima Torrico, quien sustituyó a la anodina Casimira Rodríguez en el Ministerio de Justicia. Torrico proviene del núcleo duro del partido: el sector cocalero, y su nombramiento habría sido una retribución por haber organizado el asalto contra la prefectura cochabambina en el "enero negro". Desde esa posición ha promovido la injerencia en el Poder Judicial y habría buscado bloquear la investigación sobre el asesinato de Christian Urresti. El día de su posesión comentó: "nos debemos a los movimientos sociales". Además, le advirtió a los medios de comunicación que "esperamos que no solamente nos critiquen". En el primer gabinete también estaba Félix Patzi, entonces Ministro de Educación y personero de la corriente indigenista más radical. Su alejamiento fue una medida dolorosa para el sector radical-aymarista, pero necesaria ante la creciente impopularidad del ministro y sus fricciones con la Iglesia Católica, a la que el gobierno pretendió neutralizar de cara a los conflictos políticos que vinieron y vendrán. Otras representantes de la línea evista, desplazadas del gabinete en enero de 2008, eran Nila Heredia, ministra de salud pública; y Celinda Sosa, ministra de producción y microempresa. Fueron reemplazadas, respectivamente, por Wálter Selum y Javier Hurtado. El primero es un médico beniano radicado en Santa Cruz, estrechamente vinculado a organizaciones sindicales del MAS. Hurtado, propietario de Industrias Irupana, representa a la clase de empresarios-amigos del gobierno, la fracción de la élite andina que mejor ha congeniado con la burocracia gobernante.

- *Se ha hablado de ministros que provendrían de los partidos tradicionales.*

- Claro que sí. El caso más evidente es el de Walker San Miguel, ministro de defensa. Es curioso que alguien vinculado a pasadas gestiones de Gonzalo Sánchez de Lozada ocupe un puesto estratégico en el gabinete, ¿no? Fue defensor de las capitalizaciones e integró el directorio del Lloyd Aéreo Boliviano, con el que aún sigue vinculado. También fue abogado de "Tito" Asbún, ex propietario del LAB y hoy prófugo de la justicia. El nombramiento de San Miguel en enero del 2006 se explicó por los acuerdos tácitos o reservados entre el MAS y el gonismo, que dieron la presidencia

63 Representación Presidencial para la Asamblea Constituyente.

del Senado a Santos Ramírez. Su ratificación en el gabinete, en enero de 2007, se atribuyó a los "amarres" logrados por el oficialismo con la corriente gonista en la Asamblea Constituyente. Otro caso es el del ministro de hacienda, Luis Arce Catacora, quien fuera alto funcionario del Banco Central de Bolivia en la segunda presidencia de Sánchez de Lozada. Sin embargo, la designación de Arce parece deberse más a la influencia de la CAF[64]. Recuerde que, tradicionalmente, el Ministro de Hacienda ha sido recomendado por los organismos internacionales, que quieren tener a alguien de su confianza manejando los recursos que prestan al país. Bolivia casi no le debe nada al FMI[65], pero en cambio la CAF sí le presta plata al país, préstamos más caros que los anteriores, por cierto. Tampoco podemos olvidar al viceministro de coordinación gubernamental, Héctor Arce, quien fue dirigente estudiantil del MNR en la UMSA[66].

- *¿Otras fuerzas políticas, además del Movimiento Al Socialismo, tienen cuotas en el gabinete?*

- El Movimiento Sin Miedo, de Juan del Granado, aunque empezó sin ninguna cartera[67]. En enero del 2007 el alcalde paceño deslizó algunas críticas discretas al rumbo de la gestión de gobierno, marcando distancia. La táctica del "enfriamiento" parece haberle dado frutos, ya que avanzó en la estructura de gobierno con un ministro: el titular de Trabajo, Wálter Delgadillo. Al igual que su padrino político, Delgadillo pasó por varias casacas partidarias y fue candidato a la presidencia de Izquierda Unida, segundo hombre de la COB, fundador del MIR-Masas en 1983 y militante del MBL, fuerza que abandonó junto al líder del Movimiento Sin Miedo. También el Partido Comunista tiene su cuota de poder, inicialmente representada por la ex ministra de gobierno, Alicia Muñoz Alá, luego por Víctor Cáceres al frente del Ministerio de Educación, y ahora por el ministro de minería, Luis Echazú.

- *¿Qué pasa con los movimientos sociales?*

- En realidad, su peso específico es muy menor comparado con el logrado por las ONGs. Además de Celima Torrico como representante de los cocaleros, podemos nombrar al ex ministro del agua, Abel Mamani, dirigente de la Federación de Juntas Vecinales de El Alto. Los cooperativistas

64 Corporación Andina de Fomento.

65 Fondo Monetario Internacional.

66 Universidad Mayor de San Andrés.

67 De hecho, el alcalde paceño solía bromear diciendo que la sigla de su partido significaba "Movimiento Sin Ministerios".

mineros tuvieron su cartera, con Wálter Villarroel al frente del Ministerio de Minería en los primeros meses de gestión, pero fueron expulsados de la alianza gubernamental a raíz del conflicto de Huanuni. El resto de los movimientos sociales sólo participa a nivel de viceministerios o direcciones nacionales.

- *Qué extraño, tratándose de un gobierno de los movimientos sociales.*

- Al comienzo de nuestras conversaciones le dije que se quitara la venda de los ojos, y se lo vuelvo a decir. En la división del trabajo revolucionario, las organizaciones sociales tienen el importante cometido de ser carne de cañón y guardia pretoriana de los verdaderos detentadores del poder: la *nueva clase burocrática* nacida de las ONGs... En su crítica a la extinta Unión Soviética, Cornelius Castoriadis[68] decía que allí había nacido una nueva clase dominante, una burocracia que explotaba al resto de la población: la *nomenklatura*. La pretendida sociedad sin clases era una falacia. En el caso de Bolivia, la red de Organismos No Gubernamentales que ha convertido al país en un laboratorio político-social es la más beneficiada por el "proceso de cambio", y apenas estamos comenzando a ver cómo se enriquecen sus representantes.

- *Volviendo al análisis de los equipos gubernamentales...*

- La descripción de esas estructuras estaría incompleta si no damos una mirada a dos grupos que se entrecruzan con frecuencia: los asesores extranjeros y el equipo comunicacional. En el primero tienen un papel muy destacado los venezolanos y cubanos. Los chavistas tienen entrada libre en el Palacio Quemado y se reúnen con frecuencia con Evo Morales. En cambio, los cubanos parecen girar más en torno a García Linera. El vicepresidente ha reconocido la existencia de un "numeroso equipo de asesores nacionales y extranjeros". Un *team* muy influyente es el conformado por el norteamericano Thomas Kruise y el francés Oliver Fontan, que tienen su cuartel general en el segundo piso de la Cancillería, más precisamente en el "Salón Olañeta". Kruise representa a la central sindical de Estados Unidos, la poderosa AFL-CIO, y viene de extracción comunista. Su función es impedir que se firme un Tratado de Libre Comercio entre Bolivia y Estados Unidos, para lo que se ha aliado con otros globalifóbicos como Pablo Solón, con quienes digitan la política de comercio internacional. En

68 Algunos de sus trabajos más representativos sobre el sistema burocrático son: *"Las relaciones de producción en Rusia"* (1949), *"La explotación del campesinado bajo el capitalismo burocrático"* (1949), *"El papel de la ideología bolchevique en el nacimiento de la burocracia"* (1964), *"El régimen social de Rusia"* (1978) y *"El destino de los totalitarismos"* (1983).

el fondo, se trata de defender los intereses corporativos de los sindicatos gringos, que se verían perjudicados por la competencia de productos latinoamericanos si comienzan a proliferar los TLC. Hasta es posible que muchas empresas norteamericanas comiencen a trasladar sus fábricas a América Latina. Es decir, que el actual gobierno de la "revolución democrática" protege las fuentes de trabajo... de los norteamericanos. ¿Qué le parece? Como siempre hay que dar algo a cambio, Kruise ha ayudado con las gestiones para la ampliación del ATPDEA, que no preocupa demasiado a los sindicatos proteccionistas de USA, ya que abarca pocos rubros y es de duración temporal. Así que Kruise organizó el lobby para que García Linera pudiera tener algunas reuniones de segundo orden -con congresistas y otros funcionarios- en el viaje que realizó a Estados Unidos para gestionar la extensión de las preferencias arancelarias. Algo parecido hace Fontan, quien coordinó las visitas de Evo a Europa en su gira de presentación. ¿Recuerda la chompa y sus aventuras en el viejo continente? Fontan lo hizo. De manera oficial, se dice que su presencia en la Cancillería se debe a un convenio entre Bolivia y Francia. Tanto Kruise como el francés trabajan en estrecha coordinación con Eleonor Arauco, asesora del canciller Choquehuanca. El staff de asesores europeos se completa con un grupo de españoles, encabezados por Xavier Albó[69] y Víctor Orduña, que ayudaron a diseñar el proyecto de Estado "Plurinacional Social-Comunitario" para los constituyentes del oficialismo.

- *Supongo que no se agota allí el equipo de asesores de diversas nacionalidades.*

- Claro que no. En las "brigadas internacionales" también militan varios latinoamericanos. Uno de los más influyentes es Óscar Hernán Véliz, ex integrante del MIR[70] chileno, más conocido en Bolivia como "Gory" Müller. Nació hace 54 años en el poblado de Hierro Viejo, provincia de Petorca, en la Quinta Región de Chile. Se exilió de su país en 1978 y fue a parar a la Alemania comunista, donde recibió entrenamiento y adoptó el nombre falso de Hermann Müller. Más tarde surgió el apodo de "Gory" como diminutivo de gorila, por su porte. Conoció a Evo en 1987, cuando éste se iniciaba como dirigente cocalero. ¿Recuerda cuando le conté lo escuchado por una viajera boliviana en Europa, mucho antes de que Morales fuese una figura conocida? Siga atando cabos... "Gory" integra el círculo más íntimo de Evo Morales, el denominado "equipo chico". Esto lo ha

69 Principal ideólogo de la ONG CIPCA.

70 Movimiento de la Izquierda Revolucionaria. Grupo radical que realizó acciones de lucha armada durante el gobierno de Salvador Allende.

reconocido públicamente Iván Iporre, otro hombre del entorno presidencial, que en una entrevista dada al periódico chileno La Tercera confesaba que Müller "forma parte del equipo de diez asesores del presidente" y que "parte de su papel es adelantar escenarios políticos". El mismo reportaje dice que "en Bolivia sólo el presidente, su equipo más estrecho y unos pocos dirigentes del MAS conocen a este *asesor en las sombras*". También se sabe que fue uno de los principales arquitectos de la campaña electoral del Movimiento Al Socialismo en el 2005. Dicen que se mueve con gran reserva y que jamás habla de su vida personal en reuniones políticas. Es uno de los responsables de las gestiones internacionales de Evo Morales, especialmente de sus contactos con autoridades chilenas, al extremo de que llegó al vecino país como "representante personal del presidente boliviano" en marzo del 2006.

- *¿No se está olvidando de alguien?*

- Para nada, y llego a él en este mismo momento. Me imagino que habla de Wálter Chávez, otrora monje negro del gobierno. Sobre él han corrido ríos de tinta, pero no está de más que repasemos los detalles principales de su trayectoria. Chávez nació en Cajamarca, Perú, y estudió filosofía en la Universidad San Marcos de Lima. Militó en el movimiento estudiantil Patria Roja y fue investigado por la DINCOTE[71] bajo cargos de extorsionar a empresarios, cobrándoles el "impuesto revolucionario" a nombre del Movimiento Revolucionario Túpac Amaru. Según se dice, Chávez se habría convertido en "soplón" para la dirección antiterrorista, pero fue descubierto por sus ex compañeros de lucha y tuvo que escapar a Bolivia por la ruta del Desaguadero, doce años atrás. En nuestro país recibió apoyo de peruanos que simpatizaban con la extrema izquierda, como Manuel Robles. Esos amigos le gestionaron el estatus de refugiado internacional y lo vincularon al mundo de la comunicación. Trabajó en La Razón, de donde se comenta que lo corrieron cuando el ex alcalde paceño, Ronald MacLean, lo denunció por pedirle 200 dólares por una nota. Después estuvo en La Prensa y mostró un gran pragmatismo, asesorando a personajes del poder político y económico como Luis Garáfulic, el "Zorro" Sánchez Berzaín, Wálter Guiteras y Samuel Doria Medina. Finalmente, oliendo que los vientos le traían de nuevo aires revolucionarios creó El Juguete Rabioso, que se convirtió en el medio propagandístico por excelencia de la izquierda radical boliviana. Desde las elecciones del 2002 logró una estrecha relación con Evo Morales, cuya imagen fue construyendo desde su órgano de desinformación. También es el fundador de la agencia de

71 Dirección Nacional Contra el Terrorismo.

noticias Bolpress, representante en Bolivia de Le Monde Diplomatique y propietario de la editorial Malatesta. Su influencia sobre Indymedia Bolivia fue notoria por mucho tiempo, pero últimamente parece haber perdido el control sobre ese medio virtual. El *Montesinos masista* tuvo un rol preponderante en la campaña 2005 de Evo Morales, y cuando éste llegó al poder, Wálter Chávez se convirtió en asesor de comunicación de la presidencia. Desde allí planificó y ejecutó la guerra contra los medios de comunicación, con los que guarda importantes resentimientos. Sus acciones inconsultas, como asesorar a Ollanta Humala en su propia campaña presidencial a *nombre de Evo Morales*, lo alejaron del Palacio Quemado y lo llevaron a la Vicepresidencia del la República, donde se desempeñó como asesor personal de Álvaro García Linera. Tras conocerse el pedido de detención que pesa en su contra en el Perú por su presunta vinculación con el MRTA, Chávez tuvo que alejarse oficialmente del gobierno, aunque continúa asesorando discretamente al MAS[72].

- *Se sabe de un equipo satélite que gira o giraba en torno a Wálter Chávez.*

- Usted habla de "Los Pablos", dos consejeros en comunicación argentinos muy vinculados al *monje negro*. Uno de ellos es Pablo Cingolani, amigo personal de Chávez y columnista en El Juguete Rabioso. El otro es Pablo Stefanoni, ex corresponsal de Página 12 en Bolivia y actual corresponsal de Clarín. También ha sido columnista de Bolpress y Le Monde Diplomatique, y editor del semanario Pulso. Tuvo un importante papel en el diseño del cerco *comunicacional internacional*, un operativo mediático que distorsiona las noticias sobre Bolivia en el exterior del país. Como parte de ese trabajo ensalzó la figura del "primer presidente indígena", llegando a publicar un libro titulado *"Evo Morales, de la coca al Palacio, una oportunidad para la izquierda indígena"*. La maniobra se completó con la estigmatización en medios internacionales de los líderes de oposición y de los ex presidentes de la república. Stefanoni también publicó un libro que reúne los discursos de Evo Morales. Los dos textos fueron impresos por Malatesta, la editorial de Wálter Chávez, y se distribuyeron entre los funcionarios públicos a un costo de Bs. 25, con instrucción de compra obligatoria. "Los Pablos" dejaron sus funciones en octubre del 2006 por supuestas "diferencias internas". Otro nombre a tener en cuenta en el entorno de Wálter Chávez es el peruano Manuel Robles, quien, como ya dije, lo acogió a su llegada a La Paz. Robles es corresponsal de la agencia castrista Prensa Latina, integró el equipo de la campaña 2005 y se desem-

72 Tras el alejamiento de Walter Chávez, Ana Luisa Ortega se ha convertido en la "Dama de Hierro" del sistema de comunicación estatal.

peña como coordinador de entrevistas del presidente. También hay que agregar al fotógrafo argentino Fabián Restivo, asesor del ministro Juan Ramón Quintana y marido de la delegada presidencial en Santa Cruz, Gabriela Montaño. Se comenta que estaría vinculado a la inteligencia cubana. Completa la lista de asesores internacionales el argentino Leonardo Tamburini, actual director del CEJIS y muy activo en la organización de los *cuadros indígenas* del MAS en el departamento de Santa Cruz.

- Pasemos ahora a los integrantes nacionales del equipo de comunicación.

- Como usted diga. Podemos comenzar la lista con el ex vocero presidencial Alex Contreras. Trabajó en Los Tiempos y fue dirigente del Sindicato de la Prensa de Cochabamba. Su nombre apareció en una lista de periodistas que recibían comisiones de la alcaldía cochabambina a cambio de cobertura. ¿Sabe dónde apareció esa lista? En El Juguete Rabioso, así que ya se imaginará qué clase de enemigos mortales se han juntado en el gobierno de Evo Morales y cuál será el grado de intensidad que alcanzarán las intrigas palaciegas. El asunto de las comisiones fue ratificado por el actual prefecto y ex alcalde de Cochabamba, Manfred Reyes Villa, quien afirmó que Contreras le cobraba 200 Bs. por nota. Más tarde, éste se acercó a Evo Morales utilizando los buenos oficios de su hermano Adalid -sociólogo vinculado al MAS- y logró ser designado como asesor de prensa del partido cocalero. Por la misma época, se desempeñó como corresponsal de Narco News. ¿Recuerda? La agencia que organizó la Cumbre Internacional para la Legalización de las Drogas, con el financiamiento de Soros y la participación de García Linera. Contreras también ha sido corresponsal de Red Voltaire y ALAI[73]. A través de esas agencias, orquestó una campaña de imagen internacional a favor de Evo. Fue recompensado con la Vocería Presidencial, desde donde promovió la incorporación de amigos y compañeros al sistema comunicacional del gobierno. Y lo más importante: logró controlar la millonaria publicidad estatal. Claro que esto ahondó su enemistad con Wálter Chávez, con quien tuvo frecuentes altercados en los pasillos y oficinas del Palacio Quemado. Además de las importantes partidas asignadas en el presupuesto a la publicidad oficial, hay que tener en cuenta los tres millones de dólares anuales que Venezuela destina a apuntalar la propaganda del MAS, la apertura de la red de radios, el pago a periodistas y el financiamiento de las "movilizaciones sociales". Todo lo que vuelve muy jugosos a los *fondos reservados de comunicación*. Además, se comenta que Alex Contreras sería -junto a

73 Agencia Latinoamericana de Información.

Iván Canelas- el autor intelectual de un proyecto de control de medios de comunicación, incluido en el Plan Nacional de Desarrollo, por el que se quitarían las licencias de operación a los canales Unitel, Red Uno, ATB, PAT y Bolivisión, así como a las radios Fides y Panamericana. Proyecto que significaría la muerte de la libertad de prensa en Bolivia.

- Sin embargo, al anunciar su salida del gobierno en abril de 2008, Contreras advirtió sobre los intentos de censura a la prensa.

- Ya llegaremos a eso más adelante. Mientras tanto, le comentaré sobre otro personaje del equipo comunicacional oficialista. Gringo González es uno de los periodistas que promovió la campaña presidencial de Evo Morales en el canal estatal, de manera algo más solapada que los demás. El método del Gringo consistía en manejar un permanente discurso "antisistémico", donde el cambio sólo podía ser representado por el MAS. En premio a esas gestiones, fue nombrado asesor de prensa por el propio Evo y también se le encargó la oficina de gestión social de la presidencia, tradicionalmente manejada por la esposa del primer mandatario, ahora inexistente. Eso motivó varias humoradas, donde se hablaba de este periodista como "la Primera Dama". Fuentes fidedignas me comentan que su primera medida fue visitar y presionar al Fiscal de Distrito que investigaba las denuncias de corrupción contra el ex presidente de YPFB, Jorge Alvarado, por el dudoso contrato con Iberoamérica Trading. La rivalidad con Contreras nació cuando González exigió convertirse en el nuevo Vocero Presidencial y demandó un sobresueldo de 5.000 dólares, aduciendo que ése es el monto que reciben las autoridades de Palacio de parte de la "cooperación" venezolana. Pero salió perdedor en la interna del equipo comunicacional y tuvo que irse a Cochabamba, a organizar el sistema de medios pro-gubernamentales. Posteriormente, le dieron un mejor destino como cónsul en Buenos Aires.

- Mencionaba hace un rato a Iván Canelas, recientemente posesionado como nuevo Vocero Presidencial.

- Durante años fue dirigente de los periodistas de Cochabamba, viviendo de los ingresos sindicales. Pero también trabajó algún tiempo en Presencia, Los Tiempos y La Razón. En el 2005 fue director de comunicación del gobierno de Eduardo Rodríguez Veltzé, desde donde montó una hábil campaña para favorecer a Evo Morales en las elecciones presidenciales. Esto se hizo a través de los medios estatales y utilizando la publicidad oficial como forma de influir sobre los medios privados. Obviamente, con tanta diligencia logró ser elegido diputado del MAS. Su primera medida como representante nacional fue plantear un proyecto de ley mordaza contra los medios de comunicación. Al parecer, Canelas se la tiene jurada a la prensa desde hace rato. Durante el gonismo, formó parte de un equipo de análisis del gobierno que promovía la necesidad de establecer un control sobre los medios a través de la publicidad estatal. ¿Qué le parece?

- *¿Qué otros nombres suenan en el sistema de comunicación del MAS?*

- El periodista paceño Hugo Moldiz es otro personaje clave. Trabajó como jefe de informaciones de La Época, al tiempo que integraba los equipos de inteligencia y comunicación del partido cocalero en las elecciones nacionales. Se sabe que estaría ligado al gobierno de Fidel Castro y que habría recibido entrenamiento en Cuba en materia de operaciones especiales e inteligencia, en diciembre del 2005[74]. Ya con Evo en la presidencia Moldiz pidió la cartera de Gobierno, pero en vez de eso fue destinado a organizar dos operativos de gran envergadura: la compra de medios de comunicación y el montaje de un servicio de inteligencia paralelo. Orquestó la compra del semanario La Época con fondos de PDVSA[75], que desembolsó para ese fin 40.000 dólares, y se sabe que estarían en la mira varios canales de televisión. Uno de ellos es Cadena A, según denuncia pública del jefe de prensa de ese medio, Jorge Tejerina. También han hecho intentos de hacerse con parte del paquete accionario de La Razón, ATB y El Nuevo Día, infructuosos hasta el momento. Para eso han llegado a presionar al Grupo Prisa, incluso a través del presidente Morales, que en conferencia de prensa amenazó con nacionalizar los medios de comunicación en manos extranjeras... Simultáneamente, Moldiz trabaja en el "Estado Mayor del Pueblo", un organismo parasindical encargado de coordinar las movilizaciones violentas de los sectores sociales afines al partido de gobierno. El "Estado Mayor del Pueblo" es financiado por el gobierno cubano y está encabezado por el hoy constituyente Román Loayza. ¿Se acuerda de quien amenazó con un golpe de Estado si no le daban el poder al MAS "por las buenas"? Desde ese organismo, Móldiz estaría desarrollando un servicio de inteligencia del partido, con la obvia supervisión de Cuba y Venezuela. De acuerdo a fuentes reservadas, también organizaría la infiltración de elementos de esa inteligencia paralela en el Grupo de Seguridad Física. El equipo, según se dice, realiza el seguimiento a líderes de oposición y

74 De esa época data la formación en La Habana del Consejo de Planificación y Operaciones Logísticas para Boliva, integrado entre otros por el senador Antonio Peredo, el embajador cubano Rafael Dausá, el presidente de la Cámara de Diputados Edmundo Novillo, el concejal Oswaldo Peredo y el viceministro Héctor Arce.

75 Petróleos de Venezuela Sociedad Anónima.

a periodistas independientes mediante el "pinchado" de teléfonos... Así que, cada vez que me llame, tenga en cuenta saludarlo muy gentilmente.

- *Sigamos con su lista.*

- Freddy Morales no puede faltar en su lista. Trabajó en PAT y en la red Erbol, y se ha desempeñado como corresponsal del diario Opinión en La Paz. Fue secretario ejecutivo de la Confederación de la Prensa de Bolivia, gestión sobre la que pesan varias acusaciones de corrupción. Desde ese gremio reclutó a numerosos periodistas para ponerlos al servicio del operativo "Evo Presidente". Durante la campaña 2005 fue parte del grupo de Wálter Chávez. ¿La retribución? Freddy Morales es el coordinador para Bolivia de la Red Telesur, financiada por el gobierno de Hugo Chávez. Junto a Amalia Pando, diseñó el plan para crear una red oficial de medios de comunicación en ciudades y provincias, proyecto que también recibiría ingentes recursos de Caracas. Por su parte, Amalia Pando pasó de ser socia de Carlos Mesa en PAT a cumplir el rol de vocera masista en el canal estatal y en la red Erbol, en programas ampliamente financiados con publicidad gubernamental. Además, ha realizado varias consultorías para el Ministerio de la Presidencia, el Ministerio de Gobierno y la Dirección de Comunicación, esta última a cargo de Gastón Nuñez. A Pando se le acusa de haber participado en acciones terroristas durante el gobierno de Salvador Allende, cuando estudiaba periodismo en el Politécnico de la Universidad de Chile y presuntamente formaba parte del grupo extremista Cordón Macul. Esa banda de ultraizquierda asaltó la fábrica de Paños Continental el 26 de julio de 1973, asesinando al dirigente sindical Manuel Garrido Valenzuela. Cordón Macul también habría acabado con la vida del edecán de Allende, el capitán Arturo Araya Peters.

- *Su lista parece interminable.*

- Sólo le doy los nombres principales. Añadiremos en esa lista a Augusto Peña, que ha fungido como director de prensa de la red Erbol. En la insurrección del 2003 utilizó de modo sistemático el rumor, generando reacciones populares de desestabilización. Luego integró el equipo de campaña del MAS en las elecciones nacionales. Tampoco olvidemos a Marcelo Arce, periodista de la Agencia de Noticias Fides y dirigente de la Federación de Trabajadores de la Prensa de La Paz. Al igual que Freddy Morales, utilizó a su gremio como plataforma para difundir el mensaje de la "revolución democrática" y llegó a editar un boletín masista de distribución masiva. Arce fue postulado como candidato a la Asamblea Constituyente por el partido de gobierno, pero no fue electo. Después de esa jugada fallida, para la cual tuvo que renunciar a su cargo sindical, retornó a la dirección de su gremio de manera irregular. También tenemos a Mario Orihuela, quien ha dirigido el canal 13, Televisión Universitaria. Fue asesor de comunicación del diputado masista Gustavo Torrico y luego del senador Santos Ramírez. En Santa Cruz está Juan Carlos Romero, que ha convertido al canal Sudamericana en una verdadera sucursal del canal 7 y de Telesur, repitiendo propaganda masista y chavista de manera constante. Diariamente editorializa atacando a los prefectos independientes, a las instituciones regionales y a la oposición parlamentaria. Su medio posee muy pocos anunciantes privados y parece sostenerse por una abundante publicidad estatal. En La Paz, Eduardo Godoy ha realizado un trabajo similar como director de noticias de RTP. Luego de un acuerdo entre el gobierno y la propietaria del canal, Mónica Medina, el canal fundado por el "compadre" Palenque se convirtió en vocero del MAS desde la campaña 2005. Otro de los operadores de comunicación es Oscar Sanjinez, quien ha estado a cargo de la dirección de prensa del Ministerio de Gobierno. Desde allí, convenció a la ex ministra Alicia Muñoz de emprender una intensa campaña de spots y cuñas radiales, y de realizar operativos de influencia estratégica con periodistas de diversos medios. Por la misma línea anda Edgar Ramos, director de comunicación del Ministerio de Educación contratado por el polémico Félix Patzi. Su hazaña ha sido promover dos campañas de publicidad oficial, millonarias y sin fiscalización: la correspondiente al Congreso de Educación de Patzi y la destinada a ensalzar la alfabetización por las "misiones" cubanas. Ramos también ha sido periodista asociado de Bolpress. Termino con dos nombres: Andrés Gómez Vela y Juan Carlos Alcoreza. El primero ha ocupado la jefatura de prensa de Erbol, pero antes de eso se encargó de organizar un equipo de periodistas masistas "incrustados" en varios medios de comunicación, entre ellos La Prensa, donde llevaron a cabo amplias campañas de desinformación. Por su parte, Alcoreza ha desempeñado la jefatura de prensa en canal 7, luego de pasar por PAT y Católica de Televisión. Pertenece al grupo de Wálter Chávez y fue contratado por orden expresa del vicepresidente.

- *Suponiendo que ha terminado de enumerar a los operadores de prensa del gobierno, me gustaría que comente someramente las tácticas de desinformación utilizadas por el sistema de comunicación gubernamental.*

- Seré breve. El nivel de destreza y malicia de estas *infotácticas* es muy alto, por lo que sus operativos suelen tener un gran impacto sobre sectores desprevenidos de la opinión pública. Nombraré de paso a la *táctica del doble canal,* consistente en el envío de mensajes alternativos o paralelos, algo que nos puede parecer la contradicción entre dos voceros, pero que es deliberado; la *táctica de la omisión*, basada en la eliminación puntual de un mensaje; *táctica de la generalización*, que escapa a las concreciones comprometidas; *táctica del goteo*, por la que se informa poco a poco hasta disociar el sentido; *táctica de la nebulosa*, que consiste en soltar una andanada de rumores falsos junto a otros ciertos a la vez; la *táctica del retorno*, por la que se deja caer una noticia en el extranjero esperando que regrese, muy utilizada durante la campaña de Evo al Premio Nobel; la *táctica del revés*, basada en decir justamente lo contrario y provocar rebote; y la *táctica de la Gran Mentira*, fundada en el axioma de Josef Goebbels, según el cual una mentira bastante grande acaba siendo mejor creída que una serie de pequeñas mentiras, con tal que se insista inflexiblemente en ella. Los ciudadanos deben comenzar a defenderse de esta *infopolución* que nos inunda día a día. Para eso, habrá que aprender a interpretar no sólo lo que dicen los voceros de la nueva burocracia, sino también lo que callan.

CAPÍTULO X

CONFIDENCIAL

Descabezando el Alto Mando/Un "maletín caliente"/Gaffes presidenciales/Facciones en pugna/El show de la nacionalización/Etno-colectivismo agrario/La ministra tsunami/Matemáticas constituyentes/La reprimenda de Chávez/Neopaganismo aymara.

- Me gustaría retomar cierto orden cronológico en nuestra conversación. Volviendo a los primeros días del gobierno de Evo Morales, ¿recuerda cuáles fueron sus medidas iniciales, luego de la firma de los convenios con Hugo Chávez?

- Procedió a descabezar el Alto Mando militar, pasando a retiro promociones enteras y ascendiendo a oficiales que, de respetarse la institucionalidad castrense, deberían haber esperado varios años para acceder a la cabeza de las tres armas. Lógicamente, esa abierta violación a la Ley Orgánica de las Fuerzas Armadas generó protestas entre la alta oficialidad, pero Evo estaba recién posesionado y contaba con una importante popularidad construida por los *fabricantes de consenso* que ya hemos mencionado, además de la consabida "luna de miel" que tanto medios como líderes opositores suelen dar a los recién llegados al poder. Así que pudo imponer su voluntad, comenzando un peligroso proceso de desinstitucionalización de las Fuerzas Armadas que ha incluido la subordinación a militares venezolanos, la emisión de mensajes políticos de corte oficialista por parte del ahora ex Comandante de las FFAA –general Wilfredo Vargas-, la utilización de los militares en varios actos de represión interna y la tolerancia a la formación de milicias irregulares, como los Ponchos Rojos y Huayrurus. Vea qué coincidencia: la medida de descabezar a las Fuerzas Armadas fue tomada inmediatamente después de haber firmado el convenio de defensa con Hugo Chávez[76]. Usted conocerá las acusaciones que pesan sobre el Alto Mando promovido por Evo, de recibir generosos sobresueldos de fondos reservados venezolanos.

- Mientras tanto, ¿cómo se planteaban las relaciones con Santa Cruz?

- Pocos días después de la investidura de Evo Morales, también fueron posesionados los primeros prefectos electos de la historia de Bolivia. Así que habían nuevos actores regionales que comenzarían a contrapesar las acciones emanadas del gobierno central. Por ese entonces se dieron las

76 La injerencia militar chavista también incluye "un plan para construir 24 bases, muchas de ellas ubicadas cerca de la frontera caliente, es decir, la triple frontera (con Paraguay y Brasil)", como reconoció el propio Evo Morales.

intensas riadas en el oriente, que afectaron amplias zonas en las provincias de Santa Cruz. Equipos de la Prefectura y del gobierno se movilizaron en paralelo, y la emergencia fue la excusa perfecta para el arribo al territorio boliviano –y cruceño en particular- de contingentes de médicos cubanos, que pronto convirtieron su estadía provisoria en permanente. Ese fue el escenario para la primera llegada de Evo Morales a Santa Cruz luego de su posesión, en la que sobrevoló las zonas afectadas[77]. También estuvo en las instalaciones de la Cámara de Industria y Comercio, visita que había sido agendada por Álvaro García Linera y su ministro, Salvador Ric, quienes lo acompañaron junto a Alex Contreras. Allí tuvo lugar una jugosa anécdota que sin duda le interesará...

- *Acabe con el suspenso.*

- El embajador cubano, Rafael Dausá, se hizo presente con un maletín que contenía cien mil dólares de ayuda para paliar la emergencia. Entiéndame bien: el dinero estaba en efectivo y no había sido registrado como donación al Estado boliviano. Dausá le tendió el maletín a Evo en presencia del prefecto Rubén Costas y de varios dirigentes empresariales. Rápidamente, Morales captó lo engorroso de la situación y le propuso a Costas que tomara el maletín, pero el prefecto también se negó. Imagine esa escena de comedia, con el "maletín caliente" pasando de mano en mano sin que nadie se atreviera a recibirlo. Al fin, el problema se zanjó al hacerse cargo la institución anfitriona de la custodia del dinero, que fue depositado en un banco de Santa Cruz y, tras ser convenientemente registrado en las cuentas fiscales, pasó a engrosar la ayuda para los damnificados por el desastre natural. Más allá de lo gracioso de la situación, lo sucedido nos da una pauta de la manera irregular en que han estado entrando los fondos venezolanos y cubanos al país.

- *¿Salió algo fructífero de la reunión entre Morales y los empresarios cruceños?*

- Se trató un tema coyuntural del azúcar, pero fue más una reunión protocolar de acercamiento. Al llegar, Evo preguntó: "¿qué es CAINCO?", haciendo que varios de los presentes cruzaran miradas entre sí. El presidente no sabía nada sobre la principal institución empresarial del país. Se le explicó de qué se trataba y lo invitaron a participar en el lanzamiento internacional de las Misiones Jesuíticas de Chiquitos, que tendría lugar poco

77 A comienzos del 2006, 2007 y 2008 se repitió la misma historia: el gobierno centralizó la ayuda a los damnificados por decreto, paralizó y echó a perder los víveres enviados por las Prefecturas y privilegió de manera escandalosa a los municipios controlados por el MAS.

después. Evo aceptó la invitación y se hizo presente en la Chiquitania, donde cometió algunos *gaffes* que pueden enriquecer su anecdotario.

- *¿Por ejemplo?*

- Morales arribó a Concepción sin avisarle al prefecto, es decir, que para entonces ya se hacía patente la fisura entre gobierno central y departamental. Lo interesante es que al aterrizar le regalaron un típico sombrero ´e saó y una camisa chiquitana, y él se entró en la iglesia jesuítica con el sombrero puesto. Alguien de la organización del evento tuvo que acercarse hasta Alex Contreras e informarle que el presidente estaba rompiendo el protocolo y faltándole el respeto a los fieles. Ya con la cabeza descubierta, Evo se sentó en primera fila y comenzó a observar el techo y las paredes de la iglesia. Gabriel Dabdoub le dio una extensa explicación sobre la cultura barroco-mestiza forjada en las Misiones, de la que el presidente recién se estaba enterando. Lo mejor de todo fue durante el concierto. Morales pensaba retirarse al concluir la primera interpretación de la orquesta, pero no sabía cuándo terminaba, así que a cada rato amagaba con levantarse y le hacían señas de que todavía no. Al final se fue quedando una pieza tras otra, y terminó escuchando casi todo el concierto.

- *Volvamos a las relaciones gobierno-Santa Cruz.*

- He hablado de cuatro facciones del MAS, que disputaban entre sí por determinar quién era el vocero autorizado del gobierno en la región. Estaba el grupo de Salvador Ric, dependiente de García Linera, que intentaba acercarse a los empresarios. Al asumir su cartera ministerial Ric había dicho: "Seremos el nexo entre oriente y occidente", aunque nunca logró su cometido. El segundo grupo respondía al ex ministro de Desarrollo Rural, Hugo Salvatierra, en el que también militaba Isaac Ávalos. Ambos están muy ligados a las ONGs que trabajan en el mundo rural, reclutando "movimientos sociales" campesinos. La tercera facción era liderada por el concejal "Chato" Peredo, ex guerrillero marxista-leninista formado como médico de campaña en la Unión Soviética. Allí recibió adiestramiento en técnicas de hipnosis para operar sin anestesia, lo que derivó en que Peredo instalara una conocida clínica de "regresión hipnótica a vidas pasadas" en Santa Cruz de la Sierra. No estoy bromeando. Es como lo oye: un materialista dialéctico que cree en la reencarnación. Claro que, mucho antes de eso, participó en acciones armadas del ELN[78], periodo del cual se recuerda que habría mandado ejecutar a dos de sus compañeros por intentar desertar llevándose unas latas de sardinas. Más tarde, fue detenido por la

78 Ejército de Liberación Nacional.

policía cuando intentaba otra “acción de guerra”: asaltar la agencia distribuidora de una conocida fábrica de pastas. La cuarta facción del MAS cruceño era un grupo formado en torno al ex presidente de la Cámara Agropecuaria del Oriente, Juan Armando Antelo, que nunca llegó a ser considerado seriamente por el gobierno de Morales. Hubieron muchas intrigas entre estos cuatro grupos, chismes que generaban desconfianza y zancadillas, que contribuyeron a que se fueran rompiendo los contactos entre el gobierno y Santa Cruz. Salvador Ric fue acusado de corrupción por Isaac Ávalos, pero el grupo Salvatierra tampoco pudo prosperar, luego de la caída del ministro por manejos inescrupulosos de maquinaria agrícola. “Chato” Peredo nunca fue tomado en cuenta por su radicalismo, que lo mantuvo aislado. Después de que estas facciones se destruyeran mutuamente comenzó a surgir un quinto grupo que responde al ministro Quintana, y que es el que finalmente se impuso. Sus operadores en Santa Cruz son la delegada presidencial, Gabriela Montaño, y su marido Fabián Restivo. Pero no tienen casi ningún diálogo con las instituciones regionales. En vez de eso, se han dedicado a fomentar entidades paralelas a la Prefectura, al Comité Pro Santa Cruz y a la Central Obrera Departamental.

- *¿En qué parte de ese esquema entra Adriana Gil?*

- Adriana era alvarista, pero la dejaron fuera cuando quiso comandar la Aduana. El propio García Linera la defenestró de manera abrupta, mostrando poca lealtad con sus colaboradores. Ella fue la primera víctima de la guerra interna por las cuotas de poder. Pero también fue el primer ejemplo de un fenómeno más amplio: la progresiva caída en desgracia de los masistas cruceños de clase media. Si se fija bien, verá que todos los “blancoides de extracción burguesa” que militaban en el partido de gobierno han sido descartados, como pasó también con Salvador Ric, Roger Ortiz Mercado, Juan Carlos Ortiz... En su lugar, sólo van quedando unos voceros-fusibles de corta duración y desprovistos de poder real, como Benigno Vargas y Margoly Guzmán. Mucho más manejables que los anteriores, por supuesto. Otro caso es el de Guido Guardia, también marginado por el entorno presidencial, pero del que no pueden deshacerse tan fácilmente por tratarse del senador titular del MAS por Santa Cruz.

- *¿Dónde quedaron, al fin, las relaciones entre el gobierno y las instituciones regionales?*

- Hubo un primer acercamiento entre los empresarios cruceños y un grupo de cinco ministros que despertó expectativas positivas, pero también quedó en nada. Se almorzó en el restaurant Michelángelo con los integrantes del gabinete económico: Carlos Villegas, Celinda Sosa, Luis Arce, Wálter Villarroel y Salvador Ric. Allí se les entregó el documento de Visión País que fue bien recibido por Villegas, quien prometió tenerlo en cuenta como referente para el diseño del Plan Nacional de Desarrollo. Cosa que al final no hizo, y ahí tenemos el Plan, saturado de ideología y desprovisto de proyectos concretos. En la reunión también se le advirtió a los ministros sobre los rumores de corrida bancaria que estaban comenzando a circular y se les dijo que debían cortarlos de inmediato, si querían evitar un desastre financiero. Se pactó una reunión en La Paz con Celinda Sosa para hablar de turismo, que sí se realizó pero de la que no salió nada tangible. Salvo algún gesto del sucesor de Ric -Jerjes Mercado- para reestablecer el contacto, no ha habido ningún intento serio del gobierno de entablar un diálogo con el sector empresarial más dinámico del país, la burguesía nacional emergente de la que hablo.

- *¿Hubo algún momento de quiebre específico?*

- La relación se fue deteriorando por el radicalismo de la política económica, que cada vez tiene menos en cuenta a la iniciativa privada. Comenzó a enrarecerse cuando el decreto de supuesta nacionalización de los hidrocarburos, no tanto por su contenido, que como veremos es bastante más moderado de lo que aparenta, sino por la forma en que se realizó la entrada del Estado en los campos petroleros, el *modus operandi*. La militarización de los pozos pudo haber sido un simple montaje teatral o show mediático, otra "escenificación del cambio" para las agencias internacionales, pero también fue interpretado como un acto de prepotencia absolutamente innecesario. Otro tanto pasó con la persecución a ejecutivos de las petroleras por la Fiscalía, por presión del entonces ministro de hidrocarburos, Andrés Soliz Rada. Además, se cuestionó el despojo de las acciones de los bolivianos, que fueron confiscadas a título gratuito por YPFB. La expulsión de EBX de Puerto Suárez tampoco ayudó, ya que era otro signo que desalentaba la inversión en el país. Para colmo, desde el gobierno se exhibían fotos que mostraban al propietario de la compañía, el empresario brasilero Eike Batista, junto a dirigentes empresariales de Santa Cruz, como si se tratase de algún crimen. Pero lo cierto es que, meses después de ese *impasse*, las relaciones entre la administración Morales y Batista se recompusieron por los buenos oficios de George Soros, que es el nuevo socio del inversor en la empresa minera más grande del Brasil, como ya le comenté anteriormente. Existe también la versión de que el emisario que trajo el millón de dólares del PT para la campaña electoral de Evo Morales fue el mismo Batista, extremo que no puedo confirmar.

- *¿La política de comercio exterior también influyó en el distanciamiento?*

- Por supuesto. La Cancillería descuidó los mercados reales por otros hipotéticos o irrelevantes, como los enmarcados en el TCP-ALBA. Venezuela, Cuba, Ecuador y Nicaragua no parecen ser mercados más prometedores que Estados Unidos, Europa, Brasil o la CAN[79], si me entiende. Con la isla caribeña, por ejemplo, sólo tenemos un ridículo intercambio comercial de 10.000 dólares al año, pero el canciller Choquehuanca sueña con venderle chompas de alpaca a los habaneros, para que se paseen por la playa con las cálidas prendas andinas. La política de permanente confrontación con los Estados Unidos y el aumento exponencial en el cultivo de coca-para-cocaína han hecho tambalear el ATPDEA[80], poniendo en riesgo exportaciones millonarias que generan unos cien mil empleos en El Alto. Pero nada enfrió tanto las relaciones con Santa Cruz como la puesta en "estado de coma" de los mercados de la Comunidad Andina, especialmente el de Colombia, vital para las exportaciones de soya que constituyen uno de los pilares fundamentales de la economía del oriente. Todo por la dependencia de la política exterior de Evo Morales con la de su "comandante", Hugo Chávez, quien decidió enterrar a la CAN para promocionar su Alternativa Bolivariana para las Américas, un artificio de propaganda sin sustento económico real. Los países de la Comunidad Andina tomaron nota de que Bolivia miraba para otra parte y actuaron en consecuencia. El gobierno tuvo que enterarse por los soyeros cruceños del peligro de perder el mercado colombiano; a tal punto llegaba la inoperancia de la Cancillería. Y en lugar de actuar con celeridad, los funcionarios gubernamentales se enfrascaron en un debate con los exportadores, incluyendo al mismo presidente de la república, que los tachó de "oligarcas" y "latifundistas" en una concentración partidaria realizada en El Chapare. Por su parte, el ministro Alfredo Rada dijo que la soya sólo era "comida para los chanchos", demostrando su escaso respeto y su total ignorancia. Los productores de oleaginosas fueron duros y advirtieron que si su sector caía *el gobierno caería con ellos*.

- *Frase por demás contundente.*

---

79 Comunidad Andina de Naciones.

80 También en este tema podría estar involucrada la *mano invisible* de George Soros. Tanto él como otros accionistas de la Apex Silver Mines tienen interés en explotar los yacimientos de litio del Salar de Uyuni, y estarían utilizando sus influencias sobre legisladores norteamericanos del Partido Demócrata para chantajear al gobierno boliviano: *si no hay concesión, tampoco habrá extensión del ATPDEA*.

- La tensión era fuerte. Así que, aprovechando un acto en el Palacio Quemado para celebrar las Leyes de Convocatoria de la Asamblea Constituyente y el Referéndum Autonómico, el presidente del Comité Pro Santa Cruz –Germán Antelo- y los directivos de la Cámara de Industria y Comercio hablaron con García Linera, para gestionar una reunión del dirigente soyero Carlos "Chipa" Rojas con Evo Morales y reducir la confrontación. La entrevista tuvo lugar ese mismo día, y ahí Rojas le recordó a Evo que aquellos que ahora calificaba de latifundistas habían sido invitados por él a ser parte del gobierno. "Vos me invitaste a ser ministro", le espetó. Y es que, efectivamente, al dirigente soyero le habían propuesto asumir la cartera de Desarrollo Rural, que no aceptó. El gobierno habló de exportar la soya a China, proyecto que no resultaba viable. China sólo compra grano y no soya procesada, que es lo que realmente genera empleo. Eso hubiera significado el cierre de todas las aceiteras y un retroceso en el desarrollo del sector agroexportador, que pasaría de vender productos con valor agregado a retornar a la mera producción de materia prima. De hecho, hubo una compra simbólica de China de 15.000 toneladas de soya, que hasta el día de hoy no se han podido exportar y siguen guardadas en silos bolivianos. El gobierno también planteó que Venezuela comprara la soya, pero se trataba de un canje por diesel. Finalmente, los productores de oleaginosas convencieron a los funcionarios de buscar un diálogo con Colombia que permitiera preservar ese mercado, aunque fuera de forma provisional. Esa fue la vía que se siguió y que resultó bastante efectiva, dada la receptividad de Álvaro Uribe. Pero usted me preguntaba si hubo un punto de quiebre en la relación entre el empresariado cruceño y el gobierno...

- *Correcto.*

- Si tuviera que elegir un momento concreto, diría que fue cuando Evo Morales dictó el decreto de reversión de las concesiones forestales. Allí se demostró sin lugar a dudas que se pretendía avasallar a los emprendimientos privados.

- *Junto a eso vino la embestida contra los productores agropecuarios a través de la nueva Ley INRA*[81]*.*

- Con esa norma se pretende una "reconducción comunitaria de la reforma agraria", lo que en buen castellano significa colectivizar las tierras a la manera de los koljoz soviéticos, agregando un enfoque etnicista. Según el viceministro de tierras, Alejandro Almaraz, que es quien lleva la voz

81 Instituto Nacional de Reforma Agraria.

cantante en el asunto, se trata de "recuperar" para el Estado unos 60 millones de hectáreas en el oriente y el Chaco, para distribuirlos al "sector indígena-campesino" en la gestión del *compañero Evo*. El mecanismo para hacerlo posible es la "reversión" de tierras, es decir, quitárselas a los productores por medio de dos vías: el saneamiento de títulos, por el cual serían desposeídos todos los que no puedan acreditar suficientemente la regularidad de su posesión; y la verificación de la Función Económico-Social, sustrayendo los predios que el gobierno considere improductivos. En realidad, ambos procedimientos no son nuevos, ya que la Ley INRA original los preveía, pero ahora se han agregado ciertos detalles que eliminan toda seguridad jurídica para la gran mayoría de los productores. En primer lugar se suprime la judicatura agraria; por lo tanto, ya no existirá una instancia de apelación a la cual recurrir ante cualquier abuso en el saneamiento por parte de los todopoderosos funcionarios de la "revolución agraria". En segundo término, la verificación de la Función Económico-Social se hará cada dos años -lo que no coincide con los ciclos productivos- con el aditamento del "control social" por las organizaciones campesinas del MAS. Además, la nueva ley tiene un claro sesgo racista, ya que la distribución beneficiará única y exclusivamente a los indígenas, que se convertirán en ciudadanos de primera clase en relación a los mestizos, que serán despojados del derecho a la tierra. Lo más probable es que los "indígenas" beneficiados sean los militantes de base del partido de gobierno, aymaras y quechuas sobre todo, muchos de ellos habitantes de las periferias de las grandes ciudades o pobladores de los pequeños núcleos urbanos. Los 34 pueblos indígenas de tierras bajas, moradores originarios de las zonas donde se encuentran las tierras a distribuir, tendrán que esperar por las sobras del festín. De todas formas, los ganadores con esa estrategia de expropiación masiva no serán los indígenas, que no tendrán derechos propietarios sobre la tierra y podrán ser enjuiciados penalmente si se les ocurre la peregrina idea de venderlas. No. Las tierras serán estatales y colectivas, y por lo mismo los grandes beneficiarios serán los nuevos burócratas procedentes de las ONGs, que manejarán el sector a su libre albedrío, quitando y dotando donde les parezca oportuno, generando un nuevo tipo de *agrobusiness*. Recuerde, si no, que la política de tierras es un feudo exclusivo del CEJIS y que el "zar de la expropiación", Alejandro Almaraz, es el encargado de aplicar los criterios etno-colectivistas de Álvaro García Linera. Mientras tanto, destruirán con certeza el dinámico aparato agroproductivo del oriente, como ya sucedió con la reforma agraria en Cochabamba en los años ´50 y ´60, que transformó al otrora "granero de Bolivia" en una constelación de minifundios de subsistencia que han deteriorado los suelos, al punto de hacer avanzar los paisajes desérticos del altiplano hacia los valles mesotérmicos. Las tierras del oriente son el botín de guerra que Evo Morales tiene para ofrecerle a sus milicias sindicales... Los efectos negativos de la nueva política agraria ya se han comenzado a sentir en el alza de precios de los productos alimenticios. La inseguridad jurídica generada por el temor a una pronta expropiación desincentivó la inversión y producción agraria. A eso se suma la deliberada negligencia del gobierno tras los desastres climáticos de El Niño y La Niña, cuando se negó la ayuda necesaria a los productores para la recuperación de la productividad de sus predios, quizás calculando que así sería más fácil aplicar las reversiones por "incumplimiento de la Función Económico-Social"[82]. Ambos factores fueron decisivos para contraer la oferta de alimentos. Una vez más, la injerencia estatal en un sector de la economía nacional ha distorsionado el normal funcionamiento de las actividades, perjudicando al ciudadano de a pie con el inicio de un proceso inflacionario.

- *Comentaba hace un rato el decreto de nacionalización de los hidrocarburos. ¿Podría ampliar el tema?*

- Bajo el montaje retórico y mediático de la "nacionalización", lo que hubo en realidad fue una postergación de la migración de contratos petroleros dispuesta por la nueva Ley de Hidrocarburos. Recuerde que la firma de esos nuevos contratos debería haberse realizado a fines de la gestión de Rodríguez Veltzé o a comienzos del gobierno de Evo Morales. En vez de eso, los seudo-nacionalizadores optaron por ampliar el plazo para la negociación con las petroleras por seis meses más, a través de una disposición incluida en el mencionado decreto. Ése es el centro de la norma dictada por Evo el 1º de mayo. Lo demás es retórica.

- *¿Dice que se incumplió la Ley de Hidrocarburos?*

- Exactamente. Y que se envolvió ese incumplimiento, esa *flexibilización* con las petroleras, con una espesa cortina de humo de discurso estatizante, en la que el ex ministro Andrés Soliz Rada hizo el papel de tonto útil para los verdaderos amos del poder. Algo que veremos claramente cuando tratemos su salida del gabinete en septiembre del 2006, y el debate sobre los nuevos contratos en el parlamento. La maniobra fue muy exitosa desde el punto de vista comunicacional, devolviéndole al presidente la popularidad que había comenzado a perder tras sus primeros meses de

82 La titular de la cartera de Desarrollo Rural, Susana Rivero, llegó a decir que para declarar desastre nacional, como lo pedían miles de productores afectados, haría falta que pasara un tsunami. El humor popular convirtió el término en su sobrenombre y acabó siendo conocida como "la ministra tsunami".

gestión. Un viento a favor que necesitaba para encarar la campaña electoral de la Asamblea Constituyente.

- *Hablemos sobre las Leyes de Convocatoria y la doble votación del 2 de julio.*

- La aprobación de esas leyes en marzo del 2006 estuvo acompañada por presiones del "Estado Mayor del Pueblo" de Román Loayza y Hugo Moldiz, que organizó actos de intimidación en la entrada del Congreso. Pero más allá de esos sucesos que ya son parte de la nueva cultura política que ciertos "movimientos sociales" le han impuesto al país, la concertación lograda para la sanción de ambas normas fue alta, al punto que las Leyes de Convocatoria de la Asamblea Constituyente y del Referéndum Autonómico fueron bailadas con cueca por oficialistas y opositores, en un acto realizado en el Palacio Quemado. La primera ley consagraba el mecanismo de los 2/3 para la aprobación del nuevo texto constitucional, de acuerdo a la doctrina jurídica nacional y universal de contar con una mayoría calificada para el rediseño del pacto social. La segunda obligaba a la Asamblea a incorporar el régimen autonómico para los departamentos que así lo decidieran en el Referéndum Vinculante. Ambas votaciones -elección de asambleístas y consulta sobre autonomías- se celebrarían el 2 de julio, con lo que se sortearon algunas zancadillas puestas por representantes del Movimiento Al Socialismo, que pretendían posponer el Referéndum "para después de la Constituyente". Sin embargo, las Leyes de Convocatoria también fueron blanco de las críticas de juristas y dirigentes cívicos del oriente, que cuestionaron la ausencia de un proceso pre-constituyente y el hecho de que la decisión del Referéndum Autonómico fuese vinculante a la Constituyente, en vez de traducirse automáticamente en una reforma de la Carta Magna. También se observó que se hubiera cambiado la pregunta del Referéndum, descartando la que había sido respaldada por medio millón de firmas. De cualquier manera, ése fue el marco legal bajo el que se inició una campaña electoral donde se jugaba nada menos que el modelo de Estado de Bolivia de cara a los próximos 20 o 30 años.

- *¿Cómo se prepararon para ese proceso las distintas fuerzas políticas?*

- La amplia mayoría de los asambleístas serían electos por circunscripciones uninominales, dos por la primera fuerza y uno por la segunda, lo que impedía que un solo partido alcanzara los 2/3 para sancionar en solitario la nueva Constitución Política del Estado. Al parecer, las débiles nociones matemáticas del primer mandatario le impidieron enterarse de esto hasta muy tarde, sólo después de que hubiera cometido el error de decir que el MAS "haría polvo a la oposición" obteniendo "el 70, el 80% de las bancas". Esto sucedió en el acto de lanzamiento de la campaña oficialista a la Constituyente, mitin realizado en El Chapare con la insólita presencia de Hugo Chávez y del vicepresidente cubano, Carlos Lage. Ese flagrante acto de intromisión en los asuntos internos del país sería sólo una pequeña muestra de la injerencia desarrollada por el mandatario venezolano en el proceso electoral, quien prodigó fondos para spots, cuñas radiales y hasta gigantografías donde aparecían él, Fidel Castro y Evo Morales celebrando la "Patria Grande Bolivariana". Las fuentes más confiables hablan de tres a cuatro millones de dólares invertidos por el régimen chavista en esa campaña. Volviendo al punto, el despiste de Evo sobre las *matemáticas constituyentes* hicieron que -cuando finalmente alguien se atrevió a explicarle cómo eran las cosas- estallara en un acceso de furia y le reclamara a García Linera por-qué-había-negociado-eso, tratándose del artífice de la concertación sobre las Leyes de Convocatoria en el Congreso. Ése sería sólo uno de muchos desencuentros. Cuando una relativa calma volvió al mandatario, puso a trabajar a los asesores del partido en una estrategia que le permitiera alcanzar los 2/3, condición *sine qua non* para repetir la experiencia hegemónica de la Constituyente venezolana. Alguien sugirió que el MAS debía desdoblarse en aquellas circunscripciones donde pudiera ganar las tres bancas, y esa fue la política oficial adoptada. Por lo tanto, se abocaron a hacer alianzas con pequeñas agrupaciones en el occidente del país: fuerzas regionales o locales, y también con los restos del Movimiento Bolivia Libre.

- *Entretanto, ¿cómo marchaban las cosas en la oposición?*

- La fragmentación sufrida en las elecciones del 2005 amenazaba con retornar de una manera más grave todavía. Sin los candidatos presidenciales de por medio había una tendencia natural hacia la atomización en pequeños liderazgos personales o sectoriales. En Santa Cruz esa amenaza fue percibida por los representantes de las instituciones, que comenzaron a deliberar sobre cuál sería la mejor manera de unificar a las fuerzas que apostaban por la autonomía departamental. El desafío era llevar una representación compacta, capaz de defender en la Constituyente el respeto a la decisión que los electores tomaran en el Referéndum Autonómico. Entonces comenzó a hablarse de un frente único departamental, que debería ser encabezado por intelectuales de la región. Se mencionaba a los constitucionalistas Jorge Asbún, Juan Carlos Urenda y Carlos Soruco, a los historiadores Alcides Parejas y Paula Peña, al escritor Ruber Carvalho y a la socióloga Susana Seleme. Hubieron reuniones en la Cámara de Industria y Comercio y en el domicilio de un ex ministro, donde convergieron varios intelectuales con representantes de los partidos políticos, bajo la idea de conformar esa lista única que podría concurrir bajo el paraguas de una agrupación ciudadana *ad hoc*. Sin embargo, la iniciativa tropezó con la decisión de las fuerzas políticas de participar en los comicios de manera independiente: PODEMOS había alcanzado el 42% de los votos de Santa Cruz en las elecciones nacionales, una buena base para competir por la Constituyente; el MNR necesitaba reafirmar su identidad para garantizar su supervivencia política; Unidad Nacional decía otro tanto. La alternativa sugerida por la mayor fuerza opositora fue la incorporación de los intelectuales en sus listas, lo que tampoco fue aceptado por éstos, que no quisieron verse identificados con partido alguno.

- *¿Faltó cintura para encontrar una alternativa intermedia?*

- Es muy probable. Lo cierto es que la unificación quedó trunca y los autonomistas fueron a las urnas divididos en una decena de fuerzas distintas, fragmentando su voto y abriéndole el camino al MAS para convertirse, con sólo el 26% de la votación, en la mayoría relativa del departamento. Si usted recuerda, corrieron insistentes rumores sobre agrupaciones pequeñas que recibían fondos del gobierno, con el objetivo de potenciar la dispersión. Salvador Ric llegó a financiar directamente alguna de esas fórmulas. Para tener una idea de lo que podría haber pasado de conformarse un frente común, basta con ver los resultados de las dos formaciones opositoras que concitaron mayor apoyo: Poder Democrático Social alcanzó el 25% y el Movimiento Nacionalista Revolucionario el 16%... Junto a otras agrupaciones, fácilmente se habría llegado a la mayoría absoluta. A nivel nacional sucedió algo parecido, con catorce fuerzas políticas que pugnaron por las bancas de la Constituyente. El fenómeno afectó mayormente a la oposición y PODEMOS vio dispersarse a casi la mitad de su electorado, pero el MAS también vio mermada su votación, que se redujo al 50% de los sufragios en vez del "70, 80%" esperado por Evo Morales. Ese resultado produjo decepción en el gobierno, pero también en un círculo de poder más alto...

- *¿A qué se refiere?*

- A Hugo Rafael Chávez Frías, comandante de la revolución bolivariana y de sus diversos satélites latinoamericanos. La noche de la elección, cuando el escrutinio de los votos ya no dejaba lugar a dudas de cuál había sido el resultado, sonó el teléfono en el Palacio Quemado. La ira del comandante fue transfigurando lentamente el rostro de Evo Morales, quien pacientemente oía la reprimenda al otro extremo de la línea. ¿Por qué no se aplastó a la oposición, como corresponde en una democracia socialista? ¿Por qué no se logró el control absoluto de la Asamblea, si te di todas las condiciones económicas? ¿A quién se le ocurrió negociar esa Ley de Convocatoria tan pendeja? ¿Y ahora cómo harás para seguir mis pasos, indio mío? El equipo oficialista tardó bastante en salir a comentar los resultados, y cuando lo hizo las caras largas de Morales y compañía decían algo muy distinto a lo que el discurso preparado por los asesores intentaba transmitir sin éxito. Por supuesto que a la reprimenda de Chávez a Evo siguió otra, del presidente a su vice...

- *¿Cuáles fueron las razones para esa contracción electoral del MAS?*

- Se han manejado varias interpretaciones: primero, que las alianzas tejidas para desdoblar el voto hicieron que un plus de 3 o 4% fuera a parar a las agrupaciones satélites. Claro que esa teoría presupone que el MAS habría mantenido un poder de convocatoria similar al de diciembre del 2005. Segundo, que al no estar en carrera el caudillo, los candidatos a asambleístas no habrían tenido el mismo arrastre. Tercero, que la progresiva radicalización del gobierno habría ahuyentado el voto moderado de las clases medias. Confieso que me convence más la última alternativa, aunque es posible que la verdad sea una combinación de las tres.

- *¿Dónde queda en su análisis la posición del MAS sobre la autonomía?*

- Tiene razón. La decisión de promover el NO a la autonomía departamental fue un grave error político e incidió en el alejamiento de la clase media. Más tarde, eso sería reconocido por el propio Álvaro García Linera y por el sinuoso aliado Juan del Granado. ¿Recuerda cuál fue la posición adoptada por el vicepresidente en el Referéndum Autonómico? “Soy neutro”, dijo, volviendo a desatar otra oleada de bromas y rumores sobre su *identidad de género*. Evo fue mucho más contundente y se jugó por el NO, con lo que galvanizó a su electorado en los departamentos del occidente, pero sacrificó un importante porcentaje de su votación en el oriente del país. Como García Linera, hubieron otros dirigentes del Movimiento Al Socialismo que apostaron por el “NÍ”: el asambleísta Saúl Ávalos, el senador Guido Guardia... Quien optó claramente por el NO decretando su propia muerte política fue Salvador Ric. Tratándose de un ministro cruceño, ese fue el principio del fin. El resultado del Referéndum siguió mostrando una polarización regional en el país, pero ahora matizada por algunos datos: la votación por el SÍ tuvo un apoyo importante en las ciudades de Sucre y Cochabamba, e incluso en la sede de gobierno. En los departamentos de la “media luna” la decisión por la autonomía fue clara, alcanzando el 71% de apoyo en Santa Cruz. Como recordará, una gigantesca concentración en respaldo al SÍ reunió a medio millón de personas al pie del Cristo Redentor, días antes de los comicios. A grandes rasgos, el voto por el NO se correspondió con el 26% del MAS, lo que demuestra que ese partido se encerró en una suerte de ghetto ideológico con esa errada decisión.

- *Mientras se desarrollaba la campaña por la Constituyente, hubieron algunos sucesos económicos y políticos bastante notorios. Las idas y venidas en la licitación del Mutún, por ejemplo, o la guerra contra la Iglesia Católica emprendida por el ministro Patzi.*

- Así es. Desde el gobierno se hizo todo lo posible por declarar desierta la licitación del Mutún. Esto por varias razones, entre ellas el interés de la COMIBOL que ya mencioné, pero aún más importante era y es el objetivo de Venezuela de controlar ese yacimiento y toda la región circundante. El Ministerio de Planificación y Desarrollo, entonces encabezado por Carlos Villegas, firmó un memorandum de entendimiento con su homólogo venezolano. Allí se establecía la intención de dar entrada a la Corporación Venezolana de Guyana –CVG- en la explotación del Mutún, así como de conformar una empresa binacional llamada Minersur. Ese documento estuvo guardado en secreto hasta que se filtró a manos de un servidor, y de ahí a varios medios de prensa. El escándalo fue mayúsculo y Villegas tuvo que salir a admitir que el memorandum existía, pero minimizó su impacto y contenido. Por esas fechas, el mismo Hugo Chávez habló de construir en Puerto Suárez "la ciudad del acero", frase repetida en Bolivia por el ministro Ric. Sin embargo, el interés de Chávez por el sudeste boliviano trasciende ampliamente al Mutún, aunque éste sea una pieza estratégica. En términos geopolíticos, se trata de la "región-corazón" de Sudamérica, el centro geográfico del subcontinente; un punto neurálgico donde convergen las fronteras de Bolivia, Brasil y Paraguay; la hidrovía, ecosistemas como El Pantanal con ingentes reservas acuíferas y biológicas, el gasoducto que abastece a Sao Paulo y su periferia, recursos mineros y energéticos que incluyen el uranio... Tenga en cuenta que Hugo Chávez piensa en términos geopolíticos. Esa es una clave imprescindible para entender a fondo su proyecto. Recuerde que es un discípulo de Norberto Ceresole. Pero esa ya es otra historia.

- *Volviendo al Mutún...*

- Sí, sí. Como le decía, intentaron que la licitación se declarara desierta, para lo que fueron descartando a los postulantes. Sólo quedó la empresa Jindal, de la India, pero el gobierno se enfrentó con una gran resistencia regional, que exigía la puesta en marcha de ese proyecto de desarrollo. Varios ministros fueron a Puerto Suárez y los pobladores, molestos, les echaron agua en la cara. El canal estatal quiso mostrar que peligró su vida, aunque fuera una exageración evidente. Luego se formó una comisión técnica para analizar la licitación, con representantes gubernamentales, de la Prefectura cruceña y del Comité Pro Santa Cruz. Sin embargo, se retaceó la información, que sólo se entregaba de manera esporádica. Por último, en vistas de que no podrían frenar la licitación comenzaron a cambiar las condiciones originales del pliego para dar entrada a sus empresas amigas.

- *¿Cómo es eso?*

- Dentro de las condiciones originales, la empresa adjudicataria era responsable de conseguir financiamiento para el ferrocarril que transportará hierro y acero, y para la construcción de un gasoducto que alimentará los hornos de fundición. El gobierno descartó eso y determinó que la empresa adjudicataria sólo estará a cargo de la explotación del Mutún. Cuando llegó el Día "D" para la adjudicación, los ministros querían que el acto se hiciera en la Prefectura de Santa Cruz. Eso implicaba sus riesgos, porque no se sabía cabalmente qué iban a hacer y las autoridades departamentales podían aparecer avalando cualquier cosa. La solución vino de CAINCO, que aceptó realizar el acto en sus instalaciones para que no se pospusiera la adjudicación. El lugar se llenó con asistentes de lo más diversos: los ministros Villegas, Ric, Arce y Villarroel; parlamentarios de oposición, autoridades departamentales y municipales, militantes del MAS con wiphalas, dirigentes cívicos, residentes de Puerto Suárez... La adjudicación firmada por el gobierno fue muy particular, porque estaba sujeta a un plazo adicional para que Jindal presentara mayor documentación. El plazo fue ampliado muchas veces, con las excusas más variadas y creativas, pasando de los 60 días iniciales a casi un año. Cuando por fin se firmó el contrato, éste fue demorado por cuatro meses en la Cámara de Diputados controlada por el oficialismo. Al pasar al Senado se descubrió que el Ministerio de Minería retenía varios anexos y hubo que esperar a que los entregaran. Y el Movimiento Al Socialismo terminó acusando a la oposición de trabar la aprobación del contrato en la Cámara Alta. ¿No le parece increíble?

- *Vamos al otro punto: la guerra de Patzi por la "descolonización religiosa".*

- Uno de los aspectos más pintorescos del actual gobierno. Ya vimos que el ataque violento a la religiosidad occidental era visto por García Linera como algo consustancial a su proyecto político, y el ex ministro de educación, Félix Patzi, se ocupó de poner el tema en la agenda nacional. Éste es uno de los exponentes más obcecados del fundamentalismo aymara, que en su mente febril cobra ecos fanonianos. Su objetivo era la "descolonización radical" de la enseñanza boliviana, para lo que montó un aparatoso Congreso de Educación copado por los "movimientos sociales" oficialistas, donde se tomaban por aclamación decisiones rimbombantes prefabricadas por los asesores gubernamentales. Por suerte, este "Soviet Supremo de la Educación" tuvo corta existencia, aunque consumió importantes recursos públicos. Uno de los planteamientos centrales de Patzi era la abolición de la enseñanza católica en los colegios fiscales, pero no se engañe sobre esto: la meta no era una educación laica y moderna, sino la sustitución de la religiosidad "colonial" por el aprendizaje de los "cultos originarios". En pocas palabras, la promoción de un neopaganismo aymara, en cuyas jerarquías teocráticas él mismo ocuparía un alto sitial junto al canciller David Choquehuanca, quien comparte elucubraciones similares.

- *¿Cómo dice?*

- Le daré un ejemplo concreto. A fines de junio del 2006 el gobierno anunció que haría una evaluación de sus primeros seis meses de gestión, en una sesión del gabinete a realizarse en el pueblo natal de Evo Morales, Orinoca. Llevaron las cámaras del canal 7 y transmitieron el acto, que no fue ninguna sesión de gabinete sino un ritual supuestamente precolombino, donde Choquehuanca y Patzi oficiaron de sumos sacerdotes. Un asistente degolló una llama y entonces gritaron: "¡Ahora los dioses están contentos, porque ha corrido la sangre!". Después declararon "sagrada" la vivienda donde el premier Morales pasó su tierna infancia y dijeron que Orinoca era un "centro energético" de los Andes. Usted también recordará las muchas declaraciones del canciller que merecen figurar en una antología del disparate: su adhesión a la "religión cósmica", los doscientos años que vivían los aymaras antes de la llegada de los perversos españoles, el sexo de las piedras, la necesidad de sustituir la leche por la coca en el desayuno escolar, o la afirmación de que es preferible leer la verdad en las arrugas de los abuelos que en los libros. Patzi no se quedó atrás. Ya fuera del gobierno, dio una conferencia en una universidad privada, donde afirmó que los originarios son más potentes sexualmente que los *q´aras*. Otro de los miembros de la increíble ala teocrático-cósmica del gobierno es el embajador boliviano ante la OEA[83], Reynaldo Cuadros, quien al tomar posesión de su cargo ordenó como primera medida que el papel higiénico en el baño de su embajada fuera sustituido por un trapo de uso comunitario, porque así se lo indicaban sus "convicciones religio-

83 Organización de Estados Americanos.

sas". Obviamente, esto ocasionó la airada protesta del personal diplomático y de los visitantes...

- *Punto demostrado. Ahora volvamos a la política educativa de Patzi.*

- Además de la abolición de la educación religiosa, en un país con casi 90% de población católica, el ministro y sumo sacerdote aymara proponía el fin de los colegios de convenio, sostenidos de manera conjunta por el Estado y la Iglesia. Esto hubiera significado un grave deterioro para buena parte del sistema educativo, ya que en realidad esos centros de enseñanza representan un avance cualitativo respecto a los netamente públicos, sobre todo en las zonas empobrecidas. Pero el conflicto principal se desató cuando el ministro dio rienda suelta a su violencia verbal, acusando a la Iglesia de ser "aliada de los latifundistas" y "parte de la oligarquía". Lo peor de todo es que varios de los calificativos de Patzi fueron repetidos por Evo Morales, lo que demuestra que no estamos ante simples exabruptos sino frente a una política deliberada. La tensión llegó a tales niveles que hasta hubo una intervención del propio Benedicto XVI, quien declaró estar preocupado por la situación de Bolivia. Ante esto, Evo tuvo que bajar el tono de la confrontación y emitió uno de sus clásicos comentarios seudo-humorísticos, que intentan ser jocosos pero que reinciden en la agresión por mera brutalidad. En conferencia de prensa celebrada en las escalinatas del Palacio Quemado dijo que "cuando me case, quiero que el Papa venga a celebrar el matrimonio". Para esto, es posible que la hermana de Evo propusiera nuevamente a Michelle Bachelet como candidata.

- *Habría que preguntarle a la presidenta de Chile qué piensa de todo esto, ¿no?*

- Al final, la controversia con la Iglesia Católica se congeló con una visita secreta de García Linera al Cardenal Julio Terrazas en Santa Cruz. El vicepresidente había llegado a la capital oriental para asistir a un encuentro del Mercosur sobre las drogas, que se realizaba en el hotel Los Tajibos. Apenas bajó las escaleras del avión le informaron que un grupo de manifestantes cívicos se había reunido en las puertas del hotel, para repudiar su presencia. Álvaro aprovechó el momento y cambió su agenda, solicitando una reunión de emergencia con el Cardenal. Allí, el vice le habría ofrecido renovar el acuerdo para que los colegios de convenio siguieran funcionando. Pero ésa sólo sería una tregua, como veremos más adelante.

CAPÍTULO XI

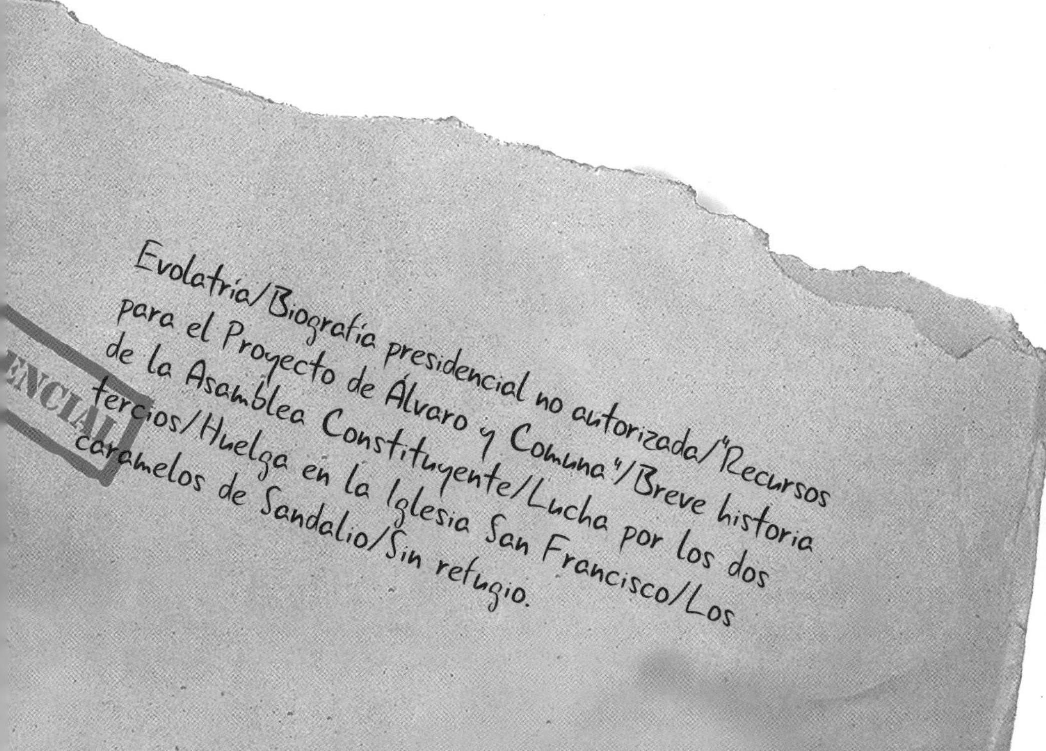
ENCIAL
Evolatría/Biografía presidencial no autorizada/"Recursos para el Proyecto de Álvaro y Comuna"/Breve historia de la Asamblea Constituyente/Lucha por los dos tercios/Huelga en la Iglesia San Francisco/Los caramelos de Sandalio/Sin refugio.

- Al comentar el ritual de Orinoca, oficiado por el dúo Choquehuanca-Patzi, rozamos uno de los aspectos fundamentales del proyecto hegemónico: la construcción de la imagen del caudillo a través del culto a la personalidad. La *evolatría*.

- *Suena interesante. Podríamos comenzar por ahí.*

- Esta es la aplicación de una técnica básica del montaje del poder revolucionario. El ensamblado de un sistema piramidal pueblo-partido-élite burocrática-líder. El caudillo debe ser rodeado de una aureola épica y semidivina, que en este caso se ha ido construyendo poco a poco, a través de películas y libros absolutamente condescendientes y genuflexos, donde se muestra una biografía bastante editada, por decirlo de una manera elegante. También con actos teatrales como la coronación en Tiahuanaco; estampillas con Evo portando el cetro del poder indígena-originario; la declaración de su casa natal como "patrimonio nacional", mediante decreto presidencial firmado por el propio homenajeado... Además, hay que recordar la intención de Andrés Soliz Rada de cambiarle el nombre a YPFB por EBOPETROL, o la candidatura de Morales al Premio Nobel de la Paz, que no fue otra cosa que una autopostulación encubierta. Durante la campaña 2005 los asesores de imagen dieron un paso fundamental, al hacer el tránsito del *culto a las multitudes* celebrado por la izquierda radical al culto al líder revolucionario, que pasaba a identificarse con las masas. Ése y no otro fue el sentido del eslogan "Evo soy yo", que apelaba al sufragio identitario. Después vino lo del "primer presidente indígena de América Latina", una distorsión grosera que olvida a Benito Juárez y Alejandro Toledo, e incluso al tercer presidente de Bolivia, Andrés de Santa Cruz y Calahumana, hijo de una aymara. Y que soslaya el mestizaje del propio Evo Morales[84]. Pero ya le expliqué que este operativo de mitificación comenzó hace mucho tiempo, más de una década en realidad.

---

84 Más recientemente, un adulador oficial u oficioso pregonó la teoría de que "el verdadero nombre de Evo" sería Ibo Katari, invención que permitiría convertirlo en descendiente del legendario Túpac Katari, como ya sugirió Hugo Chávez en una alocución de "Aló Presidente".

- *¿Dice que libros y películas han mostrado una biografía sesgada?*

- En su gran mayoría.

- *¿Puede darme algunos ejemplos de hechos que hayan sido falseados o distorsionados?*

- Por supuesto. Comencemos por su educación. Los biógrafos oficiales repiten que Evo realizó estudios de secundaria en el colegio Beltrán Ávila de Oruro. Sin embargo, obra en mi poder la información de que Morales sólo habría cursado unos pocos años de enseñanza primaria y a una edad relativamente avanzada. Lo confirma Tomás Eloy Martínez, quien afirma que Evo "sólo a los 15 años pudo aprender a hablar y leer español"[85]. De manera completamente objetiva podemos aseverar que se trata de un analfabeto funcional, es decir, alguien que no sabe leer lo suficientemente fluido para entender una novela. El mismo Evo ha dicho –tratando de justificarse- que ha aprendido más "escuchando que leyendo". Otro aspecto que ha sido minimizado por los biógrafos autorizados es su paso por las Fuerzas Armadas. Suele recordarse brevemente que Morales hizo el servicio militar entre 1978 y 1979, pero a eso hay que agregar un dato importante: estuvo asignado nada menos que al Estado Mayor en La Paz, en plena época de asonadas militares, y una de sus funciones fue la represión a los cocaleros de Los Yungas. Un episodio crucial que ha sido "reconstruido libremente" por los escribas oficiales es el asesinato de un cocalero del Chapare por efectivos militares en 1981, crimen del cual Evo dice haber sido testigo. Cosa algo difícil, ya que su llegada al Trópico de Cochabamba tuvo lugar un año después. Algo en lo que coinciden todos sus mitificadores es en soslayar la cruda violencia desatada por los sindicatos cocaleros del actual presidente en El Chapare, que agredieron de mil formas a los agricultores que decidieron abandonar el cultivo de coca-para-cocaína y pasarse al desarrollo alternativo. A muchos de ellos les incendiaron los campos o las viviendas, y algunos hasta fueron victimados. Como parte de esas campañas violentas murieron muchos militares y policías. Entre esos casos está el de los esposos Andrade, que fueron secuestrados por cocaleros y luego torturados, mutilados y asesinados. Una testigo, Nancy Fernández, declaró que las víctimas habían sido llevadas antes de su asesinato a comparecer ante la presencia de Evo Morales y de la hoy constituyente Margarita Terán, quienes pidieron a los cocaleros que hicieran desaparecer a los rehenes. El Ministerio Público imputó por

85 *"En el laberinto de Bolivia"*, artículo publicado en varios medios de prensa latinoamericanos.

esas muertes a la actual senadora del MAS Leonilda Zurita, a Terán y al propio Evo. Pero un bloqueo en El Chapare obligó a la Fiscalía a archivar el proceso, lo que significa que hasta hoy el caso sigue irresuelto. Puedo darle muchos ejemplos más de datos que generalmente son omitidos o relativizados: el premio de 100.000 dólares que Muhammar Gaddafi le entregó a Morales hace algunos años, cuando el dictador libio todavía financiaba al terrorismo internacional; o la pantalla del "Evo mujeriego"...

- *¿Cómo es eso?*

- Los biógrafos oficialistas, generosamente pagados por el gobierno o por PDVSA, han creado la leyenda de un Evo que corre tras las primeras faldas que se le cruzan, una especie de *latin lover aymara*, si me entiende. Pero todos obvian comentar cómo y cuándo comenzó a difundirse esa leyenda, que los operadores comunicacionales del MAS se han encargado de difundir por todos los medios posibles.

- *Cuénteme.*

- En el año 2001 circulaba un rumor muy fuerte en la Cámara de Diputados, que era repetido hasta por los ujieres, según el cual Evo Morales tenía preferencia por personas del mismo sexo. ¿Comprende? Ante la crisis, los asesores del partido se reunieron de urgencia para buscar la forma de desactivar esos comentarios, y poco después aparecieron señoras reclamándole a Evo el pago de pensiones por hijos no reconocidos. ¿Casualidad? Luego se comenzó a hablar de una amante mexicana, una dirigente del pueblo maya que mantenía una intensa relación epistolar con Evo desde hacía años, etcétera. ¿Se convence de que hay mucho por saber en la vida de nuestro presidente?

- *Así parece.*

- Volviendo a nuestra crónica de los sucesos del 2006, el 6 de agosto tuvimos otro acto de la "escenificación del cambio", con la inauguración de la Asamblea Constituyente en la ciudad de Sucre. Claro que el show se deslució un poco con la negativa a asistir de los presidentes invitados. Si hace memoria, recordará que los organizadores habían anunciado la presencia de varios mandatarios latinoamericanos: Chávez, Lula, Bachelet, Kirchner, Vásquez y otros más. Sin embargo, a medida que se fue acercando la fecha llovieron las cancelaciones, al punto que el único en quedar en pie fue el "comandante" de Caracas. Pero los hilos de dependencia habrían sido demasiado evidentes si la Asamblea era inaugurada por Evo y Chávez, por lo que hasta el presidente venezolano tuvo que cancelar su visita.

- *¿A qué atribuye esas cancelaciones?*

- Hubieron las excusas diplomáticas correspondientes: viajes, agendas apretadas... Pero lo cierto es que ya se comenzaba a percibir a nivel internacional el cariz autoritario que tomaba el rumbo del gobierno. La falacia del "Evo-Mandela" empezaba a diluirse.

- *¿Quiénes organizaron la instalación de la Constituyente?*

- Los funcionarios de REPAC, la Representación Presidencial para la Asamblea Constituyente. Aunque un nombre más convincente para esa sigla sería "Recursos para el Proyecto de Álvaro y Comuna".

- *¿Perdón?*

- Como le dije antes, esa oficina se ha convertido en un feudo político de Álvaro García Linera, de varios ex EGTK y del grupo Comuna. Si bien la dirección de REPAC fue confiada oficialmente a la periodista Guísela López, el jefe fantasma era el hermano del vice, Raúl, quien no tenía un cargo formal. El de las ametralladoras en la heladería de Miraflores, ¿recuerda? Otra que no tenía cargo formal pero sí mucha influencia era Liliana Paz Arauco, alias Lily, de una conocida familia de Cochabamba y amiga personal de Álvaro, a quien visitaba en prisión. Actualmente, los Paz Arauco están distribuidos por toda la administración pública, son una de las "familias de la revolución democrática". En REPAC también estaba Juan Carlos Pinto, que estuvo preso junto a los hermanos García Linera y luego ayudó a redactar el Nuevo Código de Procedimiento Penal. Era el "coordinador con los movimientos sociales". El equipo lo completaba Francisco Ardaya, funcionario administrativo que hacía los contactos con la cooperación internacional. Alrededor de ellos giraban los asambleístas de Comuna, "Chato" Prada y Roberto Aguilar, este último vicepresidente de la Constituyente y encargado de los temas administrativos del cónclave. Todos ellos decían que eran de Comuna y no masistas. Repetían: "estamos con Álvaro y no con el MAS". Su intención era reunir fondos para el proyecto político *alvarista*. REPAC tenía un enorme presupuesto regalado por la cooperación internacional, pero los funcionarios de base no tenían ni para pagar el taxi. ¿A dónde iba toda esa plata? Por supuesto que Raúl García Linera se había encargado de que las relaciones con la cooperación internacional pasaran sólo por sus manos y las de sus acólitos. Ellos dirigieron las costosas refacciones del Teatro Gran Mariscal, el Colegio Junín y la Casa Argandoña, pero el lucro mayor estuvo en la instalación de equipos de imagen y sonido, todo el sistema de comunicación de la Asamblea. El costo estaba tan inflado que Guísela López y la directora de comunicación de REPAC, Elenir Centenaro, protestaron por el negociado. Otro incidente que puede darle una pauta de cómo se utilizó a esa repartición pública para sacarle dinero al Estado es el caso de una foto, tomada por un conocido fotógrafo cochabambino, que fue usada para una de las campañas de comunicación de la oficina. Era la foto de unos niños, que Juan Carlos Pinto le pasó a Guísela López. Al poco tiempo, el fotógrafo le plantó una demanda a la REPAC por usar la foto sin su autorización, pidiendo una suculenta indemnización. Se descubrió que era un primo de Liliana Paz Arauco, por lo que todo no pasaba de una artimaña para mamar recursos públicos. Finalmente, López dejó la dirección de REPAC, que pasó a ser ocupada por Juan Carlos Pinto. Aunque se creó la UTAC[86], la Representación Presidencial para la Asamblea Constituyente sigue funcionando, en una posible duplicación de funciones. Eso sí, sus actividades son muy sigilosas, casi clandestinas, organizando cursillos en las provincias y en los barrios, donde se difunden los lineamientos ideológicos del "Estado Plurinacional". El padre Eduardo Pérez Iribarne ha definido a los *alvaristas* como "el entorno de quinta" y les ha pedido que abandonen el gobierno.

- *Repasemos brevemente la historia de la Asamblea Constituyente.*

- Para ser sintéticos podemos dividir su historia en ocho etapas: 1) genealogía, 2) convocatoria, 3) instalación, 4) lucha por los dos tercios, 5) foros territoriales, 6) comisiones, 7) ampliación y suspensión de sesiones y 8) aprobación irregular y "socialización" de la Constitución del MAS. La primera fase comienza con los pedidos iniciales de instalar una Constituyente por parte de las organizaciones indígenas de tierras bajas, que en 1990 realizaron la "Marcha por la Dignidad". Aunque el MAS y la izquierda radical han querido apropiarse de ese movimiento, lo cierto es que fue liderado por dirigentes reformistas del oriente, como Bonifacio Barrientos y Marcial Fabricano, que hoy se ubican en la oposición y que incluso han sido atacados por militantes del partido de gobierno. También hay que mencionar un precedente de 1988, el seminario *"Integración y Democracia: Descentralización y Reforma Constitucional"*, realizado en Santa Cruz de la Sierra, donde se proponía la convocatoria a una Convención o Congreso Constituyente que debería iniciar sus labores el 6 de agosto de 1989, con el cometido de reestructurar el Estado boliviano desde una visión autonómica. La demanda de Constituyente fue retomada por varias fuerzas políticas en las elecciones del 2002 y luego se convirtió en uno de los puntos centrales de la "agenda de octubre". Ya hemos visto la segunda etapa, correspondiente a la Ley de Convocatoria. En la fase de

86 Unidad Técnica de la Asamblea Constituyente.

instalación comenzó la pugna por espacios en la directiva y en las diferentes comisiones, lo que insumió todo el mes de agosto del 2006. De allí se pasó al diseño del Reglamento de Debates, donde se desató una de las mayores batallas por las que ha tenido que pasar la Asamblea, cuando el oficialismo pretendió imponer un sistema de votación distinto al señalado en la Ley de Convocatoria[87]. Se quería votar cada artículo por mayoría absoluta, reservando los 2/3 para una sola votación, tan simbólica como inútil, que tendría lugar al finalizar las sesiones de la Constituyente. La aprobación por parte del oficialismo del artículo reglamentario que consagraba ese sistema ilegal se convirtió en un caos, con asambleístas del MAS que chicoteaban a representantes de la oposición. En medio del tumulto, el constituyente Román Loayza trastabilló y cayó a la fosa que separaba al hemiciclo de la mesa directiva. Fosa inexplicable, por la cual los refaccionadores *alvaristas* de REPAC deberían rendir cuentas. Mientras turbas del partido de gobierno recorrían Sucre persiguiendo a varios asambleístas de oposición, a los que acusaban de "asesinar" a Román Loayza, éste fue trasladado de emergencia a una clínica cruceña, donde un equipo médico que incluía al presidente del Comité Pro Santa Cruz le salvó la vida al comandante del "Estado Mayor del Pueblo". La lucha por los 2/3 se extendió más allá de la Asamblea, convirtiéndose en bandera común de todos los sectores democráticos del país. El oficialismo adoptó una actitud intransigente, ya que el sistema de votación "mixta" era la única forma de imponer su Constitución radical, tras el fracaso en obtener el "70, 80%" soñado por Evo Morales. Pronto una huelga de hambre en defensa de los 2/3 se extendió desde la Asamblea hasta el Congreso, y luego por amplios sectores de la sociedad civil, como los que llenaron la plaza 24 de septiembre de Santa Cruz con sus piquetes de ayuno. Dentro de ese movimiento hay un incidente muy importante, que merece que nos detengamos en él por un instante...

- *Adelante.*

- Me refiero a la huelga de hambre en la Iglesia de San Francisco, en la ciudad de La Paz. Fue iniciada el 29 de noviembre por el escritor Juan Claudio Lechín, hijo del fallecido Juan Lechín Oquendo, líder histórico de la Central Obrera Boliviana. Con el correr de los días se sumaron el presidente de la Cámara de Industria y Comercio de Santa Cruz, Gabriel

87 Otro enfrentamiento importante tuvo lugar cuando el MAS pretendió usurpar la soberanía popular, violar la institucionalidad democrática y desconocer el carácter derivado de la Asamblea Constituyente, declarándola "soberana, originaria y plenipotenciaria".

Dabdoub; el ex comandante de las Fuerzas Armadas, Alvin Anaya; el dirigente alteño Rigoberto Patón, estudiantes de la Universidad Mayor de San Andrés y hasta el principal representante del Movimiento Sin Tierra, Ángel Durán. La composición diversa del piquete de huelga fue un verdadero ejemplo de unidad democrática, y quizás por eso mismo concitó la ira de ciertos funcionarios gubernamentales. El hecho también nos da una pauta sobre cuán distintas eran las relaciones entre los empresarios de Santa Cruz y La Paz con el gobierno.

- *¿Por qué lo dice?*

- Cuando Gabriel Dabdoub se integró al piquete comenzó a recibir llamadas de solidaridad de las diferentes cámaras empresariales del país. De hecho, los empresarios cochabambinos comenzaron a montar su propia huelga de hambre. Mientras tanto, los empresarios paceños encabezados por Roberto Mustafá se reunieron con el *garante* del pacto MAS-TAU, Álvaro García Linera, para encontrar un arreglo de compromiso. Luego fueron a saludar a Gabriel Dabdoub y le comunicaron que todo estaba solucionado, ya que el vicepresidente garantizaba el respeto a los 2/3 "para esa misma tarde".

- *¿Era cierto?*

- Todo era una maniobra del vicepresidente para desactivar la huelga. En realidad, Evo Morales acababa de reunirse con los representantes de los comités cívicos y ratificaba su intransigencia en el sistema de votación "mixta". Gabriel Dabdoub les dijo a los dirigentes paceños que cualquier diálogo con el gobierno debía ser realizado por comités y prefecturas, y les pidió que ellos también hicieran conocer su posición de apoyo a los 2/3 a través de un manifiesto público. En ese momento apareció Humberto Sandalio, dirigente de los microempresarios de El Alto que participó en las mesas de diálogo con Santa Cruz. Había ido a saludar al presidente de CAINCO y le llevó de regalo una bolsa de caramelos y una botella de agua mineral, envasados en El Alto. Lo sintomático es que los dirigentes empresariales de La Paz no lo conocían. Quedaba clara la fisura entre los integrantes de la élite, acostumbrados a hacer negocios con el Estado, y los sectores realmente productivos del departamento de La Paz. Mientras los representantes de la oligarquía andina hacían de emisarios de García Linera, Wálter Chávez planificaba el desalojo violento de los huelguistas.

- *¿Cómo se realizó ese desalojo?*

- Contrataron a los consabidos pongos políticos, les dieron abundante alcohol y los hicieron marchar frente al Centro Parroquial de la Iglesia San Francisco. Primero intentaron amedrentar a los huelguistas, golpeando puertas y ventanas. Después de esa primera ofensiva se pidió resguardo al Ministerio de Gobierno, pero la policía no aparecía por el lugar. Hubo una segunda arremetida de la turba, que gritó amenazas de muerte y dibujó un ataúd en la entrada. Recién la mañana siguiente, cuando comenzaron a llegar los corresponsales de medios de prensa internacionales, la ministra de gobierno Alicia Muñoz desplegó guardias antimotines en la puerta. Que no duraron mucho, claro. Ni bien se hubieron retirado los periodistas, los efectivos se esfumaron como por arte de magia. Entonces vino la arremetida final. Era el martes 5 de diciembre y al promediar las 15:30 horas los integrantes del piquete de huelga que dormían en sus colchonetas fueron alertados por el grito de: *¡se entraron!* Los agresores habían roto un vidrio y metido un cartucho de dinamita con la mecha encendida. Afortunadamente, Rigoberto Patón sabía manejar explosivos y cortó la mecha justo a tiempo, evitando la muerte de todos los presentes. De inmediato, los atacantes tumbaron la puerta de ingreso y se abalanzaron contra los huelguistas, que debieron huir hacia los interiores del claustro. Los asaltantes eran unas cien personas, armadas con dinamitas, palos con clavos, piedras y chicotes. Quemaron las pertenencias de los huelguistas, robaron los televisores por los cuales se seguían las noticias nacionales e incendiaron parcialmente la puerta del Centro Parroquial. Mientras tanto, otros de los atacantes persiguieron a los huelguistas a través de los diferentes ambientes de la iglesia, llegando a golpear a un franciscano que tenía sus habitaciones en el lugar. Robaron los panetones que los religiosos estaban recolectando para sus donaciones de Navidad y los mostraron como "evidencia" de que los huelguistas consumían alimentos. Por suerte, los ayunadores lograron salir ilesos y se alejaron en taxi de la iglesia, mientras algunos de los agresores los perseguían por la calle. Entretanto, los equipos de los canales de televisión ya habían comenzado a llegar y un camarógrafo filmó a Wálter Chávez en las inmediaciones de la iglesia, dando instrucciones por celular.

- *¿Qué dijo el gobierno?*

- La ministra Alicia Muñoz dijo que "la policía tenía cosas más importantes que hacer". Ningún funcionario gubernamental condenó el intento de homicidio. Los huelguistas, que se habían dispersado durante la fuga, se comunicaron entre sí por teléfono y a pesar del grave peligro volvieron a reunirse en un punto pactado de la zona sur. Luego se dirigieron a la Nunciatura Apostólica, que tiene estatus de embajada y que podría haberles brindado refugio para continuar la medida de protesta. Sin embargo, las gestiones con Monseñor Juárez resultaron infructuosas, y una vez en la puerta de la Nunciatura el secretario de esa legación les negó la entrada, preguntándoles: "¿por qué no se van a un hotel?".

- *No lo puedo creer.*

- Créalo. Entonces decidieron dar una conferencia de prensa de emergencia a las once de la noche, en una plaza alejada. Se llamó a un solo canal pero aparecieron todos los medios. A partir de allí, Gabriel Dabdoub retornó a Santa Cruz para informar a su institución e impulsar nuevos piquetes de protesta, mientras que Lechín se declaró en la clandestinidad hasta completar los 14 días de huelga de hambre, cuando fue dado de baja por su delicado estado de salud. Al llegar a la capital cruceña, el presidente de CAINCO notó la presencia de agentes de inteligencia en el Aeropuerto de Viru Viru...

- *¿Cómo siguió el movimiento de huelga en Santa Cruz?*

- De manera masiva y contundente, como veremos en nuestra próxima conversación.

CAPÍTULO XII

- La huelga en Santa Cruz ya tenía unos mil ayunantes concentrados en la Plaza de Armas. Claro que los piquetes habían comenzado en diversos sitios, pero progresivamente se fueron reuniendo en el mismo lugar. El primer grupo cruceño en asumir la medida estaba integrado por 17 mujeres, que entraron en huelga de hambre el 24 de noviembre en las instalaciones del Comité Cívico Femenino. Esa misma tarde, Evo participó en un mitin político en la localidad de San Julián, donde entregó veinte tractores a campesinos partidarios de su gobierno. Con su habitual falta de sutileza, agredió moralmente a las mujeres huelguistas al decir que "No hacen huelga, están haciendo dieta... Tal vez están muy gordas... Me dicen que esa huelga no es por ética, es por estética". Palabras que resumen muy bien el perfil psicológico del presidente Morales. Aunque día a día se veía a las ambulancias retirando gente de la huelga por complicaciones de salud, el gobierno no dio el menor indicio de sensibilidad. Incluso se intentó desalojar con la policía a un grupo de jóvenes ayunantes de la plaza principal, pero los huelguistas se amotinaron y lo impidieron. Por su parte, Gabriel Dabdoub buscó una reunión de emergencia con el Cardenal Terrazas al otro día de su retorno a Santa Cruz, para analizar lo sucedido en la Iglesia San Francisco. Hubo que insistir varias veces y sólo se logró la reunión cuando le dijeron al Cardenal que el asunto era "de vida o muerte". Hablaron por espacio de una hora, en la cual el dirigente empresarial expuso los motivos que lo llevaron a integrarse al piquete de huelga en La Paz. También repudió el ataque al recinto sagrado y relató la peregrinación posterior en busca de un refugio, incluyendo las conversaciones con Monseñor Juárez y el secretario de la Nunciatura. Reclamó a la jerarquía eclesiástica que no se hubiera facilitado otro lugar para la continuación de la huelga y señaló que también se estaba defendiendo la libertad religiosa. Adivinando las razones para la cautela de la Iglesia, tal vez relacionadas con el acuerdo para preservar los colegios de convenio, el presidente de la Cámara de Industria y Comercio le dijo a Terrazas que "Estamos yendo hacia el totalitarismo y los que piensen que se van a salvar solos están muy equivocados". Agregó que "La religión no entra en la ecuación ideológica del *socialismo del siglo XXI*".

- *¿Cómo respondió el Cardenal?*

- En ese momento no hubo una respuesta clara, pero se sembró, ya que al otro día la Iglesia Católica se pronunció en defensa de la democracia. Y los huelguistas de La Paz pudieron seguir la medida en la Capilla Militar, en la zona de San Miguel. De ahí en adelante, Gabriel Dabdoub se dedicó a visitar y apoyar los piquetes instalados en Cochabamba y Tarija. En esa segunda visita les entregó a los ayunantes los caramelos regalados por el dirigente alteño Humberto Sandalio, que se habían convertido en un símbolo de solidaridad interregional. Sumados todos los puntos de huelga del país había unos dos mil quinientos ayunantes, pero el gobierno seguía inconmovible en su intención de violar la ley e imponer la arbitrariedad en la Asamblea Constituyente. Así que el 10 de diciembre los prefectos y los presidentes de los comités cívicos de los cuatro departamentos que optaron por el SÍ conformaron la Junta Autonómica Democrática de Bolivia, con el cometido de impulsar una medida mucho más contundente. La huelga se fue levantando de manera planificada y escalonada hasta llegar al 15 de diciembre, día en que se realizarían cabildos simultáneos en Santa Cruz, Tarija, Beni y Pando. El propósito era reafirmar la lucha por los 2/3, el respeto a la Ley de Convocatoria y al mandato vinculante del Referéndum. Pero el gobierno no pensaba esperar de brazos cruzados.

- *¿Qué hicieron?*

- Sabiendo que una gran cantidad de indígenas asistirían al cabildo cruceño desde las provincias, organizaron un bloqueo-trampa en San Julián. Recordemos que esa localidad tiene una ubicación estratégica sobre la carretera Santa Cruz-Trinidad, que comunica a las Provincias Guarayos, Chiquitos, Germán Busch, Ángel Sandóval y Velasco con la capital departamental. Cuenta con unos sesenta mil habitantes, mayoritariamente colonos de origen aymara y quechua, asentados en los últimos años en tierras del oriente. ¿Recuerda cuando hablamos de la *re-territorialización del poder*? Bueno, hay una serie de asentamientos instalados en tiempos recientes en torno a Santa Cruz de la Sierra que parecen salidos de un diseño geopolítico. Cuentan con el apoyo de ONGs como el CEJIS e incluso se ha sabido de un documento, el Plan Vinto, donde se habla del cerco progresivo a la capital cruceña. Todo un esquema de control político y de colonialismo interno. Con ese contexto, podrá entender mejor lo sucedido el 15 de diciembre del 2006. Ayudados por motosierras y volquetas de la alcaldía de San Julián -en manos del partido de gobierno- las "bases" masistas cercaron unos siete kilómetros de carretera para impedir el paso de los buses en los que viajaban guarayos, ayoreos, chiquitanos, guaraníes, paiconecas, sirionós y tembetas. Esta situación había sido prevista en los días anteriores por la Prefectura y la Fiscalía Departamental, que pidieron resguardo policial para garantizar el libre tránsito. Pero una vez más, una orden emanada del Ministerio de Gobierno instruyó a la policía en sentido contrario. En vez de asegurar el paso de los viajeros, los efectivos colaboraron en el operativo de cerco para que los colonos de San Julián agredieran a los buses y sus ocupantes.

- *¿Cómo fue la presunta participación policial en el cerco?*

- A las 9:30 horas, un bus de la Policía llegó hasta el primer punto de bloqueo, donde el coronel Miguel González aseguró que todo estaba bajo control y que los bloqueos terminarían pronto. Sostuvo una reunión privada con el dirigente oficialista Félix Martínez y media hora después un grupo de viajeros cruzó el primer cerco. A los pocos minutos fueron atacados por los bloqueadores y se iniciaron más de dos horas de violencia ininterrumpida, incluyendo agresiones con machetes, ladrillos, palos y piedras. Según la versión de los civiles y periodistas agredidos, la Policía los dirigió a una especie de "emboscada", donde los colonos obligaron a descender a los pasajeros bajo amenaza de incendiar los buses, y luego los agredieron físicamente. En medio del caos, los viajeros arrastraban sus maletas tratando de salvar sus pertenencias de los saqueos de los *milicianos sindicales*. Todo sucedió ante la permisividad de los efectivos policiales que se encontraban en el lugar. A partir de las 10:30, el hospital municipal de San Julián comenzó a llenarse de heridos, que siguieron llegando hasta pasadas las tres de la tarde. Funcionarios de la alcaldía cerraron la puerta principal para impedir el acceso a la prensa, mientras que la puerta trasera era custodiada por médicos cubanos, que rechazaban con prepotencia a quien se acercara al lugar. La ambulancia circuló recogiendo heridos de todos los puntos del pueblo que no estaban bloqueados, pero hubieron llamadas de auxilio desde sitios a los que no pudo llegar. En total, hubo un centenar de heridos. Los más graves fueron Rosa Durán Soliz, con traumatismo encéfalo craneano, y Luciano Rodríguez Vedia, que perdió un ojo.

- *También hubo agresiones a la prensa.*

- Así es. Los periodistas fueron agredidos y tomados como rehenes por los colonos. Sufrieron amenazas, golpizas y retención indebida, y a ocho de ellos les decomisaron y destruyeron material gráfico y equipos periodísticos. Los vehículos de los medios de prensa también fueron apedreados y destrozados por los bloqueadores. Decenas de periodistas fueron atacados con piedras, ladrillos, machetes y palos, y tuvieron que ser trasladados a hospitales en Santa Cruz para ser tratados por contusiones y cortes profundos. Resultaron heridos Max Toranzos, fotógrafo de El Deber; Néstor Lobera, corresponsal de radio Erbol en San Julián; Alex Sote Gutiérrez y Adolfo Gutiérrez, del Canal 11 Universitario; Juan Carlos Vaca e Ignacio Ramos, de Full Televisión; Silvio Araúz, de la Red ATB; y Miguel Cuéllar, del Canal 13 de San Ignacio. Muchos periodistas tuvieron que internarse en el monte para huir de las agresiones. Otros se refugiaron en las radios de la localidad, pero fueron perseguidos por la turba y debieron ocultarse en varias casas particulares. Los "movimientos sociales" también tomaron las radios locales para evitar que se transmitiera el cabildo de Santa Cruz.

- *A todo esto, ¿qué decía el gobierno?*

- Emitieron declaraciones increíbles, en las que responsabilizaban por las agresiones a los pasajeros de los buses bloqueados. Así lo hicieron el vocero de la presidencia, Álex Contreras, y el viceministro de seguridad ciudadana, Raúl Medrano. Obviamente, su versión no coincidía con la de los civiles varados en los buses ni con la de los periodistas, pero tampoco con la del capitán Samuel Ortega, comandante de la Policía en San Julián, ni con la del fiscal Basilio Villca. Los dos estuvieron en el lugar de los hechos y aseguran que los bloqueadores comenzaron las agresiones. Lo cierto es que la responsabilidad mayor fue de la ex ministra de gobierno, Alicia Muñoz, quien instruyó a la Policía no dar seguridad a los indígenas que iban al cabildo. Algo parecido a lo que hiciera anteriormente en la Iglesia San Francisco de La Paz, método que también repitió en los hechos sangrientos de Huanuni y durante el "enero negro" en Cochabamba. La ANP[88]censuró el brutal ataque que sufrieron los periodistas, fotógrafos y camarógrafos. En un comunicado público, la entidad reclamó al gobierno las garantías necesarias para el ejercicio de la libertad de prensa "sin restricciones ni interferencias de ninguna naturaleza, en los términos contemplados en la Constitución Política del Estado". Además, atribuyó el ataque a "corrientes bien identificadas (del gobierno) que inducen a estigmatizar y descalificar la tarea de los periodistas, exacerbando irresponsablemente en su contra los ánimos de determinados sectores de la población, tal como sucedió en San Julián".

- *Por favor, comente qué pasó en los cabildos de los cuatro departamentos.*

- Por la cantidad de asistentes sumada entre los cuatro actos se los denominó los *Cabildos del Millón*. Fue la concentración más grande que se

88 Asociación Nacional de Prensa.

hubiera visto hasta el momento en la historia de Bolivia. El cabildo encabezado por el entonces presidente del Comité Pro Santa Cruz, Germán Antelo, decidió por aclamación que se desconocería como ilegal la nueva Constitución Política del Estado, en caso de que no fuese sancionada por 2/3 o que no respetase el mandato autonómico. Con una segunda pregunta se facultó al prefecto a impulsar el régimen autonómico a través de un referéndum departamental, de concretarse el incumplimiento de la voluntad popular en la Asamblea Constituyente. Con ligeras variantes, los cabildos de Tarija, Beni y Pando tomaron decisiones similares.

- *¿El gobierno revisó su posición?*

- No hubieron efectos inmediatos, pero un mes después el Movimiento Al Socialismo tuvo que flexibilizar su postura en la Asamblea Constituyente y se acordó una nueva redacción para el artículo 70, estableciendo la votación en detalle por 2/3 y señalando que los temas donde no se alcance consenso serán consultados a la población mediante referéndum[89]. Los Cabildos del Millón también indujeron a sectores oficialistas a hacer cierta autocrítica, como en el caso de Álvaro García Linera y Juan del Granado, quienes reconocieron el error de haber impulsado el NO en el Referéndum Autonómico. Sin embargo, el MAS ya estaba preparando una nueva estrategia para hegemonizar la Constituyente.

- *¿En qué consistía esa estrategia?*

- En dilatar el funcionamiento de la Asamblea, de manera que no pudiera darse la votación por 2/3 artículo por artículo. La idea era poner trabas al normal funcionamiento, hasta que llegaran los últimos días del cónclave y sólo hubiera tiempo para la votación en grande por mayoría absoluta, en la que ellos impondrían su Constitución neocomunista, que después llevarían a referéndum. De hecho, ya habían trabado la Asamblea por casi seis meses con la pretensión de desconocer el principio legal de los 2/3. La siguiente maniobra dilatoria fue la de los foros territoriales, no previstos en la Ley de Convocatoria ni en el propio Reglamento de Debates de la Constituyente. Estos foros, celebrados en los nueve departamentos, insumieron dos meses y un alto presupuesto, y se convirtieron en escenarios de enfrentamiento entre los "grupos sociales" movilizados por el oficialismo y los ciudadanos que exigían respeto al mandato del Referéndum Autonómico. Los asambleístas del MAS también tuvieron problemas en Potosí, luego de que propusieran quitar el Cerro Rico del escudo nacional.

89 No obstante, hay quienes señalaron que esa alternativa tampoco se ajusta enteramente a la Ley de Convocatoria.

Aunque trataron de mostrar a los foros como una modalidad de participación ciudadana, sólo se puso en evidencia la falta de un proceso preconstituyente de concertación con la sociedad civil. Al culminar los foros territoriales comenzó la siguiente fase: el trabajo en comisiones, donde los representantes del Movimiento Al Socialismo también emplearon maniobras dilatorias. Además, pretendieron excluir los informes en minoría de la oposición, desdoblando las bancadas del oficialismo y sus aliados para presentar dos informes. Esto provocó graves controversias que degeneraron en agresiones físicas entre constituyentes, y se dio el caso de asambleístas de oposición a los que la Policía negaba el derecho a ingresar en las salas donde funcionaban las comisiones. En esa etapa se pudo conocer algo más del proyecto de Constitución del gobierno, celosamente guardado en las oficinas de los asesores internacionales. Aunque el MAS no hizo conocer una sola propuesta inicial, circularon borradores del Pacto de la Unidad –conformado por los sectores sindicales digitados por el oficialismo- y del Poder Ejecutivo, en los que se planteaba la fragmentación del país en 36 naciones mediante el llamado "Estado Plurinacional", artificio que busca la desintegración territorial de los departamentos, de manera que la autonomía sea puramente nominal. Además, se eliminaba la clásica división de poderes al subordinarlos a un *suprapoder* integrado por los "movimientos sociales"; se subordinaban los derechos individuales a los colectivos, tratando de convertir al país en un ayllu gigantesco; se eliminaba el Tribunal Constitucional, concediendo carta blanca al gobierno para atropellar el Estado de Derecho; se cambiaban los símbolos nacionales, sustituyendo a la bandera rojo, amarillo y verde por la wiphala[90] e incluyendo la hoja de coca en el escudo; se eliminaba toda protección efectiva a la propiedad privada y se abría la posibilidad de sumar a Bolivia a un proyecto de "Confederación", un camino directo para anexarnos a la Gran Venezuela con la que sueña Hugo Chávez. Y, por supuesto, se insertaba la reelección presidencial, punto central del proyecto masista de reproducción indefinida en el poder.

- *¿Algo que rescatar del trabajo en comisiones?*

- Fueron una instancia de participación ciudadana más efectiva que los foros territoriales, que como vimos se constituyeron en simples shows

90 Bandera utilizada por ciertas organizaciones indígenas del altiplano. Si bien esos sectores reivindican su carácter "originario", varios historiadores han señalado que sería una bandera colonial, derivada del pabellón de los Tercios de Flandes de Carlos V. También es evidente su parecido con la bandera "arco iris", que en el resto del mundo representa a la nueva izquierda y al movimiento gay.

mediáticos, donde sólo se repetían consignas básicas. En cambio, las comisiones recibieron y sistematizaron propuestas institucionales, desarrolladas por organizaciones de la sociedad civil. Es el caso de un segundo documento de *Visión País* presentado por los empresarios cruceños, donde se delinea el proyecto del Estado Social y Democrático de Derecho. Allí se plantea la promoción de inversiones que generen empleo, la reconfiguración del Régimen Económico de acuerdo al mandato vinculante del Referéndum Autonómico, la protección al derecho de los usuarios y consumidores, reglas de transparencia para las empresas estatales y la creación de los Consejos Económicos integrados por trabajadores y empresarios, con funciones consultivas y de asesoramiento al Poder Ejecutivo... El caso es que las maniobras dilatorias del MAS obligaron a que las comisiones postergaran varias veces el plazo final para la entrega de informes, y la Asamblea llegó a los últimos días de funcionamiento legal sin haber votado siquiera el primer artículo de la nueva Constitución Política del Estado. El plazo fatal de un año se cumplía el 6 de agosto del 2007, por lo que a fines de julio se comenzó a debatir la posibilidad de ampliar las sesiones de la Constituyente por cuatro meses más. El oficialismo pretendió que la Asamblea extendiera por sí sola su plazo de funcionamiento, ejerciendo su carácter de "soberana, originaria y plenipotenciaria". Desde la oposición se recordó que el Congreso había votado la Ley de Convocatoria y que el tema debía ser decidido en el Poder Legislativo. Sin embargo, los constitucionalistas más renombrados del país señalaron que ni siquiera el Parlamento tenía potestad para ampliar la fecha de término de la Constituyente, ya que el pueblo había elegido a los asambleístas por un plazo máximo de un año. Para acabar con las dudas de las restantes fuerzas con representación parlamentaria, el Movimiento Al Socialismo reeditó la vieja táctica del *chantaje a la democracia.*

- *¿De qué manera?*

- Desde el gobierno se lanzó una intensa campaña de guerra psicológica, con la amenaza velada de que si no había ampliación vendría la guerra civil, el enfrentamiento, la "vía de hecho", el golpe de Estado, el cierre del Congreso, la auto-ampliación de facto de la Constituyente, etcétera. El mensaje se difundió de muchas maneras, utilizando el rumor, las declaraciones "espontáneas" de los dirigentes de base, las *reflexiones objetivas* de los analistas del canal estatal –como Jimmy Iturri y Amalia Pando– y las insinuaciones de García Linera, pero sobre todo con un operativo estrella: la parada militar-campesina del 7 de agosto en Santa Cruz de la Sierra. Como ve, la fecha para esa *movilización armada* era estratégica, un día después del límite político para ampliar las sesiones de la

Asamblea. Con el correr de los días, los anuncios sobre la envergadura de la movilización fueron creciendo y llegaron a la capital cruceña dos mil efectivos militares de diversos puntos del país, con la correspondiente munición de guerra. Junto a ellos arribaron tres mil *milicianos sindicales* que incluían a Ponchos Rojos de la Provincia Omasuyos, portando su "armamento tradicional". Las milicias fueron transportadas y alojadas por cuenta del Estado, y se vio a soldados del Ejército haciendo la limpieza en los cuartos que habrían de acoger a la guardia indígena. Todo ese montaje buscaba reforzar el chantaje, agitando la amenaza de una inminente ocupación militar-indígena de una de las regiones que obstaculiza a la aplanadora totalitaria del MAS. Bajo toda esa presión, el 3 de agosto se votó en el Congreso la Ley de Ampliación, que postergó el cierre de la Asamblea hasta el 14 de diciembre y que colocó algunos candados adicionales para asegurar el respeto a las minorías. La norma no alcanzó la unanimidad que sí consiguió la Ley de Convocatoria y tuvo una recepción crítica en varias regiones. En Santa Cruz y Beni los comités cívicos declararon que la ampliación fue ilegal, opinión compartida por la mayoría de las instituciones y refrendada por la percepción ciudadana en las encuestas de los medios de comunicación. También hubieron juristas que lamentaron que no se aprovechase la oportunidad para restablecer plenamente el principio de los 2/3. Así comenzó la séptima etapa del proceso constituyente, una fase de "muerte en vida" con una *Asamblea zombi* que se desbarató menos de dos semanas después, cuando los representantes del gobierno volvieron a violar la Ley de Convocatoria y el Reglamento de Debates, además de la Ley de Ampliación, que fue desflorada precozmente. La directiva de la Constituyente, dominada por el oficialismo, dictó una resolución con la que se prohibía tratar en plenaria la propuesta de retorno de los poderes ejecutivo y legislativo a la ciudad de Sucre -capital de la república-, incluida en varios informes de comisiones por minoría y apoyada hasta por los asambleístas del MAS de Chuquisaca. La resolución arbitraria demostró la sujeción de Evo y Álvaro a los intereses de la élite andinocentrista, que dio un ultimátum a la Constituyente a través de un cabildo movilizado con ingentes recursos de los poderes fácticos, la alcaldía paceña y el gobierno central. Sucede que el 70% de la economía de La Paz depende de la burocracia pública. Ése es el grado del fracaso de la vieja élite: la incapacidad para impulsar el desarrollo productivo de ese departamento, que tiene un gran potencial de crecimiento. Un reto que tal vez tendrá que asumir la incipiente burguesía mestiza de El Alto, pequeña y mediana todavía. ¿Sabe cuántas microempresas alteñas se benefician con las compras del Estado?

- *No tengo idea.*

- Muy pocas. Los contratos siguen en manos de los pocos y grandes de La Paz, los empresarios-políticos que siempre han circundado el poder central... Sin querer, hemos tocado dos puntos del pacto MAS-TAU.

- *¿Cuáles son esos puntos?*

- a) Mantener la burocracia de gobierno en La Paz, b) continuar favoreciendo a las empresas de los oligarcas andinos con las compras y contratos estatales, c) impedir o minimizar las autonomías departamentales, d) desviar la tensión social hacia el oriente, siguiendo la política inaugurada por Carlos Mesa y e) favorecer a los representantes de la élite paceña con altos cargos en el servicio exterior. Todo se ha cumplido al pie de la letra hasta el momento. La alianza tiene sus altibajos, como cualquier matrimonio, sobre todo si es de conveniencia. Buenos y malos momentos. Uno de los mejores fue la defensa de la concentración geográfica del poder -del *capital administrativo de la nación*, para usar la terminología de García Linera-, que volvió a fundir en una verdadera "unión sagrada" a los aliados. En cumplimiento a la instructiva emanada del Palacio Quemado la presidenta de la Asamblea Constituyente, la "magna" Silvia Lazarte, decretó la prohibición de discutir el tema de la capitalidad. La tesis del retorno de los poderes a la capital de la república está bien sustentada desde el punto de vista geopolítico, y si bien el traslado del Poder Ejecutivo sería costosa y lenta, la instalación del Legislativo en Sucre sería una operación relativamente sencilla, ya que existe infraestructura suficiente. En realidad, esto último sólo depende de una decisión política. Pero podría ser la decisión más difícil de los últimos tiempos. Para el gobierno significaría un sismo en sus bases paceñas, en las que se concentra y aísla cada vez más, corriendo el riesgo de "condepizarse" y transformarse en un partido regional. En suma, el *diktat* del gobierno volvió a imponer la ilegalidad y el abuso antidemocrático en el seno de la Constituyente, causando la previsible protesta de los ciudadanos de Sucre, que se coaligaron mayoritariamente en un Comité Interinstitucional y salieron a las calles a manifestarse, siendo gasificados por las fuerzas represivas. Con su negativa a revisar la resolución de la directiva, el MAS siguió bloqueando el funcionamiento de la Asamblea Constituyente.

- *Entonces vino la formación del "Consejo Político" en la ciudad de La Paz.*

- Una maniobra de García Linera, que le permitía varias cosas al mismo tiempo: convertir a La Paz en el nuevo escenario del proceso constituyente, desinflando la demanda de capitalidad plena de Sucre; reforzar su rol como articulador de la Constituyente; y potenciar su perfil como eventual "prefecturable" del departamento de La Paz.

- *¿Cree que a eso apuesta el vicepresidente?*

- Es una de las posibilidades, si las corrientes del MAS que no le son afectas logran imponer a otra figura, más originaria, para acompañar a Evo en una hipotética reelección. Pero no creo que haya descartado sus chances como candidato nacional. Como ya le señalé, Álvaro está sentando las bases para un instrumento político propio, del que también forma parte el grupo "Santa Cruz Somos Todos"[91], por dar un ejemplo. Pero no perdamos el hilo. Hablábamos del Consejo Político, que fue avalado por constituyentes del oficialismo, sus aliados y, lamentablemente, por representantes de fuerzas menores de oposición. Desde ese espacio se ofrecieron algunas migajas a Sucre, como la instalación en esa ciudad del Poder Electoral, lo que fue rechazado de inmediato por el Comité Interinstitucional. El Consejo fue el escenario perfecto para una farsa de concertación que simplemente sirvió para entretener al país, mientras se preparaban las sesiones finales de la Constituyente, en las que el partido de gobierno aprobaría de manera unilateral su proyecto de Constitución totalitaria, como veremos luego. Ése fue el plan desde un principio. Después, el presidente de la república convocará a un referéndum para aprobar la Carta masista. Pasaríamos así de la democracia representativa a un *bonapartismo plebiscitario* como el practicado por Fujimori y Chávez.

91 Integrado por intelectuales y políticos provenientes de partidos tradicionales, como UCS, ADN, MIR y NFR.

CAPÍTULO XIII

Golpe gradual/El fascismo de Chávez/El "pérfido maestro"/Apologistas de la guerra civil/Violaciones a los derechos humanos/Ataque al Poder Judicial/Alianza contra el totalitarismo/Bloque histórico.

- El método del que le hablaba en nuestro encuentro anterior fue, por así decirlo, patentado por Alberto Fujimori, aunque probablemente su verdadero autor intelectual sea Vladimiro Montesinos. Usted sabe que el contexto internacional cambió mucho a partir de los ´80, sobre todo en nuestro hemisferio, cuando Estados Unidos decidió cortar todo apoyo a los regímenes de fuerza que había tolerado para frenar la expansión del comunismo durante la Guerra Fría. Luego, la Carta Democrática de la OEA[92] reforzó ese nuevo consenso, que aislaría a quien se atreva a implantar una dictadura desembozada como las que conocimos en décadas anteriores. Es cierto que el estalinismo cubano se mantiene, y ya hablaremos sobre los cambios que le esperan a ese régimen con la muerte de Castro. Pero lo cierto es que, en el resto del continente, los apetitos autoritarios han tenido que encontrar formas más sutiles para desarrollar concentraciones hegemónicas del poder político. Formas que guarden cierta fachada democrática, tendientes más a la dictadura civil que a la militar y puestas en marcha por presidentes electos. Así sucedió con Fujimori, creación "de laboratorio" de los servicios de inteligencia peruanos, que amparado en una alta popularidad disolvió el Congreso e inmediatamente convocó a una Asamblea Constituyente hecha a su medida, con la reelección como elemento central del nuevo andamiaje institucional. La fórmula se completa con diversos mecanismos de control de prensa, intimidación y compra de opositores, cooptación de altos mandos militares, instrumentalización de sectores sociales, copamiento de instituciones de la sociedad civil y el montaje de un aparato de fraude electoral, que entre otras cosas permite ganar plebiscitos o referéndums en temas vitales para la reproducción del poder. Es la doctrina no escrita del *golpe gradual*, en la que un mandatario llegado al gobierno por vías democráticas comienza a prescindir de las mismas para el ejercicio de sus políticas, ocupando cada vez mayores parcelas de poder, recortando las libertades y eliminando los contrapesos que hacen a un Estado de Derecho, como la independencia del Poder Judicial y del Legislativo.

---

92 Organización de Estados Americanos.

- *Se parece demasiado a lo sucedido en Venezuela, Bolivia y Ecuador.*

- La fórmula es la misma, aunque los ropajes ideológicos hayan variado, desde el populismo de derecha de Fujimori a los gobiernos neocomunistas de los tres países mencionados. El vínculo entre ambas experiencias es el mismo Montesinos.

- *¿Cómo dice?*

- Recuerde que, durante los últimos días de Fujimori, el asesor de inteligencia marchó al exilio y el primer refugio que encontró fue la Caracas chavista. De hecho, la fórmula del golpe gradual aplicada por Hugo Chávez, Evo Morales y Rafael Correa no es otra cosa que un fujimorismo con discurso de izquierda.

- *Es curioso que ligue a estos regímenes con Montesinos, una figura que habitualmente es relacionada con la extrema derecha.*

- Y no es el único caso. Uno de los principales mentores ideológicos y programáticos de Hugo Chávez es el argentino Norberto Ceresole, teórico ultra-nacionalista, neofascista y antisemita. Tuvo mucho que ver con los primeros pasos políticos del autócrata venezolano. La prédica de Ceresole a favor de Chávez fue precoz. Él mismo cuenta que en 1995 dictó una conferencia en la Secretaría de Asuntos Estratégicos del Brasil, ante un auditorio compuesto mayormente por oficiales superiores del ejército e investigadores de los principales centros de estudios geopolíticos. Dice Ceresole que "Fue allí, en ese específico y concreto lugar de Brasilia, donde la élite gubernamental brasileña escuchó hablar, por primera vez, de un tal comandante Chávez. Todos los asistentes a esa conferencia pensaron que yo estaba un poco loco cuando mencioné el nombre y presenté el perfil del llamado comandante Chávez, diciendo que sería el futuro presidente de Venezuela". Chávez ya tenía su profeta. ¿Y sabe lo que agregaba el teórico? "Por supuesto que me declaro culpable de haber sido el principal -y por qué no decirlo: el único- impulsor del modelo chavista fuera de las fronteras de Venezuela".

- *¿Hay más pruebas sobre ese vínculo?*

- Por supuesto, no se apure. Hugo Chávez se convirtió en un gran lector del libro de Ceresole titulado *"Tecnología Militar y Estrategia Nacional"*. Entiéndame bien: no es que Chávez sea un gran lector de nada, siendo apenas un semi-letrado. Pero al parecer ese volumen encerraba el tipo de falacias que se adaptan bien a su mentalidad autoritaria y belicista. Por su parte, el ideólogo argentino desarrolló todo un cuerpo doctrinal para el "comandante" basado en la trilogía *Caudillo, Ejército, Pueblo*. Al centro del sistema ubicaba al "liderazgo carismático" del caudillo, que debía unirse con la "virtud militar" y con la presencia coreográfica del pueblo movilizado. De la *convergencia civil-militar* predicada por el profeta del chavismo nacieron los mecanismos de cooptación de las Fuerzas Armadas instrumentados por el gobierno "bolivariano". De esta manera, el ceresolismo se convirtió en el núcleo ideológico duro del proyecto estratégico de Hugo Chávez, que encontró en los textos del teórico una inspiración geopolítica para sus ambiciones de expansión continental. Cito textualmente a Norberto Ceresole: "La idea básica central era y es impulsar a Venezuela hacia el Sur -demográfica, económica y militarmente-, sobre todo para disminuir sus vulnerabilidades localizadas en la costa caribeña -el Mediterráneo Norteamericano-, pero sin dejarse atrapar por los tentáculos de la geopolítica brasileña... Una de las causas principales de que el Caribe y América Central se hayan convertido en Mediterráneo Americano fue la imposibilidad de transitar esa enorme frontera física representada por la *olla amazónica*... En el Oriente, el vacío amazónico impidió la interconexión entre los espacios del Norte y los del Sur... Dentro de esta amplia concepción estratégica deberemos reactualizar el viejo proyecto de interconexión entre las Cuencas del Caribe y del Plata". Si interpreta cuidadosamente esas afirmaciones, encontrará la clave para entender el extremo interés demostrado por Chávez en controlar ciertas zonas de la Amazonia boliviana, con el proyecto de construir cuarteles en Puerto Suárez y Riberalta, o la presencia de tropas venezolanas en Trinidad, asociadas con efectivos del país en una "Fuerza Binacional Amazónica". También podrá comprender por qué Hugo Chávez ha empujado constantemente a Evo Morales a confrontarse con Brasil. En el fondo, se trata de luchar por la hegemonía de la región-corazón de América del Sur.

- *¿La doctrina de Ceresole incluye algún tipo de fusión de ejércitos en Sudamérica?*

- Así es. Cuando Chávez visitó por primera vez los países miembros de la OPEP[93], nuestro teórico del nacionalismo continental aplaudió los "conceptos ceresolianos duros y puros" vertidos por el presidente venezolano. Hablamos de la idea de "lograr la unidad militar en la América Meridional", al decir del maestro Ceresole. O al decir del discípulo Chávez: "por objetivos geopolíticos y geoestratégicos de la región, es imperioso contar con un tejido avanzado en el ámbito castrense". Esa unificación militar estaría sustentada en una nueva industria armamentista venezolana, que

93 Organización de Países Exportadores de Petróleo.

aprovisionaría a los ejércitos satélites de Sudamérica. Sobre el punto citaré ampliamente a Ceresole, porque sus afirmaciones no tienen desperdicio: "La dimensión continental en la que se inscribe la revolución venezolana hace técnicamente factible y económicamente viable el desarrollo de proyectos militares regionales en el campo científico, técnico e industrial. Desde un comienzo, libera la posibilidad de adquirir armamentos y equipos sin ningún tipo de limitación... La relación Pueblo-Ejército también pasa por el grado de desarrollo del complejo industrial y científico de la Nación... Por ello el origen de la re-industrialización venezolana en América Meridional podría estar también en la creación de industrias militares. Estas industrias serán parte de un *capitalismo de Estado* que nacerá para reemplazar la pereza histórica de un empresariado industrialmente indolente. Advertiremos que ese proceso de estructuración será en definitiva una alianza entre la Fuerza Armada y nuevos grupos empresariales, en función de determinados proyectos específicos definidos por el poder político"[94].

- *¿Adónde quieren llegar?*

- Al desarrollo de tecnología nuclear con fines bélicos. En buen castellano: a la bomba atómica de Chávez, que significaría un nuevo equilibrio de poder. En las mentes afiebradas de Ceresole y su discípulo, la Gran Venezuela o la "Confederación Bolivariana" aliada a potencias fundamentalistas del mundo islámico como Irán, asumirían el viejo papel de la Unión Soviética en un nuevo orden bipolar, una Segunda Guerra Fría destinada a "poner de rodillas al imperio".

- *¿Tanto así?*

- Buscan un cambio de paradigma mundial. Leo nuevamente, si necesita una confirmación: "La fuerza se convertirá en el eje de un vasto proceso de desarrollo económico, tecnológico y social, seleccionando tecnologías en áreas hasta ahora prohibidas -¿Rusia?- y construyendo industrias militares propias... Reiteramos la urgencia de disponer al más breve plazo posible de una fuerza de defensa submarina con una amplia capacidad de acción, único medio de mantener expeditos los pasos entre el Caribe y el Atlántico".

- *¿Cuáles son exactamente las simpatías ideológicas de Ceresole?*

- Simpatías que en buena medida ha heredado Hugo Chávez y que influyen sobre las directrices de la política exterior de Evo Morales. El teórico

94 Extractado del libro "*Caracas, Buenos Aires, Jerusalén*", de Norberto Ceresole.

argentino solía criticar "un factor siempre presente en nuestros países de la América Meridional: el factor judío, representado, entre otros actores, por la pérfida acción encubierta de los servicios de inteligencia del Estado de Israel". Negó el holocausto y cultivó grandes amistades entre los radicales islámicos. Defendió al austríaco de ultraderecha Jorg Haider y al ex presidente serbio Slobodan Milosevic. Como se ve, un club muy poco democrático. Esto abona el hecho de que hablemos del *fascismo de Chávez*, un movimiento al mismo tiempo antinorteamericano y antisemita, con Mahmmud Ahmadinejad como socio predilecto.

- *Otro teórico que ha sido vinculado con Hugo Chávez es Heinz Dieterich.*

- Personaje del todo distinto a Ceresole en el plano ideológico, de matriz marxista-leninista, pero que comparte las mismas inclinaciones totalitarias. Al fin y al cabo, los extremos se tocan, sobre todo en ese híbrido extraño que es el despotismo del siglo XXI impulsado por Chávez[95]. Dieterich fue uno de los intelectuales oficiales de Alemania Oriental. Tras el derrumbe del Muro se quedó sin las rentas que le pasaba la dictadura de Honecker y tuvo que buscar nuevos horizontes, para lo que se "refugió" en México. En América Latina pronto encontró un nuevo mecenas en la figura de Hugo Chávez, para quien elaboró una teoría *ad hoc*: la "nueva geometría del poder", que busca justificar el asalto institucional contra los gobiernos estaduales y municipales en Venezuela. Se trata de desintegrar las unidades administrativas vigentes para reconfigurar el mapa territorial con nuevas *unidades revolucionarias,* que permitan centralizar el poder. Una posible derivación de ese concepto es el "Estado Plurinacional" promovido por el MAS, o la *re-territorialización del poder* del grupo Comuna. Heinz Dieterich es un habitué de las páginas virtuales de Bolpress, la agencia de Wálter Chávez. Desde ese espacio, pregona las bondades del "socialismo del siglo XXI" y de vez en cuando denuncia supuestas conspiraciones golpistas de la derecha boliviana. El barroquismo con el que Dieterich detalla los planes subversivos de la oposición hace suponer que el ideólogo alemán tiene una imaginación mucho más desarrollada que su escasa credibilidad.

- *Usted también ha mencionado a Toni Negri.*

- Una de las principales influencias ideológicas de Álvaro García Linera. Alguien que, además, tiene un pasado muy parecido al del vicepresidente

95 Otro tanto puede decirse del *evismo,* donde se fusionan el neo-comunismo de inspiración castrista con un cúmulo de prejuicios raciales y prácticas de violencia callejera, que configuran una suerte de *fascismo andino.*

de la república. Estuvo de visita en Bolivia a mediados del 2007, invitado por su admirador número uno, García Linera. La llegada de Negri desató una crisis de celos en Heinz Dieterich, que escribió: "parece increíble, pero la vicepresidencia de Álvaro invitó dos semanas pagadas a uno de los principales confusionistas del imperialismo, Toni Negri, para que predicara en comunidades y universidades de Bolivia de *la multitud*, de las nuevas subjetividades y de *la mierda que es el Estado Nacional*". Ya ve la intensidad de las luchas de capillas al interior del campo neocomunista... Hubo medios de prensa que cubrieron ampliamente su venida, pero nadie dijo palabra sobre sus antecedentes penales. Sucede que en Italia Negri es apodado el *"pérfido maestro"*, ya que desde su cátedra en la Universidad de Padua se convirtió en el cerebro de las Brigadas Rojas, un grupo terrorista de extrema izquierda que tuvo una intensa actividad en los años ´70. Toni Negri cumplió una sentencia en la cárcel por su vinculación con el asesinato del primer ministro democristiano Aldo Moro. En prisión se reinventó de la misma forma que García Linera, o quizás sea a la inversa, ¿no? Tal vez sea el vice boliviano quien se ha reconstruido a imagen y semejanza de su ícono. Otra similitud: la liberación de Negri también se debió a un truco legal. Estando en régimen de semi-libertad fue postulado como candidato al Parlamento por el Partido Radical. Una vez electo, el fuero parlamentario lo devolvió plenamente a las calles. Y qué casualidad, por esos tiempos hubo cierto repunte en las actividades de las Brigadas Rojas... En los últimos años, Negri escribió un best-seller del movimiento globalifóbico: *"Imperio"*, libro en el que justifica al terrorismo islámico como punta de lanza de la revolución posmoderna contra el capital trasnacional, el nuevo "Imperio" a combatir por la "Multitud". Ion Mihai Pacepa, quien fuera asesor de seguridad nacional del dictador comunista de Rumania, Nicolae Ceausescu, confesaba hace poco que "Durante 27 años de mi antigua vida, participé en la creación de varios Antonio Negri por toda Europa Occidental. Ayudé a escribir la letra de esa canción de sirenas según la cual Estados Unidos, simbolizando a los ricos del mundo, es el responsable de todos los males de la humanidad. Conozco bien esa retórica. En la actualidad, estos agitadores de la Guerra Fría resucitados me preocupan más que las Kalashnikovs con que nos apuntan los terroristas". Para Negri, debe lograrse que la "Multitud" tenga armas. A propósito, ¿sabe cómo darse cuenta si está en medio de una revolución?

- *¿Cómo?*

- Justamente, cuando haya milicias con armas. Ése es el "punto de bifurcación", la piedra de toque para reconocer la coyuntura revolucionaria. Por eso, sostengo que mientras no se desactiven de forma definitiva las

milicias irregulares y mercenarias financiadas por ciertas ONGs, no será posible estabilizar la democracia boliviana. Hasta entonces, estaremos a merced de los apologistas de la guerra civil.

- *¿Perdón?*

- Como escuchó. Hemos visto que el enfrentamiento civil ha sido una amenaza efectiva, un instrumento de *chantaje a la democracia*. Pero para muchos integrantes del gobierno, es también una anhelada posibilidad.

- *¿Quiénes?*

- Voy a contarle una anécdota, sucedida a fines del 2006 en el aeropuerto de Sucre. Mientras esperaban un vuelo a La Paz, el constituyente del MAS "Chato" Prada y Wálter Chávez tuvieron una acalorada discusión que por poco no llega a los puños. Hubieron muy pocos testigos, pero los hubo. Cruzaron insultos de grueso calibre que no voy a repetir. Como dicen los mexicanos, "se mentaron la madre". Era la época en que la lucha por los 2/3 se encontraba en su apogeo y Prada defendía la necesidad de buscar una concertación mínima con algunas fuerzas de oposición, una tibia apertura táctica. Pero Chávez respondió con ferocidad, diciendo que no había nada que ceder y que era absolutamente preciso llegar a la guerra civil. Cuanto antes mejor. A juzgar por las circunstancias de fines de noviembre del 2007, parece que los planes de Chávez se demoraron por un año. Y no sería difícil relacionarlo con barbaridades sucedidas más recientemente, como el degüello cruel de unos pobres perros en Omasuyos, que representaban al prefecto Rubén Costas y al actual presidente del Comité Pro Santa Cruz, Branko Marinkovic. Esa práctica no es nada habitual en las comunidades aymaras, pero sí fue muy utilizada por Sendero Luminoso en Perú, organización que colgaba perros advirtiendo que lo mismo le pasaría a los "burgueses". ¿Wálter Chávez está haciendo escuela en Bolivia? En el campo de los *guerracivilistas* también tenemos que enrolar a García Linera, algo más que demostrado con todo lo conversado anteriormente, a lo que podemos sumar sus declaraciones eufóricas sobre un "inminente tensionamiento de fuerzas", la gran lucha final de los bloques históricos.

- *¿Qué han logrado hasta ahora esas corrientes?*

- Lo que siempre consiguen. Sembrar violencia y muerte. Violar sistemáticamente los derechos humanos. Cometer crímenes de lesa humanidad, lindantes con el genocidio.

- *¿Por ejemplo?*

- Masacre de Huanuni, enero negro en Cochabamba, Constitución sangrienta en Sucre... ¿O debería empezar por octubre de 2003 en El Alto?

Ya vimos el papel desempeñado durante ese conflicto por Felipe Quispe, García Linera, las ONGs de Soros y los dirigentes mercenarios de los "movimientos sociales". ¿Sabe cuál fue el papel de Wálter Chávez y su gente? Ellos aportaron el aparato propagandístico y desinformativo de la insurrección. En un artículo que publicó en el periódico mexicano La Jornada, Luis A. Gómez -quien forma parte de ese círculo- describía de manera heroica el rol de los *walterboys*. Decía que "radios como Erbol y agencias como Bolpress jugaron un papel decisivo en la revuelta popular boliviana... Algunos medios impresos paceños también jugaron un rol destacado... El semanario Pulso lanzó una edición de cuatro páginas, el miércoles 15, con dos notas y varias fotografías, cuyo titular era *En nombre de la democracia, el presidente debe renunciar*". Adivine quién era el jefe de redacción de Pulso en ese entonces.

- *¿Quién?*

- Gustavo Guzmán, el actual embajador de Evo en Washington que no sabe decir "my pencil is red". Según la nota de Luis A. Gómez, el lunes 13 de octubre "Wálter Chávez editó una edición extra (de El Juguete Rabioso) dedicada a la resistencia popular de El Alto. Dicha edición circuló en las calles de La Paz, sobre todo en la zona de la Plaza de San Francisco, donde se concentraba la movilización. Fue distribuida en forma gratuita".

- *Le pido que detalle las violaciones a los derechos humanos cometidas por el gobierno de Evo Morales.*

- Tarea ingrata, que trataremos de hacer de la mejor manera posible. La primera muerte a manos de la fuerza pública se produjo el 9 de junio del 2006, durante un operativo de desalojo en Papelpampa, departamento de Oruro. Allí cayó abatido por una bala de uso militar un integrante del Movimiento Sin Techo, Santiago Orocondo. Además, hubieron 15 personas heridas. El prefecto masista de Oruro y la ex ministra de gobierno, Alicia Muñoz, se echaron mutuamente la culpa por ese asesinato. Luego vino la violenta represión a los cocaleros de Los Yungas de Vandiola, competidores de los cultivadores de coca-para-cocaína de El Chapare. Sucedió que, mientras en la zona cocalera controlada por Evo se implementaba la "erradicación voluntaria y concertada", en la otra zona continuaba la erradicación forzosa de cultivos excedentarios con fuerzas policiales y militares. El saldo fueron dos nuevas muertes el 29 de septiembre del 2006: los cocaleros Rember Guzmán y Celestino Ricaldes. Es curiosa la doble vara usada por Morales para tratar a "sus" cocaleros y a los otros. Recuerde, además, su pasado de represor de los cultivadores yungueños en su etapa de conscripto militar. Pero lo más grave de todo vendría el 5 y

6 de octubre del 2006, en la localidad minera de Huanuni, departamento de Oruro. Allí se venía incubando desde hacía meses un conflicto entre cooperativistas mineros y asalariados partidarios de la estatización. Los primeros son pequeños empresarios privados surgidos luego del cierre de las deficitarias minas estatales, a mediados de los ´80. En su mayoría son ex trabajadores de COMIBOL, que poco a poco y a costa de grandes sacrificios lograron desarrollar sus propias empresas cooperativas, en una experiencia de capitalismo popular. Los cooperativistas fueron parte de la alianza electoral del MAS en las elecciones del 2005 y en retribución a su apoyo recibieron el Ministerio de Minería, que fue ocupado por uno de sus principales dirigentes, Wálter Villarroel. Sin embargo, el boom de los precios internacionales de los minerales pronto cambiaría las intenciones del gobierno hacia ese sector. Repentinamente, la minería volvía a ser una actividad muy rentable, un néctar apetitoso que podría ir a parar a manos de la nueva clase burocrática, a través de una adecuada política de "nacionalización". Se hacía preciso cambiar de aliados, prescindiendo de los cooperativistas mineros para apoyarse en los asalariados, impulsando la estatización. Había que matar ese germen de capitalismo popular. Había que evitar que surgiera una clase próspera de pequeños y medianos empresarios mineros de extracción indígena y mestiza. Hay que aclarar que la gran mayoría de la población de Huanuni eran cooperativistas, alrededor de 4.000, contra sólo 1.000 asalariados. El conflicto, como le decía, fue *in crescendo* durante meses, ante la pasividad de las principales cabezas del gobierno y con un creciente aislamiento del ministro Villarroel del entorno presidencial. Hubieron muchas voces que advirtieron sobre un posible desenlace sangriento de aquella tensión. Fue el caso de varios dirigentes de la Central Obrera Boliviana, como el presidente saliente Jaime Solares y su reemplazante, Pedro Montes. Ninguno fue escuchado. Así se llegó a la fecha fatídica del 5 de octubre del 2006. A las 4:00 de la mañana, Solares hizo una llamada urgente al Palacio de Gobierno para avisar sobre la peligrosa situación del Cerro Posokoni: asalariados y cooperativistas se habían atrincherado en diferentes áreas de la mina, portando armas de fuego y dinamita. Un rato después, Pedro Montes se apareció en el Palacio Quemado, donde se reunió con Álvaro García Linera, quien ejercía el interinato presidencial a raíz de un viaje al exterior de Evo Morales. Montes manifestó su preocupación por lo que pudiera pasar en Huanuni en las siguientes horas, y pidió la intervención preventiva de la fuerza pública. El vicepresidente se mofó de la posibilidad de que corriera sangre. "Si hay muertos, yo pongo los cajones", dijo, demostrando su completo desprecio por la vida humana. No habían pasado dos horas de esas ignominiosas palabras cuando la violencia se desató con furia en

el Cerro Posokoni. Desde la cima, los asalariados lanzaban rodando las tristemente célebres "ruedas de Huanuni": llantas repletas de cartuchos de dinamita con la mecha encendida, que provocaban grandes explosiones al llegar a la parte baja, donde se habían concentrado los cooperativistas. Al mismo tiempo, comenzó un intenso fuego cruzado de fusiles. Fue una verdadera batalla campal, que se extendió a lo largo de todo el día y también durante parte de la jornada siguiente.

- *Entretanto, ¿qué hacía el gobierno?*

- Nada. Eso es lo más sorprendente. Fueron negligentes al no intervenir de manera preventiva, pero la decisión de no entrar en Huanuni para detener los enfrentamientos fue de verdadera complicidad. En realidad, ese fue el momento en que la ministra Alicia Muñoz inauguró la táctica de la omisión -que ya vimos cuando comentamos el asalto a los huelguistas en la Iglesia San Francisco-, consistente en retirar a la fuerza pública mientras actúan violentamente los grupos irregulares afines al gobierno. Sólo cuando los mineros parecieron haber "ganado" la contienda la Policía tomó el control de la zona. Para ese entonces, había alrededor de 16 muertos y al menos 65 heridos en las inmediaciones, la mayoría cooperativistas. Digo "alrededor" porque es difícil establecer el número exacto de víctimas, por los terribles efectos de las ruedas explosivas, que dejaron un tendal de fragmentos humanos en las faldas del cerro. La reacción del gobierno fue sustituir al ministro Villarroel por Guillermo Dalence, proveniente del CEJIS, quien se hizo cargo de la cartera de Minería. Poco después, se decretó la estatización de la mina de Posokoni y se convirtió a una gran cantidad de cooperativistas en asalariados. Es decir, que se *reproletarizó* a miles de pequeños empresarios. La jugada había concluido con éxito. El botín estaba en manos de la *nomenklatura*, que podría sorber el néctar burocrático de los minerales en alza, la plusvalía revolucionaria, con el trabajo barato de los pobladores expropiados de Huanuni. Los cooperativistas protestaron y dijeron que habían sido utilizados por el gobierno, que no se conmovió en lo más mínimo por lo sucedido. No hubo una condolencia, una palabra de preocupación de Evo, Álvaro o alguno de sus ministros. No se declaró duelo nacional. *Se había hecho lo necesario*. ONGs absorbidas por el gobierno, como la Asamblea Permanente de Derechos Humanos, se abstuvieron vergonzosamente de cuestionar el accionar del Poder Ejecutivo.

- *¿Y la sociedad civil?*

- La masacre estremeció a la opinión pública y pronto surgieron muestras de solidaridad desde las distintas regiones. En Santa Cruz, la Cámara de Industria y Comercio organizó en tiempo record una colecta entre sus asociados, para llevar medicamentos, kits de sutura, alimentos y agua. El 7 de octubre ya estaba partiendo el camión con la ayuda, con el propio gerente general de la institución a bordo, Daniel Velasco. Entonces volvió a dar frutos el esfuerzo realizado con las mesas de *Visión País*, porque los acercamientos previos con dirigentes cívicos de Oruro y Potosí facilitaron el contacto con las autoridades locales de Huanuni. Al llegar a esa población, el espectáculo era dantesco: el mercado totalmente destruido, vehículos abollados por las ondas expansivas de las dinamitas, casas precarias en el piso, destruidas. Gente durmiendo en carpas improvisadas. Como si hubiera pasado un huracán. El Comité Pro Santa Cruz también hizo llegar su ayuda hasta el hospital de Oruro -donde fueron internados muchos de los heridos-, con sangre donada por cientos de cruceños. Después se plegaron la Prefectura de Santa Cruz e instituciones públicas y privadas de distintas partes del país.

- *¿Cuáles fueron las consecuencias políticas del conflicto?*

- La aprobación a la gestión de Evo Morales cayó en picada hasta el 44% y se pudo percibir claramente el surgimiento de una oposición popular. Ya no era sólo la clase media la que protestaba. ¿La solución del gobierno? Lanzó una medida de corte prebendalista, regalando dinero de los ingresos por hidrocarburos a través del Bono "Juancito Pinto", un grueso remedo de las políticas contra la deserción escolar implementadas por Lula Da Silva. Supuestamente, el bono debía servir para que los padres les comprasen útiles y uniformes escolares a los niños, pero se entregó dinero en efectivo y tres meses antes del inicio del ciclo de clases, por lo que se estima que fue a parar a otros fines. Está claro que el objetivo real no era reducir la deserción escolar, sino simplemente repuntar en las encuestas, meta que se logró con un alza temporal de popularidad.

- *Volvamos a las violaciones a los derechos humanos.*

- En ese record se mezclan los abusos cometidos por la fuerza pública, las omisiones de resguardo deliberadas y los atropellos a cargo de grupos mercenarios. La fórmula de "omisión estatal + violencia de las milicias sindicales" se reeditó en Cochabamba, durante el trágico *enero negro*. Lo que hubo entonces fue el intento por parte de los "movimientos sociales" masistas de derrocar al prefecto electo democráticamente por la población. La victoria de Manfred Reyes Villa sobre el candidato del MAS, Jorge Alvarado, fue un trago amargo difícil de asimilar para el partido cocalero, que consideraba a Cochabamba como su feudo. Además, con el intento de toma de la Prefectura los dirigentes de base buscaban conseguir las cuotas de poder que se les habían negado en el gobierno central.

- *¿Puede explicar ese punto?*

- Recordará que a fines de diciembre del 2006, dirigentes sindicales y cocaleros habían reclamado una "reestructuración" del gobierno. Básicamente, se trataba de cambiar algunos ministros y viceministros para poder distribuir cargos entre su militancia. Hubo una pantomima de evaluación del gabinete con los "movimientos sociales" en un encuentro realizado en el lago Titicaca, pero la burocracia de las ONGs se mantuvo firme y no cedió un solo espacio. A partir de allí, comenzó a gestarse como estrategia alternativa el asalto a la Prefectura de Cochabamba, que podía resultar un buen botín de consuelo para los insatisfechos. Cercaron la ciudad de Cochabamba, cortaron el suministro de agua potable e impidieron el abastecimiento de alimentos... En fin, cometieron crímenes de lesa humanidad, pero la cosa no terminó allí. Invadieron la ciudad el 8 de enero con grupos traídos en camiones desde El Chapare, solventados con los viáticos correspondientes y enardecidos con abundante alcohol. Incluso se vio a una senadora del MAS, Leonilda Zurita, repartiéndole a las milicias sindicales provisiones de la Defensa Civil. ¿Recuerda a la dirigente acusada de participar en el secuestro, tortura y homicidio de varios oficiales de policía en El Chapare? Los milicianos bajo su mando incendiaron la puerta de acceso a la Prefectura y quemaron vehículos que se encontraban en el lugar. Manfred Reyes Villa tuvo que refugiarse en Santa Cruz. Finalmente, ante la pasividad de las fuerzas policiales que recibieron las consabidas instrucciones de la ministra Muñoz y tras cuatro días de invasión, el 11 de enero la población cochabambina salió a las calles a defender su ciudad. El choque entre miles de citadinos y cocaleros fue brutal, con escenas propias de una guerra tribal africana. Fue una batalla librada con palos, piedras y machetes, aunque también aparecieron armas de fuego. Los cocaleros retrocedieron y en la plaza 14 de septiembre mostraron ante las cámaras de televisión el cadáver de Juan Ticacolque, con un disparo de bala en el tórax. Versiones posteriores abrieron el debate sobre si el cocalero realmente murió en Cochabamba o si habría sido trasladado sin vida desde las afueras de la ciudad.

- *¿En qué se basa esa duda?*

- Las imágenes de TV fueron examinadas por un experto forense, quien afirmó que el cuerpo presentaba una rigidez cadavérica de varias horas y que el orificio causado por la bala era demasiado regular, como si el disparo hubiera sido realizado cuando el fallecido ya presentaba el *rigor mortis*. Además, existen testimonios de antiguos pobladores del Chapare, que afirman que esta sería una táctica habitual en la dictadura sindical que se vive en esa zona. El editorial del diario La Estrella del Oriente del

3 de octubre de 2007, escrito por Centa Reck, afirma lo siguiente: "Recordemos que los estudios realizados establecieron que Ticacolque había muerto un día antes, a causa de resbalar de una escalera en el ejercicio de su trabajo de albañil. A continuación los cocaleros le dieron un tiro después de muerto y lo llevaron a la plaza de Cochabamba (...) Luego no permitieron bajo ningún concepto que se le practique una autopsia". En ese momento se enardeció la furia de los milicianos, que comenzaron a recorrer el centro de la ciudad en patrullas de represalia. Uno de esos grupos atacó a Christian Urresti Ferrel, de 17 años, que se había interpuesto entre los agresores y su padre. El joven recibió un machetazo profundo en la cabeza y alcanzó a refugiarse junto a otras siete personas en una casa de la calle España. Un médico que estaba entre los refugiados le dio los primeros auxilios, pero el estado de Urresti empeoraba por la hemorragia. Así que decidieron trasladarlo a la clínica San Vicente, ubicada cerca del lugar. En ese momento fueron interceptados por tres hombres que portaban cámaras filmadoras digitales, similares a las que llevaban miembros de la Federación de Productores de Coca durante la movilización del 8 de enero. Cámaras del mismo tipo también eran usadas por agentes de inteligencia que registraban la marcha que partió desde la plaza de Cala Cala. Al principio estas personas se mostraron hostiles, pero finalmente condicionaron el traslado a que se realizara bajo su resguardo. Sin embargo, a menos de 10 metros Urresti y sus acompañantes fueron asaltados por una turba de cocaleros, que se abalanzaron sobre el joven. El médico sufrió fracturas múltiples en las manos al tratar de defender al herido. Christian Urresti recibió golpes y machetazos en el rostro y en las extremidades, y por último fue colgado de una reja con una cuerda similar a la usada por los cargadores, hasta estrangularlo. Testigos que pasaron horas después por el lugar del crimen dicen haber visto a una persona parecida al senador del MAS, Omar Fernández, celebrando la muerte del joven. Esta es la trágica realidad de la "revolución democrática". Hasta hoy, el cruel asesinato de Christian Urresti sigue impune. Varios de los testigos han sufrido intimidaciones y la Fiscalía ha visto entorpecida su labor desde esferas de gobierno.

- *Hubo un segundo cocalero fallecido.*

- Sí. Luciano Colque, que estuvo en terapia intensiva durante cuarenta días por una herida de bala y falleció el 25 de febrero. También hubieron muchas agresiones en la localidad de Sacaba, donde las milicias chapareñas bloqueaban los autobuses y bajaban a los pasajeros que tenían aspecto de cruceños, dándoles salvajes golpizas. ¿Sabe qué hacía Evo Morales mientras en el país se masacraba de esa manera? Lanzaba en Nicaragua su candidatura al Premio Nobel de la Paz. El gobierno no condenó en ningún momento el accionar de las turbas parasindicales y en cambio premió a los cabecillas con cargos públicos. El asalto a la Prefectura de Cochabamba había fracasado, por lo que se volvió al plan original: reestructurar el gabinete para dar cuotas a los descontentos. Celima Torrico, dirigente cocalera que tuvo una actuación "destacada" en los hechos de *enero negro*, fue designada Ministra de Justicia. Alfredo Rada, como ya le conté, también tuvo su ascenso por su eficiente "coordinación con los movimientos sociales".

- *Es decir, que si hubieran cambiado el gabinete a comienzos de enero...*

- Correcto. Se habrían evitado varias muertes y centenares de heridos. La que sí tuvo que despedirse de su cargo fue la Ministra de Gobierno, cuya presencia era insostenible, y que fue rebautizada "Malicia" Muñoz por el escritor Juan Claudio Lechín, a raíz de su táctica de omisión policial deliberada. Fue a parar a un exilio dorado en Suiza, como representante de Bolivia ante un organismo internacional. Durante su paso por la cartera de Gobierno también se dio el secuestro del refugiado cubano Amauris Samartino, al parecer por orden de la Embajada de Cuba, que lo había requerido para procesarlo en la isla. Una sentencia de muerte segura. Disidente de la dictadura de Fidel Castro, Samartino llegó a Bolivia en el 2000, patrocinado por la Organización Internacional de Migraciones, con estatus de refugiado político. En los meses anteriores a su detención había denunciado públicamente la ausencia de libertades en su país de origen y la influencia del gobierno castrista sobre el presidente Evo Morales. En represalia, el 19 de septiembre del 2006 la ministra Alicia Muñoz le revocó el estatus de refugiado, a través de una resolución ministerial contraria a las normas constitucionales del debido proceso y al decreto 24423, que regula el régimen legal para la expulsión de asilados y refugiados políticos en Bolivia. El 23 de diciembre, en la antevíspera de Navidad, cinco individuos vestidos de civil interceptaron a Samartino y a su esposa boliviana, Normina Chávez, en la Avenida Cañoto de Santa Cruz. Bajaron de una movilidad y lo encañonaron mientras decían que eran policías, aunque no mostraron ninguna identificación. Lo esposaron e introdujeron en el vehículo, una camioneta doble cabina de color azul con placa 1071 TLC. Después lo encapucharon y partieron con rumbo desconocido. Como ve, la detención no observó ninguna de las garantías legales. Además, se aprovechó el descanso de los medios de comunicación y el feriado judicial, para que hubiera baja cobertura del hecho y no pudiese aplicarse el *habeas corpus* con rapidez. Recién al día siguiente el Ministerio de Gobierno reconoció la detención a través de un comunicado, donde informaba que el refugiado sería expulsado en el primer vuelo con destino a Cuba. La rápida reacción de parlamentarios de oposición y de organismos como el ACNUR[96] logró que el disidente cubano no fuera enviado a Cuba y le facilitaron refugio temporal en Colombia, adonde fue expulsado. Posteriormente, el Tribunal Constitucional declaró procedente el recurso de *habeas corpus*, por lo que Samartino tendría pleno derecho a retornar a Bolivia. Sin embargo, el vicepresidente García Linera dijo que respetaban el fallo pero que no permitirían la vuelta del disidente cubano.

- El cambio de Muñoz por Rada no parece haber mejorado mucho el desempeño del Ministerio de Gobierno en materia de derechos humanos.

- Tiene razón. La táctica de la omisión dejó paso a la represión directa por parte de las fuerzas policiales y militares. En febrero del 2007, aprovechando el carnaval, reprimieron a los pobladores de Camiri que reclamaban el cumplimiento de una disposición incluida en la Ley de Hidrocarburos, por la cual varias reparticiones de YPFB debían instalarse en esa ciudad, considerada la "capital petrolera" de Bolivia. Hubieron varios heridos pero afortunadamente no llegó a lamentarse ninguna muerte. No puede decirse lo mismo de lo sucedido el 17 de abril en Villamontes, Tarija. Un conflicto limítrofe entre dos provincias, alentado desde el centralismo para poner en problemas a la Prefectura de ese departamento, derivó en medidas de hecho cuando representantes de uno de los bandos enfrentados tomó un campo gasífero. La intervención militar ordenada por el gobierno dejó sin vida a Herman Ruiz, a causa de un impacto de bala. Aunque las autoridades nacionales intentaron deslindar responsabilidades, fuentes militares revelaron que la orden de usar armas de fuego provino del Poder Ejecutivo. De hecho, el ministro Alfredo Rada supervisaba los operativos personalmente, en el lugar de los hechos. Algo parecido se repitió el 28 de septiembre, durante la represión policial y militar contra estudiantes de la Normal "Ismael Montes" de Arani, Cochabamba. El joven Osmar Flores Torres recibió un disparo que le reventó la cara y que salió por su nuca. Nuevamente, se negó que las fuerzas represivas hubiesen sido las causantes, pero el peritaje de balística demostró que la bala asesina era de uso reglamentario. Luego vendrían los hechos sangrientos de Sucre a fines de noviembre...

96 Alto Comisionado de las Naciones Unidas para los Refugiados.

- Que tocaremos más adelante. Otra de las violaciones frecuentes a los derechos humanos ha sido el ataque a la prensa. Quisiera que comente el tema.

- Como ya indiqué, la agresión contra la prensa comenzó el mismo día de la asunción de Evo Morales y se mantuvo como una constante de este gobierno. Periódicamente, el presidente se ha encargado de fustigar a los medios de comunicación en sus discursos, instigando de manera velada o explícita a sus seguidores. Ya detallé los ataques contra periodistas en San Julián. Otro de los casos se dio el 29 de noviembre del 2006, en Santa Cruz de la Sierra, cuando el periodista de El Nuevo Día José Antonio Quisbert fue detenido para evitar que publicara una nota sobre actos de corrupción, que involucraba a altos funcionarios del gobierno. Quisbert recibió documentos probatorios de la Directora Departamental de Migración, Olga Lidia Espinoza, que fue destituida tras el incidente. Funcionarios del Ministerio de Gobierno le arrebataron violentamente la documentación al periodista y luego lo arrestaron, por orden directa del viceministro de régimen interior, Rubén Gamarra. Entre la documentación decomisada había un informe de Olga Lidia Espinoza dirigido al propio Gamarra, sobre las llamadas que realizó el senador del MAS Guido Guardia presionando para que se entregaran visados a nueve ciudadanos chinos. Quisbert estuvo detenido por cuatro horas y la Sociedad Interamericana de Prensa expresó su repudio a la actuación gubernamental. La red PAT, que durante un tiempo incubó a García Linera, también fue objeto de amedrentamiento. El 6 de diciembre del 2006, en La Paz, una treintena de militantes del Movimiento Al Socialismo se instaló frente a ese canal lanzando amenazas violentas, especialmente contra Roberto Barbery Anaya, por entonces editorialista del noticiero de PAT. La intención era que el canal dejara de difundir información considerada inconveniente por los *censores* del gobierno. El hecho motivó una carta de Carlos Mesa al vicepresidente, recordándole que era "su amigo".

- También se habló de instaurar la cadena perpetua para directores de medios de comunicación.

- Cierto. Lo dijo el ministro de cultura de Cuba, Abel Prieto, durante un "encuentro de intelectuales y artistas" realizado en Cochabamba, a fines de mayo del 2007. Esa amenaza contó con el total beneplácito del gobierno títere de Evo Morales. No podía ser de otra manera, ya que el encuentro había sido financiado por PDVSA. Claro que, más que intelectuales, los asistentes eran funcionarios de los ministerios de cultura y educación de Venezuela, Cuba, Ecuador y Bolivia, más algunos cuantos *turistas revolucionarios* de otros países. Pero decir la verdad no habría sonado muy bien, ¿no cree? “Encuentro de burócratas y censores ideológicos”... Por las mismas fechas, el régimen chavista cortó las emisiones abiertas de RCTV y el discípulo ecuatoriano, Rafael Correa, impulsó procesos judiciales contra representantes de medios críticos o independientes. Una de las recomendaciones del encuentro de Cochabamba fue establecer un “observatorio” para hacer el seguimiento de la cobertura de los medios y procesar a los directores “que no digan la verdad”, según palabras textuales de los seudo-intelectuales pagados con petrocheques venezolanos. Ese observatorio funciona actualmente en Santa Cruz de la Sierra y tiene fuertes vínculos con el equipo comunicacional encabezado por el *monje negro*, Wálter Chávez. Después de eso, hemos tenido muchos más intentos de coartar la libertad de prensa en Bolivia. La intervención del canal 20 de Cochabamba, instigada por la ministra de justicia, Celima Torrico. O ejemplos de una censura más sutil, ejercida a través de presiones a los dueños de los medios de comunicación, que obligaron a salir del aire a algunos de los periodistas más prestigiosos del país, como Cayetano Llobet y Roberto Barbery. Pero las intenciones liberticidas también afectaron a simples ciudadanos, como la joven abogada Jessika Echeverría, detenida el 9 de diciembre del 2006 en el aeropuerto de Cochabamba, por gritar consignas a favor de los 2/3 cuando arribaban delegaciones extranjeras a la Cumbre Sudamericana. A pesar del carácter pacífico de su protesta y de ser aplaudida por la mayoría de los viajeros, la manifestante fue arrastrada fuera del aeropuerto por efectivos policiales, que le causaron heridas leves y la trasladaron a tres lugares distintos en calidad de detenida. Finalmente, fue liberada gracias a la intervención de tres abogados cochabambinos. La víctima fue entrevistada por varios canales de televisión, luego de lo cual recibió amenazas de muerte. Algo parecido le pasó a varios ciudadanos, que en distintos momentos se atrevieron a gritar alguna frase de protesta al paso de la comitiva presidencial. Uno de esos casos se dio en La Paz un día domingo, por lo que no tuvo cobertura de prensa. El ciudadano fue violentamente reducido por los escoltas de Evo Morales, quienes lo hicieron arrodillar y pedir perdón. Como lo oye. También fue detenido un joven que tuvo la osadía de gritarle “maricón” al vicepresidente García Linera, en una universidad de Santa Cruz.

- *Volviendo al papel del Ministerio de Gobierno...*

- Rada tuvo una actuación lamentable cuando la Federación de Discapacitados realizó actos de protesta por las promesas incumplidas del MAS. Los minusválidos reclamaban un bono ofertado durante la campaña electoral, pero en vez de eso recibieron gas lacrimógeno y empujones policiales en la ciudad de La Paz. Una infamia parecida se llevó a cabo contra ancianos rentistas, que también se manifestaban contra el gobierno. Y ahora Morales habla de "renta dignidad".

- *Otro fenómeno preocupante y recurrente es el de los linchamientos.*

- Que se han intensificado de manera extraordinaria en los dos últimos años, coincidiendo con la implantación del régimen evista. La promoción desde el gobierno de un concepto distorsionado de "justicia comunitaria", que en su visión no estaría supeditada al control de la justicia ordinaria, parece haber alentado estas prácticas lamentables. En varios casos, los linchamientos adquirieron un claro tinte racista, como en el homicidio del joven estudiante Rolando Gira Meruvia, que fue enterrado vivo por cocaleros del Chapare, luego de que escucharan su acento cruceño.

- *Pasemos al ataque contra el Poder Judicial.*

- Dispositivo fundamental en la estrategia de concentración totalitaria del poder practicada por la nueva clase burocrática. La arremetida comenzó el durante la noche de Año Nuevo (2006 al 2007), continuando la práctica de utilizar feriados y fines de semana, momento en que tanto los medios como la población están desprevenidos. Evo Morales recibió el 2007 con un decreto en el que designaba a dedo a nuevos magistrados de la Corte Suprema de Justicia. Algunos días después, al posesionar a esos magistrados interinos, descalificó a todo el Poder Judicial como "corrupto" y adelantó los planes de implantar la llamada "justicia comunitaria", es decir, el linchamiento como práctica institucionalizada. Se presionó al presidente de la Corte Suprema de Justicia, Héctor Sandóval, para que renunciara, pero éste se mantuvo firme y los planes gubernamentales se frustraron. Después, como recordará, el Tribunal Constitucional falló cesando a los jueces interinos, lo que desató una guerra desde el Poder Ejecutivo contra ese órgano. Evo acusó a los magistrados del Tribunal Constitucional de prevaricato y promovió un juicio contra ellos. En realidad, el TC estaba en la mira de los neocomunistas desde mucho tiempo atrás. Basta con recordar las declaraciones hechas por el candidato del MAS en la campaña 2005, señalando la necesidad de cerrar esa institución. Es que la idea misma de control de constitucionalidad es inconcebible para los totalitarios... El juicio contra los magistrados del Tribunal Constitucional estuvo viciado de nulidad desde un principio, por las irregularidades cometidas por el Movimiento Al Socialismo en la Comisión de Constitución de la Cámara de Diputados. Allí se violaron las normas del debido proceso reiteradamente. Aunque la propia Comisión de Derechos Humanos de la Cámara Baja declaró la nulidad del proceso y dispuso el archivo de obrados, el oficialismo usó su rodillo parlamentario para votar afirmativamente la acusación, lo que desencadenó una batalla campal en pleno hemiciclo. El Congreso se convirtió en un ring de box y artes marciales, con sillas voladoras y cholitas diputadas que hacían llaves de cachascán. El saldo fueron múltiples contusos y una completa vergüenza nacional.

- *No era la primera vez que se veían agresiones en la Cámara de Diputados.*

- Efectivamente. En este gobierno, la triste tradición de agresiones en el hemiciclo fue iniciada por legisladores del oficialismo, que golpearon al diputado más joven del país, Wálter Arrázola, cuando hacía uso de la palabra. En el pasado, son memorables las salidas de libreto del ex senador masista Filemón Escóbar, que tenía la costumbre de arrojar vasos de agua a la cara de sus adversarios y retarlos con las posturas clásicas del marqués de Queensbury... La batalla por el juicio a los magistrados del Tribunal Constitucional rebasó todos los límites. Al final, el Senado controlado por la oposición archivó obrados y declaró nulo todo lo actuado por la Comisión de Constitución. Pero el gobierno recurrió a maniobras gangsteriles y presionó a los jueces del TC, hasta lograr la renuncia de dos de ellos. Esto colocó a esa institución al borde de la muerte, ya que apenas tiene el quórum necesario para seguir funcionando.

- *Durante la elección de los nuevos magistrados de la Corte Suprema en el Congreso, García Linera esbozó una curiosa defensa teórica del terrorismo.*

- Interesante tema el que trae a colación. Durante la sesión del Congreso del 30 de mayo del 2007, en la que se debatían los requisitos para el nombramiento de los magistrados, el vicepresidente Álvaro García Linera se sintió ofendido por la propuesta de un parlamentario, quien sugirió que los abogados que hubieran defendido a terroristas no pudieran postular a los cargos en cuestión. Visiblemente molesto y casi desencajado, el vicepresidente de la república inició lo que denominó "una defensa histórica (del terrorismo) y una descalificación de esa categoría". En sus increíbles declaraciones, García Linera reconoció que tanto Evo Morales como él mismo fueron procesados por terrorismo, pero que esto no importa, porque "los terroristas de ayer son los héroes o los gobernantes de hoy"[97]. En realidad, la defensa o connivencia con los terroristas es una de las constantes de este proyecto político. Lo vimos en la protección brindada por Alicia Muñoz a dos terroristas paraguayos acusados de asesinar a la hija

97 El audio de esas declaraciones puede escucharse en el sitio: www.lahistoriaparalela.com.ar/2007/06/11/los-terroristas-de-ayer-son-los-heroes-de-hoy

de un ex vicepresidente de su país. Y lo volvimos a ver en las conexiones del MAS con las FARC[98] y ETA[99].

- *¿Hay pruebas de esas conexiones?*

- La presencia de las FARC en El Chapare ha sido comentada varias veces e incluso mereció una investigación por parte del Ministerio Público. Una de las fiscales asignadas a esa tarea fue Mónica von Borries, quien fue asesinada mediante una bomba que explotó en su auto, pocas semanas después de la investigación realizada en el Trópico de Cochabamba. La relación con ETA se dio a través de contactos con representantes de la *izquierda abertxale*, que como sabemos son el brazo político de esa banda terrorista, algo que ha sido dictaminado por la justicia española.

- *Usted ha usado varias veces la palabra "totalitarismo" para referirse a las políticas de Evo Morales. ¿Cómo se aplica ese término a un gobierno de origen democrático?*

- De la misma forma en que se lo aplica al gobierno de Adolfo Hitler, que igualmente nació de las urnas. Es que no basta con llegar al poder por vía democrática, sino que también hay que ejercerlo de esa manera. Es curioso: quienes usufructuaron de las instituciones democráticas para alcanzar el poder, pretenden destruirlas una vez que llegaron a la cima de la pirámide. Todo un caso de deslealtad con el sistema. La primera vez que se acusó al gobierno de estar siguiendo un rumbo totalitario fue durante el Foro Económico 2006, realizado por los empresarios cruceños. El término volvería a resurgir con fuerza en enero de 2007, cuando algunos de los huelguistas que participaron en el piquete de la Iglesia San Francisco volvieron a encontrarse en Santa Cruz y la prensa habló de una "alianza contra el totalitarismo". Me refiero a la reunión pública que sostuvieron Juan Claudio Lechín y Gabriel Dabdoub en CAINCO, junto a Filemón Escóbar, el máximo dirigente de la Central Obrera Departamental -Edwin Fernández- y representantes de CADEPIA. La presencia de Escóbar se debió a su disidencia abierta con el rumbo del gobierno de Evo Morales, al que había criticado duramente en una entrevista que le realizó Carlos Hugo Molina en Santiago de Chile, donde vivía por entonces el fundador expulsado del Movimiento Al Socialsmo.

X desdobló una hoja que llevaba cuidadosamente plegada en un bolsillo del saco y leyó.

98 Fuerzas Armadas Revolucionarias de Colombia.

99 Euskadi ta Askatasuna ("Tierra y Libertad" en vasco).

- “Del cierre de las minas nació la necesidad de cambiar el eje político y ahí me fui al Chapare para construir un nuevo proyecto”, cuenta Escóbar. “No creamos el MAS para hacer lo que está haciendo; la idea era superar a la izquierda tradicional que siempre nos había llevado al fracaso. Lo sé porque formé parte de ella y tengo que reconocerlo...”. De ahí pasa a cuestionar el rechazo del presidente a las autonomías departamentales: “Cómo se va a olvidar Evo de Andrés Ibáñez, si Montenegro y Lora ya habían dicho que era el fundador del socialismo boliviano; cómo se va a olvidar de Zárate Willka, que se alió con Pando para la guerra federal, ¡y eso era federalismo, más que autonomía!”. Mire esto. El fundador del Movimiento Al Socialismo cuestiona al entorno presidencial y dice que David Choquehuanca y Félix Patzi “Están pensando en fierros, no en democracia”. Y sigue dando en el yunque: “¿Por qué cambió en menos de un año el MAS y Evo? Porque se ha dejado rodear de la izquierda tradicional, irresponsable, que está preocupada de la reproducción del instrumento, de la reelección del Evo, antes que de demostrar resultados... No sirve el modelo venezolano y el cubano, los bolivianos no somos venezolanos y no aguantaremos esas huevadas. Eso, en el siglo XXI, no funciona... ¿Cómo vamos a volver a lo que decía en 1923 Tristán Marof, *tierras al indio, minas al Estado*?”. Escóbar no se agota en la crítica y propone una alternativa ideológica, que rompe con la ortodoxia marxista y hace hincapié en las particularidades de la realidad boliviana: “Planteé la *complementariedad de opuestos*; no a la confrontación y a la pelea, no a la confrontación en el lenguaje, no repetir errores de la izquierda tradicional. El aplastar al enemigo no es revolucionario en democracia y teníamos que comprometernos con la democracia. Teníamos que aprender a vivir con los opuestos, con los diferentes... Tenemos que reconocer una cultura democrática inter e intracivilizatoria, que nos permita vivir sin matarnos. Quiero ir a Bolivia a planteárselo a (Mario) Cossío, (Germán) Antelo y a (Rubén) Costas porque a ellos le toca movilizar a Bolivia para reencontrarse con el occidente. Como lo estamos haciendo con Joaquino...”. En la reunión de Santa Cruz, Filemón Escóbar ratificó estos conceptos y denunció a Wálter Chávez como el ideólogo del copamiento del gobierno por la izquierda tradicional.

- *¿Cree que en esa reunión nació un nuevo instrumento político?*

- Edwin Fernández dijo algo parecido y es apresurarse un poco. Pero sí fue un hecho político en el sentido más amplio de la palabra. Tanto que los medios de prensa de La Paz llamaban sin cesar para conseguir más información. Al parecer, el poder central estaba muy preocupado por aquellos acercamientos. Esta no era la primera muestra de apertura ideológica de

CAINCO, que en el 2005 había traído al ex presidente socialista de España, Felipe González, como conferencista invitado. Pero lo fundamental de la reunión, de aquel primer borrador de *alianza contra el totalitarismo*, fue lo sintomático, el reflejo de procesos de convergencia que se están dando en la infraestructura social boliviana. La burguesía nacional con epicentro en Santa Cruz tendió puentes y encontró quien responda positivamente en sectores reformistas del occidente, no cooptados por la vieja élite centralista ni por la nueva clase burocrática. Es la necesaria rebelión del centro-izquierda, que comienza a reconocerse como un proyecto distinto al de los radicales etnicistas. Ya antes hubo un eco favorable cuando el diálogo Santa Cruz-El Alto, y en la misma huelga de la Iglesia San Francisco. Entonces se pusieron en contacto el empresariado cruceño con la *burguesía aymara* de la que habla el sociólogo Carlos Toranzo: el pequeño y mediano empresariado indomestizo surgido en El Alto, portador de una cultura productiva, nacido sin prebendas estatales y al que deben abrirse las puertas de la formalidad, como reclama Hernando de Soto en *"El otro sendero"*. Estos sectores constituyen, como los cooperativistas mineros, una forma emergente de capitalismo popular. Como aquellos, su iniciativa y crecimiento los lleva a un curso de colisión con el proyecto colectivista del gobierno, con el que se estrellarán tarde o temprano. Entonces quizás sea posible un reacomodo de fuerzas al interior de El Alto, que sustituya a los dirigentes sindicales mercenarios por un nuevo liderazgo. Los procesos sociales van forjando alianzas entre los diversos actores, y es probable que la alternativa al pacto MAS-TAU sea un nuevo *bloque histórico* donde -complementariedad de opuestos mediante- la moderna burguesía nacida en el oriente y ese empresariado popular emergente del occidente construyan una nueva síntesis de lo nacional.

CONFIDENC

"Nacionalización" e hipercorrupción/Los secretos del piso ocho/Clanes ladrones/Por el camino de la UDP/El presidente desinvitado/La economía de la coca y el Narco-Estado.

CAPÍTULO XIV

- *¿Dónde queda, entre tanto conflicto político, la gestión económica del gobierno?*

- Muy rezagada. Pero no se engañe: para los totalitarios sólo existe la gestión política, de la cual las demás áreas de acción son simples componentes. Es decir, que cualquier medida que tome este gobierno en materia económica persigue el objetivo único de la reproducción del poder. Así pasa con sus pretensiones estatizadoras, que buscan concentrar el poder económico en manos de la burocracia; también con sus frecuentes ataques al sector productivo del oriente, a través del desabastecimiento de combustible, los decretos de libre importación y otras medidas.

- *¿Cómo evalúa la política de nacionalización de los hidrocarburos?*

- Ya vimos que no hubo tal nacionalización, sino una extensión del plazo para renegociar los contratos con las empresas petroleras. Si tuviera que resumir la política de hidrocarburos del gobierno de Evo Morales lo haría con una palabra: *corrupción*.

- *¿Por qué es tan tajante?*

- Es la dura verdad. Sucede que el auténtico móvil para promover la expansión estatal en el sector es, como en el caso de la minería, el delicioso *néctar burocrático* a extraer. Fíjese bien. Las "estatizaciones" del MAS son promovidas en áreas económicas beneficiadas por los altos precios internacionales, mientras que en experiencias de privatización que funcionaron realmente mal -como la del Lloyd Aéreo Boliviano- el gobierno se niega a tomar carta en el asunto, por más que los trabajadores de la empresa clamen por la nacionalización y que se trate de la aerolínea bandera del país, con una larga tradición que la asemeja a un símbolo patrio. Puedo respaldar esto con un largo listado de hechos de corrupción ligados al sector hidrocarburos en la presente gestión. Pero le advierto que la enumeración de esos casos podría insumir varias páginas de su libro.

- *Adelante.*

- La toma del Estado significó, para la famélica militancia del MAS, un verdadero zarpazo prebendalista. Viejos sobrevivientes de la UDP, relegados durante años por su responsabilidad en el colapso económico de los ´80; sindicalistas que tienen su primera oportunidad para salir de la pobreza; tránsfugas de distintos gobiernos; oenegeístas yuppies en busca de ascenso... Todos se sumaron al asalto, hambrientos de saborear los beneficios de la *cosa pública*. Tras la subida de Evo Morales, de manera casi inmediata se contrató a 120 militantes masistas sin ninguna experiencia en el sector hidrocarburífero para desempeñar funciones en YPFB. De ese total, 36 llegaron a sus cargos con avales firmados por el entonces presidente de Yacimientos, Jorge Alvarado, dirigente muy cercano a Evo. Luego del decreto de "nacionalización" las grandes compañías petroleras congelaron todas sus inversiones, a la espera de la renegociación de los contratos. Esa también fue una oportunidad de oro para que los nuevos burócratas hicieran negocios. El presidente de YPFB comenzó a buscar inversionistas entre pequeñas firmas de dudosa solvencia, para impulsar supuestos proyectos de industrialización del gas que hasta hoy no se han concretado. El caso más sonado fue el de Franklin Mining Inc. de Las Vegas. Alvarado firmó con los representantes de esa empresa un Memorando de Entendimiento el 25 de abril del 2006, anunciando la creación de un joint-venture para construir y operar una planta de procesamiento de GTL. La compañía, poco conocida en el mercado, hizo grandes promesas, señalando que invertiría 360 millones de dólares. Al mismo tiempo, Franklin Mining Inc. firmó una Carta de Intenciones con COMIBOL para explotar el Cerro Rico de Potosí. Sin embargo, una simple ojeada a sus estados financieros revelaba la insolvencia de la empresa: pérdidas netas por 726.132 dólares y activos corrientes por la misérrima suma de 9.093 dólares. En la web de la compañía, el principal ejecutivo Jaime Melgarejo indicaba que "la empresa necesita obtener ingresos suficientes para cubrir sus gastos operativos y poder mantenerse funcionando". Como se ve, las promesas de inversión en la industrialización del gas eran un *bluff*, un anzuelo para hacerse con la concesión del Cerro Rico. El asunto fue detectado por algunos parlamentarios y medios de prensa, por lo que Alvarado tuvo que archivar discretamente el negociado. Pero tendría una nueva oportunidad con la firma de un contrato con Iberoamérica Trading, por el cual la petrolera estatal vendería 2.000 barriles de petróleo crudo por día a esa empresa, que a su vez lo comercializaría a la brasileña Univen. A cambio, YPFB recibiría diesel oil a menor precio. Pero sucede que sólo el 23% del barril de petróleo se convierte en diesel oil, por lo que el resto de los subproductos -gasolina, nafta, kerosén, GLP-, que representan el 77% del barril, se quedaba como un beneficio para Univen. Esto significaba un daño económico para el Estado boliviano de 20 millones de dólares anuales. Adicionalmente, Jorge Alvarado transgredió el propio decreto de "nacionalización", que establece que YPFB debe hacerse cargo de la comercialización de los hidrocarburos en el exterior. Por si esto fuera poco, el presidente de Yacimientos infringió las más elementales normas de transparencia administrativa: el contrato no tiene los informes legales correspondientes, es decir, que no se consultó al departamento jurídico de YPFB antes de la firma. De hecho, el abogado de la petrolera estatal ni siquiera participó en la suscripción del contrato, y tampoco hubo la presencia de un Notario de Gobierno. Además, el contrato fue firmado a espaldas del ministro de hidrocarburos, Andrés Soliz Rada, violando el artículo 63 de la Ley SAFCO. También se obvió el proceso de licitación, eligiendo la invitación directa a Iberoamérica Trading. La maniobra fue descubierta por el entonces superintendente de hidrocarburos, Víctor Hugo Sáinz, quien sufrió intensas presiones de parte del entorno gubernamental para que "revisara su posición". Para que se haga una idea de lo que fue eso: Sáinz terminó internado en una clínica de Cochabamba por una crisis de hipertensión, pero aún allí lo persiguió la aplanadora de conciencias. Estando en una camilla y en espacio de sólo 10 minutos, recibió tres llamadas de importantes personajes del gobierno pidiendo su silencio: Jorge Alvarado, el poderoso asesor de YPFB Manuel Morales Olivera y el mismo vicepresidente Álvaro García Linera. Sáinz mantuvo el informe que desnudaba las irregularidades en el contrato con Iberoamérica Trading, pero tuvo que renunciar poco tiempo después. Evo Morales se negó a destituir a Jorge Alvarado, quien lo había acompañado desde los tiempos de la fundación del MAS. Sólo cuando la Contraloría General de la República y el Ministerio Público encontraron indicios de reponsabilidad administrativa contra el presidente de YPFB, Evo aceptó su renuncia para atenuar el escándalo. Alvarado fue a parar al exilio dorado, como embajador en Venezuela.

- *El tema terminó con la interpelación al Ministro de Hidrocarburos en el Senado.*

- Correcto. El 23 de agosto del 2006, Soliz Rada fue censurado en la Cámara Alta por los graves hechos de corrupción en YPFB. Pero el presidente lo ratificó en su cargo. Sin embargo, el ministro tenía los días contados. Apenas tres semanas después, Andrés Soliz Rada presentaba su renuncia irrevocable, luego de un *impasse* con Álvaro García Linera. El ministro había dictado la Resolución Ministerial 207/2006, por la cual YPFB se hacía cargo de toda la cadena de producción y comercialización de los hidrocarburos. La medida provocó una fuerte reacción de descontento por parte de las compañías petroleras, y García Linera decidió congelar la resolución en momentos en que desempeñaba interinamente la presidencia de la república. Está claro que Soliz Rada se sintió desautorizado. Un detalle importante: la carta de renuncia fue enviada por el ex ministro a La Habana, donde se encontraba Evo Morales participando en la Cumbre de los No Alineados. Quedaban al descubierto las contradicciones internas del oficialismo entre *evistas* y *lineristas*.

Dicho esto, el Ciudadano X desplegó los consabidos recortes de prensa sobre la mesa, apartando las tazas de café y el cenicero desbordante de colillas de cigarro.

- Tras su salida del gabinete, Soliz Rada disparó: “García Linera desvirtuó la nacionalización”[100]. Dijo que “Después de avanzar en este camino, se produjo la claudicación del gobierno de Evo Morales”. Pero no cuestionó solamente la política de hidrocarburos, sino que también criticó el rumbo general del gobierno: “Dentro de los errores del MAS, advierto su creciente pérdida de apoyo en las capas medias, originada en ciertas posturas racistas, en la excesiva injerencia de ONGs, en el manejo sectario del aparato estatal... y en el escaso respeto al gabinete, a cuyos ministros no se permite designar a sus colaboradores inmediatos”. Escuche esto: “Los errores se deben a la creciente soberbia de Evo Morales, alentada por adulones desesperados por ampliar sus espacios de poder”. Y aquí se confirman varias informaciones que le he dado: “Las ONGs, en las que trabajaron varios ministros y que, en algunas ocasiones, pretenden arrastrar el proceso de cambio hacia el indigenismo fundamentalista e irresponsable...”. Ni siquiera se salva Hugo Chávez, a quien Soliz Rada acusa de cometer “frecuentes errores tácticos por el manejo poco cuidadoso de sus relaciones internacionales”. Pero la perla de estas declaraciones es la acusación que hace contra el Ministro de la Presidencia: “El multimillonario George Soros, partidario de la legalización de las drogas y con intereses en la mina San Cristóbal, es parte de la poderosa RESDAL[101], con sede en Estados Unidos, cuyo representante en Bolivia fue el actual ministro Juan Ramón Quintana...”.

- *Interesante. ¿Podría ampliar la información sobre quién es Andrés Soliz Rada?*

- Por supuesto. Es un periodista especializado de manera autodidacta en temas petroleros, que siempre ha militado en la llamada “izquierda nacio-

100 Revista OH! del diario Los Tiempos. Cochabamba, 5 de noviembre del 2006.

101 Red de Defensa y Seguridad de América Latina.

nalista". Fue ministro de la dictadura militar de Ovando, en la que gozó de ciertos privilegios, como el *monopolio de los lunes.*

- *¿Cómo dice?*

- Lo que escuchó. Soliz Rada editaba un semanario que salía los lunes, y el gobierno de Ovando dictó una medida por la cual el único medio impreso que podía circular ese día era el de su ministro.

- *Todo un demócrata...*

- En ese gobierno colaboró en la segunda estatización del petróleo. Sintomáticamente, en toda la historia de Bolivia las nacionalizaciones de hidrocarburos coincidieron con regímenes de fuerza. La primera fue impulsada por el gobierno militar de Germán Busch y la tercera es la que vivimos actualmente, bajo la "democradura" de Evo Morales. Una segunda constante: las tres experiencias estatizadoras fueron realizadas luego de amplios procesos de inversión extranjera, que descubrieron grandes riquezas en el sector petrolero o gasífero y que instalaron la tecnología necesaria para la explotación de esos yacimientos... En los años ´70, Andrés Soliz Rada se dedicó a torpedear los planes de exportación de hidrocarburos al Brasil, que quedaron postergados por varias décadas. En los ´80 organizó el Grupo Octubre, que logró copar importantes cuotas de poder en la UMSA. En los ´90, nuestro nacionalizador favorito reapareció cobijado bajo el ala del empresario de la comunicación y líder populista Carlos Palenque, a quien ayudó a diseñar la seudo-ideología del "endogenismo". Durante años, desde sus columnas de prensa atacó a las inversiones privadas en el sector petrolero, lo que al final le redituó un puesto en el gabinete del MAS. En el entorno gubernamental representaba una tendencia unitaria, que lo llevó a oponerse a los planes de fragmentación territorial implícitos en el "Estado Plurinacional" y en las versiones radicales del indigenismo. Por ese lado hay que buscar las razones profundas de su choque con García Linera.

- *Volvamos a la corrupción en la política oficial de hidrocarburos.*

- Encantado. Lo cierto es que Soliz Rada también tiene algo para explicarle al país. La Ley de Hidrocarburos indicaba la realización de auditorías a las empresas petroleras, para determinar el monto de las inversiones hechas. Este aspecto era esencial para la renegociación de los contratos, pero el ex ministro se tomó tiempo hasta el 12 de junio para emitir la resolución que las instruía. Con diversas excusas, declaró desiertas siete convocatorias públicas, para llegar finalmente a la invitación directa a once firmas auditoras. Las adjudicaciones fueron bastante jugosas, sumando 29 millones de Bs. Las empresas auditoras no sólo no concluyeron su trabajo hasta el 28 de octubre, sino que en varios casos comenzaron a procesar la información de las petroleras después de esa fecha. Es decir, que las auditorías comenzaron tarde, fueron adjudicadas de manera muy poco transparente y produjeron un resultado pobre e ineficiente. Mientras tanto, en YPFB, tras la salida de Alvarado la presidencia fue asumida por Juan Carlos Ortiz, un tecnócrata que intentó hacer algo por la entidad estatal. Pero el poder real fue depositado por Evo Morales en un asesor de su confianza, Manuel Morales Olivera, hijo de uno de sus compañeros de la "guardia vieja" del MAS: Manuel Morales Dávila. Como Jorge Alvarado, derrotado por Reyes Villa en los comicios por la Prefectura de Cochabamba, Morales Dávila había postulado sin suerte para Prefecto de La Paz[102]. Al parecer, Yacimientos se convirtió en el botín de consuelo para los candidatos vencidos. Lo cierto es que Manuel Morales Olivera se transformó en el poder detrás del trono en YPFB. Ya en la adjudicación de las dudosas auditorías de Soliz Rada, Morales Olivera había mostrado la madera de la que estaba hecho, traficando con influencias en la auditoría de los campos Colpa y Caranda mediante el bufete de abogados Mostajo S.C., del que es miembro su padre. Luego fue el verdadero negociador con las petroleras, haciendo varias de las suyas como veremos enseguida. El 28 de octubre, al filo del plazo dispuesto por el decreto "nacionalizador", el ministro de hidrocarburos Carlos Villegas firmó los nuevos contratos con los representantes de las trasnacionales, en un acto muy publicitado que se realizó en el Palacio de las Comunicaciones, en la ciudad de La Paz. A partir de entonces, el gobierno desplegó toda su maquinaria propagandística para mostrar a los nuevos contratos como una victoria de la "soberanía" y como la fuente de ingentes ingresos que habría de recibir el país. Los documentos fueron aprobados sin mayor revisión por la Cámara de Diputados, controlada por el oficialismo. Para su sanción en el Senado se aprovechó la famosa "sesión trucha" del 28 de noviembre del 2006, en la que se utilizaron una serie de dispositivos para impedir la formación de la mayoría opositora. En las afueras del Congreso, un cerco de milicianos sindicales le cerró el paso a los senadores titulares de PODEMOS, UN y MNR, mientras que en las puertas del hemiciclo una guardia policial completaba el *operativo candado*. Adentro, los legisladores del MAS hicieron quórum con la presencia de tres suplentes de la oposición, generosamente retribuidos con sendos maletinazos de 100.000 dólares per cápita. Incluso fueron trasladados hasta la sede de gobierno por cuenta

102 Morales Dávila conoció a Evo mucho antes de que el cocalero fuera elegido diputado. Puso su imprenta al servicio del MAS en todas las campañas electorales.

del Poder Ejecutivo. En esa sesión vergonzosa se aprobaron los 44 contratos petroleros sin siquiera leerlos, además de la nueva Ley INRA y el fatídico Convenio de Defensa con Venezuela. De esa manera, se impidió un examen a fondo de los contratos, pero la jugada no habría de durar mucho.

- *¿Puede recordarnos cómo se descubrieron las maniobras de Morales Olivera?*

- Los problemas comenzaron al llegar los contratos a la Notaría de Gobierno para su protocolización. Entonces se vió que los documentos firmados el 28 de octubre no eran iguales a los aprobados en el Parlamento. Habían ido "mutando", por así decirlo. Sin explicar esto, el Poder Ejecutivo remitió al Congreso un proyecto de "ley corta" para hacer enmiendas a lo votado con anterioridad. Nuevamente, fueron aprobadas con rapidez en la Cámara de Diputados, que las remitió el 13 de marzo del 2007 a la Cámara Alta. Pero entonces los senadores aplicaron la lupa y se desató el escándalo. Poco a poco, se fue destejiendo la madeja urdida por el asesor de YPFB. Desde el piso ocho del edificio de Yacimientos, había trabajado en la redacción de los contratos con un equipo de jóvenes colaboradores, que más tarde serían bautizados como "Los Rugrats". El sobrenombre se debía a su corta edad, pero también terminó definiendo su inexperiencia laboral, ya que la mayoría de ellos jamás ha pisado un campo petrolero. Atrincherado en sus oficinas, Morales Olivera impidió la participación del equipo jurídico de YPFB en el proceso, e incluso se comenta que el propio presidente de la entidad, Juan Carlos Ortiz, tenía vedado el ingreso en el área. Ya firmados los contratos, el director jurídico de Yacimientos, Roberto Botero, solicitó los acuerdos para legalizarlos, pero le dijeron que no podían salir del piso ocho porque eran "confidenciales". La razón del hermetismo radicaba en que Manuel Morales Olivera había negociado -aparentemente a espaldas de Carlos Villegas y de Juan Carlos Ortiz- una versión "blanda" de los contratos con varias de las petroleras, que así conseguían mejores condiciones de rentabilidad. Horas antes de fenecer el plazo para la negociación de los acuerdos, el 28 de octubre, el asesor todopoderoso asumió un compromiso verbal con Petrobrás, Andina y Total, para que unos días después se firmase un nuevo Anexo D, de carácter "flexible". Claramente, su cargo no lo facultaba para un acuerdo de esa naturaleza. Morales Olivera mantuvo en secreto la duplicidad de documentos hasta el 20 de diciembre del 2006, fecha en la que renunció a su puesto. Entonces informó a la Dirección Jurídica de YPFB que "había problemas" con algunos contratos, sin especificar más datos. Ante la Comisión Investigadora conformada más adelante en el Senado, Roberto

Botero cuenta que alertó sobre esta situación al ministro Villegas el 21 de diciembre, mientras que Ortiz habría sido informado en los primeros días de enero del 2007. Y aquí comienzan las contradicciones entre las diferentes versiones. Ante la Comisión del Senado, Carlos Villegas dijo haberse enterado de la duplicación de contratos "por la prensa, igual que toda la población", poco antes de su comparecencia en la Cámara Alta. Juan Carlos Ortiz afirma que al enterarse del caso instruyó un análisis exhaustivo de todos los documentos. Sin embargo, Botero comenta que sugirió a Ortiz que se contactara con las petroleras y con el Parlamento, para comunicarles que se elevó a rango de ley un documento diferente al suscrito y que no se debía continuar la protocolización hasta encontrar una salida. Pero el ex presidente de YPFB habría ordenado continuar el trámite. En la Comisión Investigadora, Juan Carlos Ortiz deslindó responsabilidades, diciendo que el 28 de octubre firmó cerca de 15.000 hojas sin revisarlas, porque Morales Olivera se había encargado de la supervisión. "Firmé y por buena fe, no revisé. No fui informado que se había hablado con Petrobrás el día 28 y luego con Repsol", dijo. Fue desmentido por Morales Olivera, quien contestó que Ortiz estaba enterado del acuerdo.

- *¿Usted qué cree? ¿Sabían del pacto?*

- En cualquiera de los dos casos, Villegas y Ortiz no cumplieron sus funciones. Si sabían transgredieron la ley. Si no lo sabían, no estaban ejerciendo realmente sus puestos. Al mismo tiempo, es posible que hayan sido víctimas del centralismo presidencial.

- *¿Qué es eso?*

- Lo que comentaba Soliz Rada sobre la falta de respeto de Evo Morales a sus ministros, a quienes les impone hasta sus colaboradores inmediatos. Aunque todo el mundo sabe que Ortiz y Morales Olivera no se digerían mutuamente, el presidente de YPFB tenía que soportar al enviado directo del primer mandatario. Manuel Morales Olivera tenía acceso al despacho del presidente de la república, privilegio del que no gozaban los ministros Ric y Soliz Rada. La mejor prueba de su poder es que, tras la renuncia de Juan Carlos Ortiz a Yacimientos, Morales Olivera volvió a escena como el nuevo presidente de la entidad.

- *¿En qué consisten los anexos "blandos"?*

- Los nuevos contratos indican que el 50% del valor de la producción obtenida es destinado directamente al pago de IDH y regalías establecido en la Ley de Hidrocarburos. El restante 50% es dividido en dos partes: una destinada a cubrir los costos recuperables de la empresa y a reconocer la inversión que haya realizado, y otra a ser distribuida entre la participación que corresponde a la empresa y la de YPFB. Hay anexos blandos que amplían la definición de "costos recuperables" hasta incluir todo gasto imaginable: viáticos, salarios, bonos y primas de los funcionarios de las empresas petroleras; los impuestos al valor agregado, a las transacciones y a las remesas al exterior; habilitación de infraestructura, amortizaciones, terciarización de actividades, mantenimiento, compra de equipos y hasta un reconocimiento al *know-how* de las trasnacionales. Como ve, la flexibilización de los anexos era un negocio multimillonario. No sólo se incluyó en los costos recuperables a las inversiones por hacer, sino que, a través del Anexo G, también se toma en cuenta las ya realizadas bajo los contratos de riesgo compartido. No hay ninguna referencia al resultado de las auditorías ordenadas por la Ley 3058 y el decreto de "nacionalización".

- *¿Con cuánto se queda el Estado finalmente?*

Con tanto descuento, el Estado recibirá muy poco más de lo que ya recaudaba con la Ley de Hidrocarburos, votada antes de que Evo Morales llegara a la presidencia y que es la auténtica generadora de nuevos recursos públicos. Un máximo del 62,50%. El decreto de "nacionalización" fue mucho ruido y pocas nueces. Además, los contratos no se ajustan a las modalidades establecidas en la Ley 3058. En algunas cláusulas los términos adjudican el papel de prestadoras de servicio a las empresas, rol característico de los contratos de operación; pero otras cláusulas referidas a la participación sobre las ganancias son típicas de los contratos de producción compartida.

- *Se dice que PDVSA metió mano en la negociación de los nuevos contratos con las petroleras.*

- Por supuesto. El mismo Morales Olivera reconoció que "en el marco de los convenios de cooperación con Venezuela" se pidió asesoramiento a PDVSA, y que esa petrolera le proporcionó al gobierno de Evo Morales los servicios de un bufete de abogados estadounidenses y mexicanos. También dijo que "probablemente" PDVSA pagó los honorarios. Pero la injerencia chavista en el sector hidrocarburos había comenzado mucho antes. Poco después del decreto de "nacionalización" ya se habían dado los primeros pasos para la creación de una empresa binacional, Petroandina, que apuesta a copar cada vez más espacios en Bolivia. De hecho, la subordinación a los intereses de Chávez parece ser el verdadero núcleo de la política de hidrocarburos de Evo Morales. Mientras era opositor, los pasos del líder masista estuvieron orientados a bloquear las exportaciones bolivianas para no competir con Venezuela. Desde el gobierno, la consigna parece ser que PDVSA se convierta en la principal explotadora de la riqueza hidrocarburífera boliviana.

- *Quisiera concluir la mención a los casos de corrupción...*

- "Los Rugrats", que fueron corresponsables junto a Morales Olivera de la duplicación de los contratos, protagonizaron un escándalo y acabaron defenestrados[103]. Sucede que, después de la firma de los contratos, viajaron a Cuba a un supuesto "viaje de especialización" pagado por YPFB. El problema es que Cuba no es precisamente un gran centro de estudios en materia petrolera, y que las fotos de su viaje los mostraban en actividades muy poco ligadas a la capacitación. Parranda, para decirlo en una palabra. Parranda pagada con fondos públicos. ¿Ahora entiende por qué hablo del néctar burocrático?

- *Queda claro.*

- A todo lo anterior habría que agregar el masivo *contrabando de Estado* practicado por funcionarios de Yacimientos en el sudeste cruceño. Durante meses, le han estado revendiendo grandes porcentajes de diesel de manera clandestina a las barcazas que llegan con combustible por vía fluvial, para que lo comercialicen en Brasil. Un negocio redondo, pero que influye mucho en el desabastecimiento de combustible en el mercado nacional.

- *Me gustaría que profundice en ese tema.*

- Hace un rato le dije que podía definir la política de hidrocarburos de Evo Morales con la palabra *corrupción*. Pero me gustaría agregar un segundo término: *fracaso*. Porque si los beneficios prometidos demostraron ser más bien ilusorios, los inconvenientes generados por esa misma política son absolutamente reales. El desabastecimiento es la expresión más palpable de ese fracaso. Aunque hubo algunos baches de abastecimiento estacionales en el pasado, el fenómeno comenzó a volverse casi permanente desde que YPFB asumió el monopolio de la importación y la distribución mayorista de los combustibles. Como todo monopolio artificial, introdujo una distorsión severa en la economía, sobre todo tratándose de un sector estratégico. Si los importadores y distribuidores privados se las habían arreglado para abastecer el mercado boliviano de una manera regular, Yacimientos cometió una serie de errores propios de la planificación centralizada. Logísticos, por ejemplo, sustituyendo el tradicional aprovisionamiento desde Argentina por la importación de diesel

103 Manuel Morales Olivera fue destinado a Venezuela, donde le hace compañía a Jorge Alvarado.

venezolano, que tarda mucho más en llegar. Los burócratas designados con avales del MAS se han mostrado ineficientes para el planeamiento y ejecución de esa actividad. Incurriendo a veces, como en el caso citado, en el contrabando.

- *¿Hay otros indicadores del fracaso de la actual política de hidrocarburos?*

- Demasiados, lamentablemente. Durante el 2006 y 2007 la inversión se paralizó casi por completo, debido a la inseguridad jurídica creada por la continua reescritura de la normativa petrolera y por la retórica incendiaria de Evo. Petrobrás, que siempre fue la principal inversionista del sector, congeló sus actividades de expansión y el gobierno boliviano tuvo que enviar emisarios a Brasilia a prometer un buen comportamiento si la empresa volvía a invertir. Aunque Lula dio el OK, Evo Morales tuvo otra de sus salidas incorregibles. A los pocos días, no pudo contener su verborrea y lanzó una especie de advertencia: "Si quieren invertir son bienvenidos, pero Petrobrás tendrá que respetar las normas bolivianas". De inmediato, los analistas brasileros se preguntaron si Evo Morales se atendría a las leyes vigentes o si, una vez hechas las inversiones que pidió, inventaría una nueva legislación confiscatoria. Finalmente, luego de la firma del convenio para la construcción del corredor bioceánico, Petrobrás se animó a presentar un plan de inversiones. Sólo esperemos que el gobierno no arruine pronto este deshielo. Otra de las muestras del fracaso se da en el campo externo, donde Bolivia está incumpliendo prácticamente todos sus contratos de exportación. A duras penas cumple el acuerdo más grande con Brasil y no se está cumpliendo el contrato de gas a Cuiabá. Los economistas brasileros temen la inminencia de un apagón energético en su país. Bolivia tampoco cumple el contrato a la Argentina, por lo que ya enfrenta multas. Esa incapacidad para atender los compromisos externos es una consecuencia directa de la desinversión.

- *Ya que mencionó los casos de corrupción en la petrolera estatal, ¿cómo marchan las cosas en otras áreas del sector público?*

- Con aberraciones administrativas del mismo calibre. Uno de los casos emblemáticos, que ya rozamos anteriormente, fue el desvío de maquinaria agrícola, combustible, agroquímicos y semillas realizado por el ex ministro de desarrollo rural, Hugo Salvatierra. Una auditoría de su gestión encontró indicios de responsabilidad penal, civil y administrativa. En total, se habrían violado diez artículos del Código Penal. Los tractores donados por el TCP-ALBA nunca llegaron a los campesinos más pobres, sino que fueron distribuidos a los "amigos" y "compañeros" del partido.

Incluso la CSUTCB denunció que la entrega se politizó, porque sólo se beneficiaron los sectores afines al MAS. No existe documentación de la entrega de la maquinaria agrícola, ni una base de datos de los beneficiados. Tampoco hay certificados de la internación de la maquinaria al país. Se estima que los bienes malversados tienen un valor de 4 millones de dólares[104].

- *También se habló mucho sobre los avales políticos para acceder a los cargos públicos.*

- La venta de avales por parte de las autoridades masistas fue el pan de cada día. Entre los involucrados está el concejal "Chato" Peredo, que hizo entrar a buena parte de sus seguidores en las instituciones públicas controladas por el gobierno central; la diputada Nemesia Achacollo y los senadores Lino Willca y Santos Ramírez. Este último es uno de los integrantes del círculo íntimo de Evo Morales, por lo que pudo eludir toda sanción por sus actos. Fue acusado de vender avales en 1.000 dólares cada uno y se le sindicó por tráfico irregular de visas para ciudadanos chinos. Y lo peor de todo: su asesor fue detenido en el aeropuerto de El Alto cuando intentaba llevar un embarque de cocaína a España. Para su cumpleaños, Santos Ramírez le descontó 100 Bs. a cada funcionario del Senado y luego festejó ostentosamente en el Círculo de Oficiales de Caballería. Otro de los implicados en el caso de las visas chinas es el ex diputado y constituyente del MAS, José Bailaba, que habría incurrido en tráfico de influencias para gestionar decenas de esos documentos. Como verá, Migraciones se convirtió en el tesoro partidario del Movimiento Al Socialismo. En Santa Cruz, el ex director Dante Castillo fue a parar a la cárcel de Palmasola tras las investigaciones impulsadas por la prensa y por parlamentarios cruceños. En Cochabamba pasó algo similar con Henry García. En ambos casos, los directores cobraban 500 dólares por cada pasaporte "recomendado", que debía ser tramitado en el día. Un fenómeno que no podemos soslayar es el de los *clanes ladrones*, familias enteras encaramadas al Estado y que practican el nepotismo más descarado. Ahí tenemos, por ejemplo, a los Morales Olivera, que no sólo controlaban YPFB, sino también la Aduana Nacional con la ex directora Marcia Morales Olivera. El ministro de hacienda, Luis Arce Catacora, colocó a varios de los suyos en cargos de alta rentabilidad. Como a su mujer, a quien hizo ascender de manera

104 De las decenas de tractores entregados por Evo Morales en la localidad de Ucureña, durante el ostentoso lazamiento de la "revolución agraria", sólo quedan dos máquinas que son compartidas por 54 comunidades. El resto de los tractores se esfumaron.

meteórica en el Banco Unión. Otro tanto pasó con la ex ministra de gobierno, Alicia Muñoz, que contrató a sus familiares como consultores, con jugosos sueldos. Una sobrina suya, Marcela Muñoz, acabó involucrada en actos de corrupción en la Dirección Departamental de Migración de Santa Cruz. Bienes Incautados se convirtió en otra caja chica del oficialismo. Durante la gestión de Denver Pedraza, la Dirección Departamental de esa repartición pública en Santa Cruz hizo desaparecer vehículos y joyas incautadas a narcotraficantes, y entregó casas a dirigentes del partido de gobierno, como el vocero del MAS Benigno Vargas. Un caso de probable malversación, similar al de Salvatierra, es el de la ex ministra de producción Celinda Sosa, quien ha distribuido 11 millones de dólares en préstamos para microempresas sin que se conozca exactamente su destino. Según los dirigentes de la CONAMYPE[105] los microempresarios recogieron sólo una parte del crédito, pero sus nombres figuran en listas oficiales como si hubieran recibido todo el monto que solicitaron. Es el caso de Bernardo Calle Huasco, a quien le entregaron 476 dólares pero figura en las listas del Ministerio de Producción y Microempresa como receptor de un préstamo por 30.000 dólares. Y adivine quién era el "asesor político" de Celinda Sosa...

- *Dígamelo usted.*

- Alguien de quien hemos hablado mucho anteriormente: Hugo Móldiz, coordinador del "Estado Mayor del Pueblo". Volviendo a mi lista de casos de corrupción, también figura el ex ministro Salvador Ric, quien habría comprado gasolina con subvención estatal para una empresa fantasma. Este presunto desvío sería de extrema gravedad, ya que la gasolina es un precursor utilizado en el proceso de fabricación de cocaína. La Administradora Boliviana de Carreteras, que sustituyó al viejo Servicio Nacional de Caminos, es otro de los preciados botines para los buscadores del *néctar burocrático*. Tenemos el caso de su ex gerente, Iván Velásquez, quien habría adjudicado de manera dolosa la construcción del tramo carretero Mataral-Vallegrande. De algo parecido se acusa a la ministra de desarrollo rural, Susana Rivero, quien fue denunciada por hacer que la ABC comprometa la construcción de una carretera que va directo hacia la hacienda de su familia en el Beni. Otra modalidad de la corrupción que ha sido muy practicada por los funcionarios masistas es el uso de fondos públicos para la farra: lo vimos en el viaje de "Los Rugrats" a Cuba, en las fiestas de un ex Viceministro de Deportes, en las juergas de varios directivos de la ABC y en las andanzas del ex ministro de aguas, Abel Mamani,

105 Confederación Nacional de la Micro y Pequeña Empresa de Bolivia.

quien fue fotografiado in fraganti con una dama de la noche sobre su falda. Tampoco podemos olvidar las acusaciones de tráfico de influencias en el FONVIS[106] contra el diputado Gustavo Torrico, ni la compra irregular de computadoras hecha por Félix Patzi cuando estaba al frente del Ministerio de Educación. El ex viceministro de vivienda, Marcelo Zurita, favoreció con proyectos habitacionales a una cooperativa financiera dirigida por Carlos Zabala, del MAS. Fue denunciado por su inmediato superior, el entonces ministro de transporte y obras públicas, Jerjes Mercado. ¿Recuerda cuál fue la reacción de Evo? Los destituyó a los dos: al funcionario corrupto y al que pretendió limpiar la casa. Otro caso por esclarecer es el recorte de un 30% del salario a los cascos azules bolivianos, cuyo destino se ignora. El uso y abuso de los bienes del Estado para las concentraciones del partido de gobierno es otra de las prácticas de corrupción más comunes y constantes. Se ha visto, por ejemplo, vehículos de Bienes Incautados utilizados para acarrear gente a las manifestaciones del MAS por la "renta dignidad", uno de ellos manejado por el chofer del concejal "Chato" Peredo. Las irregularidades han llegado incluso a la licitación para la provisión de billetes convocada por el Banco Central de Bolivia. Dos empresas se presentaron a la licitación: la francesa Francois Charles Oberthur Fiduciaria y la argentina Ciccone Calcógráfica S.A. La empresa francesa -que al final se adjudicó la licitación- ofertó 21.649.690 dólares, en tanto que la argentina había ofertado 10.231.120 dólares. Es decir, que se adjudicó a la oferta más cara, más del doble que la otra, incumpliendo la Ley de Administración Presupuestaria, el decreto supremo 27328, la Ley del Banco Central de Bolivia y varios puntos del pliego de especificaciones de la licitación internacional. Además, el costo de la adjudicación es superior en más de 6 millones de dólares al presupuesto del BCB para la gestión 2007. Hay otras irregularidades administrativas que también lindan con la corrupción o el fraude. El viceministro de tierras, Alejandro Almaraz, fue denunciado por haber sido posesionado en su cargo de manera ilegal, sin que hubiera presentado su libreta del servicio militar y sin haber concluido su declaración jurada de bienes ante la Contraloría General de la República, según lo acreditan las certificaciones SG/349/2007 y GDBR/576/2007 de esa institución. Por lo tanto, Almaraz habría violado el artículo 45 de la Constitución Política del Estado y la Ley del Estatuto del Funcionario Público. Lo interesante del caso es que todos los actos llevados adelante por una autoridad posesionada de manera ilegal son nulos de pleno derecho, con lo que nos queda preguntarnos sobre la

106 Fondo de Vivienda Social.

validez de las medidas impulsadas por el Viceministerio de Tierras en la actual gestión de gobierno.

- *Vuelvo al punto inicial de nuestra conversación. Mientras sucede todo esto, ¿dónde queda la economía?*

- Los indicadores son cada vez más alarmantes. La inflación en el 2007 alcanzó el 12% según el Instituto Nacional de Estadísticas, y varios economistas afirman que la cifra real sería del 14%. El problema se agudiza si observamos el alza de precios de los alimentos que componen la canasta básica familiar: 19% a lo largo del año. Incluso existe una investigación independiente realizada en los mercados populares de Santa Cruz, que arrojó un alza promedio del 40%. Ante las protestas por el alza del precio del pan en Santa Cruz, al ministro de hacienda, Luis Arce, no se le ocurrió nada mejor que decirle a los cruceños que "podían comer yuca" para sustituir ese producto. Una curiosa reencarnación de María Antonieta, ¿no cree?

- *¿Por qué se desconfía de los números del INE?*

- En primer lugar, porque no coinciden con los precios reales que se ven en los mercados. Segundo, porque existe el antecedente de la manipulación estadística realizada en Venezuela por Hugo Chávez, quien despidió a dos directores del INE por publicar cifras que le parecieron inconvenientes. Néstor Kirchner también aplicó algo de esa receta en Argentina. Si el maestro lo hace y está exportando la fórmula, no sería de extrañarse que Evo repita el método en Bolivia. Economistas, empresarios y sindicalistas temen que el MAS esté llevando al país por el camino de la UDP. No es algo tan difícil de concebir, si tenemos en cuenta que varios de los responsables de la hiperinflación de los ´80 forman parte de este gobierno, como el ministro Carlos Villegas. Claro que, en el presente caso, las razones no serían de orden macroeconómico. Hay que tener en cuenta que Evo Morales recibió unas finanzas públicas con superávit, generado por la Ley de Hidrocarburos 3058, la misma que él resistió desde la oposición. Por eso, tenemos que buscar las causas de la presión inflacionaria en otros factores: desabastecimiento crónico de combustibles por el monopolio de YPFB; caída de la oferta alimentaria por la inseguridad jurídica en el sector agropecuario; efectos psicológicos generados por la inestabilidad política... También existe un alto riesgo de que este gobierno reincida en la impresión irresponsable de moneda, que tanto daño le hizo al país en el pasado. La cantidad de billetes licitados este año es casi siete veces la licitada el 2006. En la actualidad hay en circulación 9 mil millones 900 mil bolivianos y la cantidad licitada en este año es de 21 mil millones de bolivianos. Más del doble. Demás está decir que esto implica una próxima inundación de billetes en el mercado, que sin duda agravaría la espiral inflacionaria. Pero no sólo las cifras de la inflación están mal. La CEPAL acaba de revelar la caída del crecimiento de Bolivia, que bajó del 4,5% en el 2006 al 3,8% en el 2007. Es que la desinversión no se da solamente en el sector petrolero, sino en casi toda la economía boliviana. La desatención de los mercados externos, que ya comentamos, también incide negativamente en este panorama. El Banco Central de Bolivia ha perdido la independencia con la que se construyó la estabilidad económica de las últimas décadas, con un presidente interino designado por Evo Morales que acata instrucciones del Ministerio de Hacienda. En particular, la política cambiaria basada en la depreciación acelerada del dólar está afectando gravemente a los exportadores. Todo eso ha provocado que el desempleo se dispare del 8 al 11% desde que Evo subió al poder, y que se duplique la salida diaria de personas al exterior en busca de oportunidades laborales. Es decir, que los sectores populares son los más perjudicados por la falta de gestión económica del Movimiento Al Socialismo, que ha preferido concentrar su estrategia en la confrontación política y no en la generación de empleos. A eso sumemos las preocupantes señales desestabilizadoras lanzadas por el gobierno al sistema financiero boliviano. En el 2006, durante un discurso ante el Parlamento Europeo, Evo Morales amenazó con nacionalizar la banca y a fines del 2007 volvió a atacar, acusando a los bancos de "conspirar" contra su administración y proponiendo la eliminación del secreto bancario. Lo más lamentable de la situación es que Bolivia está desaprovechando un momento de bonanza económica externa, por los altos precios internacionales de los hidrocarburos, la soya y los minerales. Con otra orientación política podríamos estar creciendo a un ritmo del 8% anual, como lo está haciendo Perú, que incluso ha firmado un TLC con Estados Unidos.

- *Entretanto, se ha seguido deteriorando la relación del gobierno con los empresarios...*

- Uno de los síntomas más evidentes fueron las fricciones entre Evo Morales y el empresariado cruceño en septiembre de 2006 y 2007, temporada en que se realiza la tradicional EXPOCRUZ, la feria internacional más grande de Bolivia. En el primer año citado, las tensiones entre el partido de gobierno y Santa Cruz quedaron de manifiesto en la amenaza hecha por sectores afines al MAS de bloquear la feria, tachándola de "oligárquica". Entonces comenzó a discutirse si era o no conveniente invitar al presidente Morales a la apertura del evento. José Céspedes, presidente de la feria en el 2006, decidió no cursar la invitación a la presidencia de la república, lo que fue utilizado por la maquinaria propagandística del gobierno, que contestó con una campaña donde se acusaba a los empresarios de "discriminar a Evo Morales por su condición de indígena", obviando las amenazas previas contra EXPOCRUZ lanzadas por las bases masistas. El propio Evo se sumó a la campaña de desinformación, aprovechando una visita al Perú. Desde el Congreso del vecino país volvió a usar su táctica favorita de la victimización, buscando descalificar al empresariado ante la comunidad internacional como "racista". Por supuesto, todo estaba muy lejos de la verdad, teniendo en cuenta la creciente participación de productores campesinos del occidente del país en la feria, sectores con raíces claramente indígenas, que en los últimos años han cerrado operaciones muy lucrativas en la Rueda de Negocios que se realiza durante el evento. En el 2007 el gobierno pretendió repetir su campaña desinformativa, pero se vio obligado a guardar la fusilería mediática que ya tenía preparada, ante la invitación que le cursó a Morales el presidente de EXPOCRUZ de ese año, Gabriel Dabdoub. Sin embargo, Evo no puso un pie en la feria, tal vez temiendo algún acto de repudio popular. El presidente se desinvitó a sí mismo...

- *¿Hay sectores de la economía que sí se hayan beneficiado con el gobierno del MAS?*

- Uno en especial, que ha tenido un despegue espectacular, moviendo alrededor de 800 millones de dólares anuales, con un verdadero auge de inversión y ganancias que está convirtiendo a sus representantes en una nueva élite económica y política.

- *¿De qué sector habla?*

- De la economía de la coca y su derivado: la cocaína. El ex zar antidrogas, Ernesto Justiniano, ha advertido sobre el nacimiento de una nueva "burguesía cocalera" en El Chapare, un estrato que se está enriqueciendo rápidamente y que tiene un estrecho control sobre el presidente Evo Morales. Recordemos que el mandatario sigue siendo el máximo dirigente de las seis federaciones de cocaleros del Trópico de Cochabamba, tal vez uno de los aspectos más escandalosos de toda su gestión, ya que entraña un conflicto de intereses. ¿El titular del Poder Ejecutivo, que tiene entre sus responsabilidades la aplicación de la Ley 1008[107], es al mismo tiempo el líder de los cultivadores de coca-para-cocaína?

- *Pero la coca no es necesariamente lo mismo que la cocaína.*

- No, pero sucede que el 72% de la producción nacional de coca va directamente a la fabricación de droga. Esto, según cifras de la ONNUD[108]. En

107Principal norma antidrogas, vigente en Bolivia desde dos décadas atrás.

108 Oficina de Naciones Unidas contra la Droga y el Delito.

el feudo de Evo Morales, El Chapare, la situación se agrava especialmente, llegando a ser desviada hacia el narcotráfico más del 90% de la producción. Entendámonos: la ley boliviana permite 12.000 hectáreas para abastecer el consumo legal de coca, pero bajo el gobierno de Evo Morales la superficie de los cultivos ha crecido a 30.000 hectáreas. De ese total, sólo 10.000 fueron a parar al mercado legal, es decir, 2.000 menos de las habilitadas por ley. Eso explica la deliberada postergación del gobierno en llevar a cabo el estudio del mercado legal de la hoja de coca en Bolivia, que debería haberse realizado hace tiempo. Según Justiniano, las presiones inflacionarias que vivimos actualmente estarían relacionadas con el millonario movimiento de circulante generado por el narcotráfico, una especie de *narcoinflación*... Es decir, que el sector estaría distorsionando toda la economía nacional.

- *¿Dónde quedaron los planes gubernamentales para industrializar la hoja de coca?*

- La industrialización se está dando, pero de otra manera... En El Chapare han comenzado a proliferar los molinos que procesan la coca para fabricar pasta base de cocaína, prescindiendo así de los tradicionales "pisacoca". Sólo otro de los síntomas de la creciente prosperidad de la nueva burguesía cocalera, junto con el boom de la construcción en el trópico de Cochabamba.

- *Sin embargo, el informe anual de Estados Unidos sobre lucha contra las drogas volvió a certificar a Bolivia.*

- Fue una medida de realpolitik, para evitar la expulsión de la DEA.

- *¿Cómo es eso?*

- A medida que se aproximaba la fecha de publicación del informe anual de Estados Unidos, el gobierno de Evo Morales intensificó los ataques contra "el imperialismo", llegando a extremos inusitados. Todo esto, por supuesto, era impulsado por Hugo Chávez, quien buscaba la ruptura de relaciones diplomáticas entre Bolivia y Estados Unidos. Se apostaba a que Bolivia fuera descertificada, generando la excusa perfecta para que Morales expulsara, en un "gesto de soberanía", a la agencia antidrogas norteamericana. El Departamento de Estado estaba conciente de esto y sabía que la salida de la DEA habría significado carta abierta para el narcotráfico en el país. Por eso se evitó la descertificación, pero presentando un informe crítico que ponía en evidencia el aumento de cultivos de coca causado por la permisividad gubernamental, así como el crecimiento desmedido de la producción y comercialización de cocaína... La situación de los parques nacionales es dramática. Los cocaleros, alentados por la administración Morales, están invadiendo las áreas protegidas, e incluso han instalado pozas de maceración y fábricas de droga en estos parques. El caso de la reserva forestal del Choré, en pleno departamento de Santa Cruz, demuestra que la actividad ya ha rebasado las áreas cocaleras del Trópico de Cochabamba, para comenzar a afectar el territorio amazónico. Y, claro, la política de tierras promovida desde el gobierno, que busca el asentamiento masivo de colonos altiplánicos en las llanuras cálidas, también podría traer aparejada la "cocalerización" de las tierras del oriente. El daño ecológico creado por la invasión a los parques nacionales puede ser devastador. El Choré, por ejemplo, regula buena parte del ecosistema de Santa Cruz, y la progresiva desaparición de la reserva podría acabar causando un cambio del clima en la región. Lo cierto es que Evo Morales está convirtiendo a Bolivia en un Narco-Estado, con un repliegue estatal que le está entregando cada vez mayores áreas del territorio a las mafias de la cocaína. Se sabe de la existencia de 473 pistas de aterrizaje clandestinas controladas por narcotraficantes. El proyecto de Carta Magna del MAS incluye la constitucionalización de la hoja de coca como "patrimonio nacional", lo que equivaldría a hacerla inerradicable o intocable. Bolivia sería el primer país del mundo es constitucionalizar un insumo del narcotráfico. Me imagino que George Soros estará frotándose las manos, reconfortado de haber hecho tan buena inversión con Evo Morales... Afortunadamente, varios de los proyectos del gobierno han tropezado con un rotundo rechazo internacional, como la despenalización de la coca, que no encontró eco en ningún foro importante. Algo parecido sucedió con el anuncio gubernamental de cobrarle derechos a la Coca-Cola, que no fue tomado en serio por nadie. El único apoyo externo para la desastrosa narco-política de Evo es Hugo Chávez. Se sospecha que algunos de los frecuentes vuelos venezolanos, que entran y salen de Bolivia sin ningún control de carga, estarían llevando cocaína a cambio de armas para las milicias sindicales. Estas sospechas tienen bases muy bien fundadas: El País de Madrid definió a Venezuela como un "narco-santuario", a través del cual se distribuye hacia el mundo el 30% de las 600 toneladas de narcóticos producidas por las FARC. ¿Ahora comprende por qué Hugo Chávez tiene tanta influencia sobre las FARC? En contraposición, la postura cubana sobre el narcotráfico parece haber variado luego del traspaso del poder a Raúl Castro, quien está decidido a seguir la vía china, es decir, a emprender reformas económicas hacia el capitalismo y a normalizar las relaciones exteriores, manteniendo el férreo aparato político unipartidista. En ese marco, ha iniciado una estrecha cooperación con la DEA en el Caribe, e incluso ha intentado atenuar en algo la línea de Evo Morales. A mediados de agosto del 2007 tuvo lugar una reunión secreta convocada en La Habana por Raúl Castro, a la que se invitó a altos funcionarios del gobierno de Evo Morales. Allí se les pidió que procurasen moderar su accionar, porque "Cuba y Bolivia necesitan atraer inversiones". La reunión fue mucho más que un mero pasaje anecdótico, ya que demostraría la existencia de fisuras importantes al interior del ALBA, entre la visión confrontacional sostenida por Hugo Chávez y otra, pragmática, representada por el heredero del poder en Cuba.

CAPÍTULO XV

El Nobel fallido/Uranio para el Islam/La ONU infiltrada/¿A qué le teme la nomenklatura?/Ofensiva centralista/La izquierda caníbal.

CONFIDENCIAL

- Usted decía que la comunidad internacional no recibió bien la iniciativa de Evo Morales para despenalizar la coca. ¿Comienza a desencantarse el mundo exterior del "primer presidente indígena de Bolivia"?

- Obviamente, entre el 2006 y el 2007 ha corrido mucha agua bajo el puente. El enamoramiento de los primeros tiempos, con chompa incluida y grandes dosis de ingenuidad y romanticismo del "buen salvaje", ha ido dando paso a una perspectiva más realista, a medida que la comunidad internacional comenzó a percibir a Evo Morales como un generador de enfrentamientos y un seguidor demasiado obsecuente de Hugo Chávez. El 2007 fue el año del desgaste de la imagen externa de Evo. Sus equipos comunicacionales intentaron varios operativos mediáticos a escala internacional, que acabaron en el fracaso. El más notable de esos operativos fue la candidatura de Morales al premio Nobel de la Paz, un absurdo por donde se mire, si tenemos en cuenta los múltiples hechos de violencia provocados por el caudillo masista, tanto en su etapa de opositor como desde el gobierno. La campaña fue lanzada con bombos y platillos desde Nicaragua, en un "Congreso Internacional de Pueblos Indígenas" realizado en enero y financiado por PDVSA. En realidad, se trataba de una auto-postulación camuflada. Los petrodólares chavistas comenzaron a circular y rápidamente surgieron, aquí y allá, los promotores de la candidatura: Hebe de Bonafini[109], Pérez Esquivel, Rigoberta Menchú... Aunque la Nobel guatemalteca terminó por alejarse discretamente de la campaña, luego de algunos roces con Hugo Chávez. La campaña insumió grandes sumas de dinero e incluyó la utilización de las embajadas y consulados de Bolivia para ejercer presión internacional. Dentro del país, los medios de comunicación del Estado bombardearon a la población de forma incle-

109 Líder de la facción radical y minoritaria de las Madres de Plaza de Mayo. Con fondos de Hugo Chávez creó una supuesta "universidad popular", desde donde promueve a la extrema izquierda argentina. "Estamos con los compañeros de las FARC", "los presos etarras son para el mundo un ejemplo de dignidad y de resistencia", "el 11 de septiembre sentí que la sangre de tantos caídos era vengada" y "Juan Pablo II va a morir quemado en el infierno", son algunas de sus frases célebres que la retratan. En febrero de 2007 firmó una carta de apoyo al régimen de Mahmmud Ahmadinejad.

mente, pregonando las "virtudes pacifistas" del gobernante. Para hacerle tragar la Gran Mentira al mundo entero, Evo proclamó pomposamente durante una visita al Japón que "Bolivia renunciaba a la guerra", mientras que al mismo tiempo organizaba fuerzas militares conjuntas con Venezuela. Como sabemos, y a pesar de todo el aparato propagandístico desplegado, el Nobel de la Paz fue para Al Gore, noticia que le desfiguró el rostro a más de un operador gubernamental[110]. Varios factores confluyeron para esa derrota: en primer lugar, una incidencia internacional cada vez más limitada de las políticas de desinformación del oficialismo, que ya no pueden esconder o distorsionar la realidad boliviana a un mundo que comienza a perder la inocencia respecto al líder cocalero. En segundo término, tenemos el acercamiento Bolivia-Irán, que significó el tiro de gracia para las aspiraciones de Evo al Nobel. Este acercamiento fue propiciado por Hugo Chávez, que tiene grandes intereses estratégicos en la alianza con los mullahs iraníes, como vimos al comentar la influencia de Ceresole. Intereses militares, se entiende. El mandatario venezolano usó a Evo como un peón sacrificable, priorizando sus propias maniobras estratégicas –en este caso, la entrada de Irán en América Latina- sobre los intereses políticos de su discípulo. ¿Alguien se puede imaginar al Parlamento noruego dándole el Nobel de la Paz a Morales, mientras éste se abrazaba y firmaba acuerdos con un líder fundamentalista cuestionado por la Unión Europea, que busca la bomba atómica y habla de "borrar del mapa a Israel"? El alineamiento automático con Hugo Chávez, la política de "relaciones carnales" con Caracas, mostró lo contraproducente que puede ser para el propio Evo Morales, quien subordinó sus propias metas a las de su patrocinador. Allí quedó nuevamente demostrado el manejo chapucero de la política exterior por la Cancillería de Choquehuanca.

- *¿Irán busca el uranio boliviano?*

- Vamos al grano, entonces. Ahmadinejad ha estado impulsando el proceso de enriquecimiento de uranio, etapa previa al armado de misiles con cabezas nucleares. Y sucede que en Bolivia hay yacimientos importantes de ese mineral radioactivo, aunque el gobierno del MAS haya intentado desmentirlo. El director general de minería, Freddy Beltrán, pretendió negar la existencia de uranio en Bolivia, pero olvidó decir que hay una veintena de informes en poder de la Comisión Boliviana de Energía Nu-

110 Por esas fechas, la Fundación Goldman le dio un premio consuelo a Evo Morales. Se trata de la misma organización que premió a Óscar Olivera y a varias ONGs patrocinadas por George Soros.

clear[111], dependiente de las Fuerzas Armadas, que acreditan la realidad de esos yacimientos y que incluyen proyectos para su explotación. La existencia de uranio en Bolivia ha sido confirmada por informes de la NASA y del Servicio Geológico de Minas de los Estados Unidos, así como por estudios mineralógicos británicos y franceses. Además, hay una extraña coincidencia entre la localización del uranio y el emplazamiento que tendrían las fábricas que Irán piensa instalar en Bolivia. Por ejemplo, uno de los yacimientos del mineral está situado en las cercanías de la localidad de Pucarani, Oruro, donde el gobierno iraní proyecta implementar una lechería. Pero tengo otro dato que le interesará...

X busca algo en los bolsillos de su saco, hasta que al fin extrae una libreta con varios apuntes.

- Por si todo lo dicho fuera poco, aquí tenemos la confirmación plena de la existencia del uranio boliviano. El 3 de marzo del 2006, a poco de instalado el gobierno de Evo Morales, el consorcio canadiense Megauranium suscribió un acuerdo con la empresa Intrepid Mines para explotar 16 concesiones de uranio en dos zonas de nuestro país[112]: una de ellas situada en los departamentos de Potosí y Oruro, y la otra en el departamento de Santa Cruz. Es muy llamativo que los acuerdos para la explotación de uranio se hayan firmado poco después de la asunción de Evo. ¿Por qué no se dio a conocer a la población que existen varias concesiones de ese mineral? Leo un fragmento del comunicado emitido por la empresa: "Mega Uranium Ltd. se complace en anunciar que ha ingresado en un acuerdo con Intrepid Minerals Corporation en Bolivia, en el cual Mega podrá ganar un 75% de interés del contenido de uranio-molibdeno de 16 concesiones de exploración mantenidas por Intrepid. (...) Las propiedades actualmente sujetas al acuerdo están localizadas en dos entidades geográficas separadas en Bolivia: el Altiplano y el Precámbrico del Este, y contienen potencial para dos tipos de mineralización de uranio. En el Altiplano, las tres concesiones totalizan 20,5 kilómetros. En el área del Precámbrico, las 13 concesiones totalizan 117 kilómetros"[113]. Le he mencionado a Megauranium y a Intrepid Mines. ¿Sabe con quién está asociada la segunda empresa? Con George Soros. Intrepid Mines tiene explotaciones en varios países, como el yacimiento de El Zapote en El Salvador, que trabaja de

111 Ver la lista completa de informes en los Anexos de este libro.

112 Ver el mapa de los yacimientos en los Anexos de este libro.

113 103 www.megauranium.com y www.freemarketnews.com

manera conjunta con Apex Silver Mines[114], empresa que, como recordará, maneja la mina San Cristóbal en Potosí. Además, varios de los inversores canadienses de Apex estuvieron asociados con dos empresas dependientes del gobierno de Ahmadinejad, Iranian Minerals Company e Iranian Mines, en una explotación minera en San Gregorio de Polanco, Uruguay. Se deduce que podría haber una triangulación Bolivia-Soros-Irán para la obtención del uranio. Sobre todo, teniendo en cuenta el trabajo de lobby que Soros ha hecho en Estados Unidos a favor del gobierno fundamentalista iraní. Un artículo de Worldnet Daily revela que "El 13 de enero de 2005, el pro-mullah Concejo Americano Iraní unió fuerzas con el Open Society Institute de George Soros para invitar a Javad Zarif, embajador de Irán en las Naciones Unidas, para dar una conferencia titulada El mundo visto desde Teherán"[115].

- *¿Qué implica para Bolivia la alianza con Irán?*

- Un error aún más grave que el alineamiento con Venezuela. Ahmadinejad impulsa una nueva versión del antisemitismo bajo el rótulo de "antisionismo" y parece haber embarcado en esa línea a Hugo Chávez. ¿Sabe que en Venezuela funcionan varias células fundamentalistas islámicas con muy buenas conexiones en altas esferas de gobierno? Sus cabecillas son Tarek William Saab y Kalil Mayed, vinculados a los ex vicepresidentes chavistas José Vicente Rangel y Diosdado Cabello, y a militares de alto rango. La célula venezolana de Hezbollah llamó a los fieles a votar por el SÍ en el referéndum constitucional promovido por Hugo Chávez, y el gobierno "bolivariano" le dio carta libre a los activistas chiítas para que conviertan a su fe a los pueblos indígenas de Venezuela, por lo que ya han comenzado a proliferar los originarios con burka.

- *¿Cómo encaja Evo Morales en ese nuevo eje antisemita?*

- Basta con revisar los archivos de prensa y se encontrará con las declaraciones que Evo le hizo hace pocos años a un medio de prensa de Chile, donde decía que ese país era "El Israel de América del Sur para los Estados Unidos". Es decir, que el "imperialismo" utilizaría a Chile como un enclave colonial para la dominación geopolítica de la región. ¿No cree que encaja perfectamente en el esquema de Ahmadinejad y Chávez?

---

114 Como consta en los siguientes sitios web:
findarticles.com/p/articles/mi_m0EIN/is_2001_Feb_14/ai_70434082
www.secinfo.com/dS9Jj.4Am.htm
www.editec.cl/IngAndino/historico/IA601esp.pdf

115 www.worldnet.daily.com

- *Es posible. Pero quisiera volver al Nobel fallido. ¿Cree que el abrazo de Evo con Ahmadinejad basta para explicar el fracaso de su postulación?*

- También pesaron las campañas de denuncia en el exterior sobre las violaciones a los derechos humanos cometidas en su gestión. Por ejemplo, hubo una misión que llegó a la sede de la OEA en Washington, días antes del anuncio del Nobel de la Paz. Estuvo conformada, entre otros, por Fernando Cuéllar, presidente del Colegio de Abogados de Santa Cruz y miembro del directorio de Human Rights Foundation-Bolivia. Esta misión expuso los sucesos de enero del 2006 en Cochabamba y los ataques contra el Tribunal Constitucional, y su informe llegó a Noruega. Sin duda, todos estos esfuerzos se fueron sumando para contribuir a desmitificar a Evo en el escenario internacional.

- *En una de nuestras conversaciones anteriores, usted habló de un "cerco comunicacional internacional" montado desde el gobierno. ¿Está empezando a resquebrajarse ese dispositivo?*

- Puede ser, aunque los patrocinadores internacionales de Evo todavía tienen operadores importantes. Y algunos de ellos realizan su tarea desde el seno mismo de la ONU.

- *¿Perdón?*

El Ciudadano X pasa rápidamente las páginas de su libreta, hasta llegar a una que tiene varias líneas subrayadas con tinta roja.

- ¿Recuerda que le mencioné a Ion Mihai Pacepa, el antiguo asesor de seguridad nacional de Ceaucescu? En sus memorias[116], Pacepa dice que conoció las Naciones Unidas "como la palma de su mano". Escuche esto: "Pasé 20 años de mi antigua vida como jefe del espionaje comunista, luchando por transformar la ONU en una especie de república socialista internacional. El bloque comunista dedicó millones de dólares y miles de personas a este gigantesco proyecto. (...) Todos los empleados de las naciones del bloque del Este de Europa estaban implicados en espionaje. Aunque la Guerra Fría fue declarada *kaput*, no terminó con un acta formal de rendición, como otras guerras, ni con el desarme de los vencidos. Años después del colapso del comunismo, una operación idéntica a la planeada en 1975 reapareció en Naciones Unidas". Más adelante agrega que el anterior secretario general de la ONU, Koffi Annan, "quiso reformar las Naciones Unidas con la ayuda de los mismos comunistas que la deforma-

116 "Red horizons".

ron. El 2 de diciembre de 2004, por ejemplo, Annan apoyó vigorosamente las 101 proposiciones del *Panel de Alto Nivel sobre Amenazas, Desafíos y Cambio*. Uno de los principales miembros de este selecto panel era un viejo amigo mío, Yevgeny Primakov, antiguo asesor soviético de inteligencia de Saddam Hussein. Este es el mismo Primakov que durante un tiempo llegó a encabezar el servicio de espionaje de Rusia. (...) Otro destacado miembro es Qian Qichen, un antiguo espía de la China Roja, que pertenecía al Comité Central del Partido Comunista cuando éste ordenó la sangrienta represión de la Plaza de Tiannanmen en 1989; luego llegó al Politburó y a vicepresidente del Consejo de Estado de China". Aunque las denuncias de Pacepa no descalifican a las Naciones Unidas como institución, sí muestran el alto grado de infiltración desplegada por ciertas fuerzas y la presencia de actores ligados a la vieja izquierda estalinista.

- *¿Cómo se conecta todo esto con Bolivia?*

- Vamos paso a paso. En mayo del 2007, visitó nuestro país el enviado de la ONU Jean Ziegler, quien afirmó muy suelto de cuerpo que "en Bolivia no hay violaciones a los derechos humanos" y aplaudió supuestos progresos hechos por el gobierno de Evo en la protección al "derecho a la alimentación". Cuando oí eso, me comuniqué de urgencia con algunos amigos en Nueva York, quienes hicieron consultas en la ONU. Allí les dijeron que las declaraciones de Ziegler "sólo eran una opinión personal". Pero las gestiones de ese operador, por muy personales que fueran, no acabaron allí. Ziegler hasta se ocupó de hacer campaña para que Bolivia ocupara un asiento en el Consejo Permanente de Derechos Humanos de las Naciones Unidas, desde donde el gobierno del MAS podría obstruir las investigaciones internacionales en casos de *lesa humanidad*. Algunos meses después, un escándalo en las instalaciones de la ONU en Ginebra hizo reaparecer el nombre de Jean Ziegler, relacionado con agentes de la inteligencia cubana. Un cable de la agencia AP, fechado el 11 de octubre, contaba que "Las Naciones Unidas expresaron su malestar por la presencia de funcionarios cubanos encubiertos en una conferencia de prensa sobre derechos humanos, en la que solicitaron información sobre un periodista francés que hacía preguntas críticas sobre el gobierno de Fidel Castro". Jean Ziegler dictaba la conferencia, donde elogió al gobierno castrista por su cooperación con la ONU en materia de derechos humanos y –de nuevo el mismo eslogan- subrayó los avances cubanos en el "derecho a la alimentación". En ese momento, un periodista francés cuestionó la postura de Ziegler y se produjo un tenso intercambio verbal entre ambos. Fue entonces que dos supuestos diplomáticos cubanos comenzaron a recabar datos sobre el periodista francés entre los demás reporteros que estaban en la sala. Cuando la conferencia de prensa acabó, la encargada de la oficina europea de las Naciones Unidas, Elena Ponomareva, confrontó a los funcionarios, quienes dijeron ser diplomáticos pero declinaron revelar de qué país eran. ¿Comprende lo que sucedió? Los agentes cubanos hicieron de guardias de seguridad en la conferencia pro-castrista, investigando al periodista díscolo que arruinaba el libreto compuesto en La Habana para Jean Ziegler... Los operadores internacionales volvieron a la carga tratando de mostrar un respaldo de la ONU a Evo Morales a fines del 2007, con la visita de otro emisario cooptado, Rodolfo Stavenhagen. Llegó invitado por el gobierno y dijo que la Asamblea Constituyente fue "escenario de expresiones de racismo anti-indígena por parte de constituyentes de la oposición". Stavenhagen también lamentó "una fuerte emergencia del racismo en medios de comunicación de Bolivia". Todo un ejemplo de imparcialidad. Claro, no dijo una palabra sobre el atentado contra el hábitat de los guaraníes en El Choré, a manos de colonos del altiplano atizados por los sindicatos del MAS; nada sobre la persecución a los indígenas yuquis en El Chapare por los cocaleros; ni de los intentos de aculturar a los chiquitanos, enviándoles libros de texto escolares en quechua y aymara; nada de las agresiones contra indígenas del oriente en San Julián; nada del olvido de los afrobolivianos, a los que se pretende aymarizar; ni una palabra sobre las quejas contra el gobierno de dirigentes quechuas como Alejo Véliz, ni de las críticas al totalitarismo hechas por representantes aymaras como Fernando Untoja y Víctor Hugo Cárdenas. Para no hablar de los innumerables gestos de negación hacia los mestizos, o la *xenofobia de Estado* contra los cruceños descendientes de croatas y palestinos. Nada sobre los dirigentes del MAS que afirman querer "el territorio de Santa Cruz, pero sin los cruceños".

- *¿Quién es Rodolfo Stavenhagen?*

- Pregunta clave para comprender sus declaraciones parciales e irresponsables. Se trata de un ex burócrata del gobierno del PRI en México, de esa "dictadura perfecta" denunciada por Mario Vargas Llosa. Frecuente orador, además, en eventos patrocinados por el Open Society Institute de George Soros. ¿Ahora le cierra el círculo?

- *Perfectamente.*

- Hubo un tercer intento de poner las estructuras de la ONU al servicio del proyecto hegemónico, cuando un grupo orquestado por Wálter Chávez pretendió copar la ANUBOL[117]. Este brazo de las Naciones Uni-

117 Asociación de las Naciones Unidas en Bolivia.

das está integrado por organizaciones de la sociedad civil y fiscaliza las acciones de los funcionarios del organismo mundial asignados al país. Para el gobierno, era una grave molestia que la sede de ANUBOL estuviera en Santa Cruz y que sus representantes actuaran de manera independiente, conformando un capítulo de derechos humanos que investigó, por ejemplo, las condiciones de salud y alimentación de los niños que eran llevados en una marcha indígena promovida por sectores afines al Movimiento Al Socialismo. El grupo de Wálter Chávez intentó trasladar la sede a La Paz, donde la institución sería tomada por ONGs oficialistas y le serviría al mismo *monje negro* de "paraguas protector", a medida que avanzara su proceso de extradición al Perú. Para ese objetivo, llegaron a publicar solicitadas difamatorias contra los representantes de ANUBOL. Sin embargo, una rápida reacción desde Santa Cruz desactivó la conspiración, mediante una denuncia ante la Federación Mundial de Asociaciones de las Naciones Unidas. Todo acabó con el descrédito de los *walterboys*, que terminaron desenmascarados ante la ONU.

- *Parece que al Poder ONG enquistado en el aparato estatal le preocupa mucho la existencia de organizaciones civiles independientes...*

- Usted tocó un tema esencial. La nueva clase burocrática está plenamente conciente del rol que pueden jugar los Organismos No Gubernamentales en la construcción de un proyecto político. Lo saben por experiencia propia. Por eso, uno de los principales temores de la *nomenklatura* masista es que existan ONGs que escapen a su control y que puedan promover visiones democráticas alternativas a la suya. Es bastante curioso, que éste sea el gobierno que más ha insistido en el control público sobre las ONGs. Al parecer, quieren botar la escalera después de haber subido por ella.

- *¿Puede darme ejemplos de esto?*

- El 10 de octubre del 2007, el gobierno de Evo Morales puso en vigor el decreto supremo 29308, que obliga a los organismos que canalizan cooperación internacional a alinearse con las "estrategias de desarrollo" dictadas por el Poder Ejecutivo. La norma también obliga a las ONGs a registrar las donaciones oficiales, directas y no oficiales, en el Sistema de Información sobre Financiamiento Externo y en el Sistema de Información sobre Inversiones. Comentando el decreto a la prensa, el ministro de planificación del desarrollo, Gabriel Loza, dijo que "Las donaciones son bienvenidas pero no pueden ingresar por todas partes sin que el país sepa del registro estadístico. Por tanto, la norma establece el registro del monto de la donación, el destinatario, el objetivo de la ayuda y los plazos". ¡Qué bueno sería que Evo también cumpliera con ese decreto, transparentando los petrocheques de Hugo Chávez que reparte a los municipios! El ministro Loza también se quejó de que sólo 663 de las 1.300 ONGs que funcionan en el país estén registradas en el Viceministerio de Inversión Pública y Financiamiento Externo. Por la misma época, como recordará, Juan Ramón Quintana impulsó una ofensiva contra USAID y una supuesta "red de ONGs conservadoras", a las que acusó de financiar a "grupos de derecha" que buscan "desestabilizar al gobierno". Las organizaciones atacadas por el Ministro de la Presidencia fueron las impulsoras del desarrollo alternativo en El Chapare, es decir, que trabajaron para darle a los cocaleros otras fuentes de sustento, que les permitieran salir del circuito coca-cocaína. Igualmente, se atacó a intelectuales que han participado activamente en el diseño del proyecto de autonomías departamentales, como Juan Carlos Urenda, y a promotores de iniciativas descentralizadoras como Roberto Barbery y Carlos Hugo Molina.

- *Quintana no salió bien parado de esa maniobra.*

- Cierto, porque la respuesta no se hizo esperar y salieron a la luz pública sus vínculos con Organismos No Gubernamentales patrocinados por George Soros. Otro que se sumó a la ofensiva fue el presidente de la APDHB, Guillermo Villela, quien pidió al Congreso que votara una ley para "investigar a las organizaciones de derechos humanos". Así como lo oye. Al parecer, no conforme con tener sendas cuotas en el gabinete ministerial, esa ONG ahora quiere monopolizar el tema de los derechos humanos.

- *Ya que hablamos de los temores de la nomenklatura, como usted la llama, ¿cuáles son los principales desafíos que enfrenta el proyecto hegemónico-centralista?*

- El gran desafío, por supuesto, proviene de las regiones. El proceso de empoderamiento regional es irreversible, o en todo caso su reversión sólo podría hacerse mediante una inusitada dosis de violencia, ejercida desde el poder central.

- *¿Evo está dispuesto a tomar ese camino?*

- A fines del año pasado, Evo emprendió una ofensiva centralista para neutralizar a los contrapoderes regionales. Al parecer, sus asesores lo convencieron de que era mejor actuar rápidamente contra los prefectos independientes, antes de que el desgaste de la imagen presidencial fuera mayor. La ofensiva comenzó con el recorte del porcentaje del IDH correspondiente a las prefecturas, municipios y universidades. Mediante un decreto -violando el mandato del referéndum sobre hidrocarburos del año 2004, que establece que los ingresos del gas deben destinarse a salud, educación, caminos y empleo- los fondos fueron centralizados en el Tesoro General de la Nación, con la excusa del pago de la "renta dignidad" para los ancianos. La verdad es que el gobierno del MAS había manifestado su intención de centralizar esos recursos desde el inicio mismo de su gestión. Tanto Carlos Villegas, por entonces ministro de planificación del desarrollo, como el titular de la cartera de hacienda, Luis Arce, habían expresado en diferentes momentos la necesidad de que el gobierno redistribuyera el IDH. Inicialmente, justificaron esa intención aduciendo que se necesitaban mayores recursos para YPFB, pero la excusa perfecta surgió a fines del 2007, al acercarse la fecha en que debía iniciarse el pago del Bonosol a los mayores de 65 años. Todo parece indicar que el gobierno, a pesar de sus proclamas exitistas sobre el superávit fiscal, se encontró con graves problemas para financiar el bono anual. Hay que recordar que el pago del Bonosol provenía de los dividendos de las acciones de los bolivianos en las empresas capitalizadas, pero el decreto de "nacionalización" de los hidrocarburos expropió esas acciones en el sector petrolero, endosándoselas a título gratuito a Yacimientos. El decreto agregaba que YPFB se haría responsable del pago de dividendos para el bono, lo que, sin embargo, no sucedió. Así que los astutos asesores presidenciales recurrieron a toda su viveza criolla y encontraron una fórmula que les permitía matar dos pájaros de un solo tiro: salir del atolladero financiero y quitarle dinero a los prefectos. La solución consistía en transformar el bono anual de 1.800 Bs. en una renta mensual de 200 Bs., desahogando al TGN del pago inminente que debía hacerse a fin de año. Al mismo tiempo, se cambiaba la fuente de financiamiento, que desde ahora saldría del Impuesto Directo a los Hidrocarburos. La fórmula tenía grandes ventajas políticas, ya que quienes se quejaran por el recorte podían ser descalificados como personas "sin sensibilidad social", opuestas al pago de una renta a los ancianos. Ese argumento fue recogido ingenuamente por más de una agencia de prensa internacional. Prefecturas, municipios y universidades conformaron rápidamente un bloque en defensa del IDH.

- *El gobierno retrocedió en el recorte a las universidades.*

- Fue su manera de dividir al bloque. Después buscó un pacto con los municipios, utilizando las influencias que su aliado, Juan del Granado, tiene en la FAM[118]. El acuerdo plantea que se mantendrá el recorte del IDH a los municipios, pero que luego estos recibirán una parte de lo disminuido a las prefecturas. Algo bastante borroso, como verá, y que en el fondo persigue enfrentar a los gobiernos municipales con los departamentales.

118 Federación de Alcaldías Municipales.

La firma de ese acuerdo provocó que la mayor parte de las alcaldías de Santa Cruz, Beni, Pando y Tarija se distanciaran de la FAM. La división que el gobierno ha instalado en casi todos los órdenes de la vida pública boliviana también afectó a los municipios. Lo importante, para la administración Morales, era aislar a los prefectos y despojarlos de gran parte de sus fondos, de cara a las batallas, electorales o de otro tipo, que puedan darse en el 2008. En esta decisión también pesó mucho la amplia ventaja que las prefecturas le llevaban al gobierno en materia de ejecución presupuestaria. A septiembre de 2007, cuando se anunció el recorte del IDH, los gobiernos departamentales ya habían ejecutado más del 60% de sus presupuestos, mientras que la administración central sólo había alcanzado el 29% de ejecución. Evidentemente, el gobierno central está perdiendo la *batalla de la gestión* y dejar a los departamentos sin recursos sería la forma más simple de neutralizarlos. Pero la redistribución del IDH sólo fue el primer capítulo de la ofensiva centralista.

- *¿Qué siguió después?*

- En la segunda etapa pasaron directamente a la violencia, siguiendo los lineamientos de Hugo Chávez, quien había advertido con hacer de Bolivia "el Vietnam de las ametralladoras". Usando como excusa una huelga del personal de AASANA[119] en el Aeropuerto Internacional de Viru Viru, el gobierno militarizó esa terminal aérea de Santa Cruz, en una operación comando realizada por la madrugada. ¿Quiere que le detalle lo sucedido?

- *Por supuesto.*

- El 18 de octubre del 2007, a las 3:40 de la madrugada, la torre de control del Aeropuerto de Viru Viru recibió una comunicación del capitán de un avión Hércules CP-130, solicitando permiso para aterrizar. El arribo de la aeronave, cuyo propósito se desconocía, se produjo a las 3:47 horas. Minutos después, un corte en el suministro de energía eléctrica dejó a oscuras todo el Aeropuerto. Según testimonios de varios funcionarios regionales de AASANA, el apagón fue seguido por la rotura de las puertas y ventanas que separan a los espacios interiores del edificio de la pista de aterrizaje. Después, se oyeron pisadas de botas y el sonido correspondiente al despliegue de un gran contingente humano. El ingreso de tropas fue acompañado de disparos realizados por los efectivos en la oscuridad, con lo que habrían resultado heridos accidentalmente dos de los militares que fueron parte del operativo comando. De acuerdo a los testigos pre-

119 Administración de Aeropuertos y Servicios Auxiliares a la Navegación Aérea.

senciales, efectivos militares con trajes camuflados, armamento pesado y rostros con pinturas de guerra sometieron a los 20 funcionarios que se encontraban en el Centro de Control, haciendo un uso excesivo de la fuerza que incluyó empujones con las ametralladoras, además de abundantes agresiones físicas y verbales. Los efectivos encañonaron con su armamento de guerra a los funcionarios, ordenándoles tumbarse en el suelo, tras lo cual, sin dejar de apuntarlos, procedieron a requisarles todos los efectos personales, como celulares y billeteras. En esa acción fue agredido el meteorólogo Ricardo Zambrana, a quien le partieron el labio inferior por negarse a entregar su celular. Los funcionarios permanecieron detenidos en el Centro de Control y luego en otras dos salas por espacio de media hora. Entonces se les indicó que podrían irse y retornar a las 48 horas a sus puestos de trabajo, "siempre y cuando no hubieran declaraciones a la prensa y no hicieran público el operativo realizado", según testimonio del controlador Edgar López Jiménez y del director regional de AASANA, Ronald Toro. En ese lapso, llegaron al Aeropuerto dos camiones militares con efectivos de apoyo, así como un contingente de policías en motocicletas. Los funcionarios se retiraron de las instalaciones, permaneciendo varios de ellos en el área verde contigua al Aeropuerto, donde se produjo un nuevo hecho de represión, esta vez a cargo de la Policía Nacional. Otros dos funcionarios de la Administración Aeroportuaria resultaron agredidos, cuando un efectivo policial empujó con su motocicleta a la señora Sara Ayala, mientras que otro lanzó gas pimienta a la cara del Dr. Jorge Hollweg, asesor legal de AASANA, quien debió ser internado de urgencia en la clínica de la Caja Petrolera por las complicaciones de hipertensión sufridas en ese momento. El testimonio del meteorólogo Erick Dickson Salvatierra es coincidente con los anteriores. El funcionario atestiguó que al cortarse el suministro de energía eléctrica bajó desde la torre de control hacia el área de pasajeros y escuchó fuertes sonidos de pisadas. Salvatierra preguntó quién andaba en la oscuridad y dio la voz de alto, siendo derribado al piso y golpeado con reiteración, en medio de numerosas agresiones verbales. Casi de inmediato, dos funcionarios de AASANA que fungen de guardias de seguridad desarmados también dieron la voz de alto, momento en el que las tropas abrieron fuego y en el que habrían resultado heridos los dos efectivos militares, cuyos nombres no fueron revelados por las Fuerzas Armadas. El meteorólogo y los dos guardias de seguridad fueron detenidos y trasladados a la comisaría de la Villa 1° de Mayo, bajo la acusación de ser los causantes de las heridas de los militares. La detención de los tres funcionarios continuó hasta altas horas de la tarde, incluyendo su traslado a la comisaría del barrio 2 de agosto, presumiblemente para mantenerlos incomunicados e imposibilitarles su defensa legal. Tras efectuarse la prueba del guantelete a los funcionarios, que resultó negativa, los tres fueron liberados, siendo internado en la clínica de la Caja Petrolera Erick Dickson Salvatierra, para su recuperación de la golpiza de la que fue objeto. La intervención militar y policial de Viru Viru fue realizada sin orden judicial y sin la presencia de un fiscal, y durante varias horas se impidió el acceso de la prensa al lugar. Los funcionarios de AASANA coincidieron en denunciar el trato degradante sufrido durante la violenta intervención, así como la presencia de tropas venezolanas en el operativo comando, e informaron que los controladores profesionales fueron sustituidos por militares traídos desde La Paz y Cochabamba. Hacia el mediodía de esa misma jornada se comentó la llegada de un segundo avión Hércules procedente de la ciudad de La Paz, con controladores aéreos venezolanos. De hecho, varios canales de TV mostraron imágenes de efectivos de las Fuerzas Armadas de Venezuela en el interior del Aeropuerto de Viru Viru. Inclusive, los canales Unitel y Red Uno filmaron a efectivos venezolanos en Viru Viru, en el preciso momento en que el ministro de transporte, José Kinn, negaba su presencia.

- *¿Cómo justificó el gobierno esa militarización?*

- El vocero de la presidencia, Álex Contreras, dijo que recurrieron a la fuerza "para garantizar las operaciones aéreas". Por su parte, Quintana calificó el operativo como "una intervención técnico-administrativa". En una conferencia de prensa dada el día siguiente, desde la sede de la Federación de Colonizadores, Evo Morales dijo que la intervención estuvo motivada por casos de corrupción en AASANA Santa Cruz, y que quienes se oponían a la militarización eran "sectores reaccionarios y conservadores". Al principio, el gobierno negó rotundamente la presencia de tropas venezolanas, pero tras la difusión de imágenes de TV donde se veía a los efectivos extranjeros la versión gubernamental pasó a ser que, casualmente, se encontraba en Viru Viru un avión militar de Venezuela encargado de "trasladar becarios hacia Caracas".

- *¿Cuál era el trasfondo de la intervención?*

- Durante la gestión de Evo Morales se ha denunciado varias veces la entrada de tropas y cargamentos de Venezuela a través del Aeropuerto Internacional de Viru Viru, por lo que el gobierno estaría buscando eliminar todo tipo de control independiente sobre el movimiento de esa terminal aérea. Con la militarización también se quiso centralizar el manejo de AASANA, que es una Unidad Desconcentrada, para eliminar el sistema de concurso de mérito y copar la institución con funcionarios masistas. Tampoco hay que descartar que la violenta intervención haya sido planeada como una demostración de fuerza contra la región. Y hay que tener en cuenta que el control de Viru Viru sería estratégico para una militarización más amplia de Santa Cruz.

- *¿Dónde queda el argumento gubernamental de que la intervención habría precautelado la seguridad de las operaciones aéreas?*

- Los funcionarios de AASANA informaron que, antes de la intervención, ya se había llegado a un acuerdo con las aerolíneas para viabilizar los vuelos retrasados y existían avances en la negociación con el gobierno central, que retenía fondos correspondientes a la regional Santa Cruz de la institución. También indicaron que el riesgo en las operaciones aumentó en gran manera con la toma militar-policial de la terminal aérea y con la sustitución de los controladores habituales por otros inexpertos.

- *Detalle por favor cuál fue la reacción regional.*

- La militarización de Viru Viru fue rechazada de manera contundente por las autoridades, instituciones y organizaciones de la sociedad civil del departamento de Santa Cruz, que conformaron un Comité Interinstitucional para la defensa de la descentralización de AASANA. El primer vicepresidente del Comité Pro Santa Cruz, Luis Nuñez, dijo que la intervención del Aeropuerto era "el primer paso de una arremetida del gobierno contra la autonomía" y llamó a "hacer de la defensa del Aeropuerto un grito de libertad".

- *Luego vendría la retoma de Viru Viru por el pueblo cruceño.*

- No sin que antes las fuerzas ocupantes desataran una contundente represión. Horas después de conocerse la militarización, el Comité Interinstitucional conformado para defender la descentralización del Aeropuerto se reunió de emergencia en la Brigada Parlamentaria Cruceña. Allí se determinó la realización de una gran marcha pacífica hacia la terminal aérea, para exigir el cese de la intervención y la normalización de su funcionamiento institucional. Alrededor de las 16:00 horas, unos 2.000 ciudadanos, desarmados y portando únicamente banderas cruceñas, llegó hasta la tranca de acceso del Aeropuerto, que estaba custodiada por un fuerte operativo policial. Centenares de efectivos antimotines impidieron el paso de los manifestantes, amenazando con atropellarlos con sus motocicletas y lanzando gran cantidad de latas de gas lacrimógeno, que en varios casos impactaron directamente contra los cuerpos de los ciudadanos, causándoles heridas de diversa índole. También se hicieron disparos de balines, que hirieron al menos a cuatro manifestantes. Varias de las personas que se encontraban al frente de la columna fueron golpeadas por los efectivos policiales, como en el caso de Analía Álvarez, periodista del diario La Estrella del Oriente que recibió golpes de laque, patadas y empujones, que le provocaron heridas en brazos y piernas. Un hombre no identificado recibió un fuerte golpe que le ocasionó un corte importante en la cabeza, que obligó a los paramédicos a realizarle puntos de sutura. Varios diputados de Santa Cruz fueron golpeados o gasificados por policías que no respetaron su inmunidad parlamentaria: Mario Cronembold, Gary Pereira, Wálter Arrázola, Ernesto Justiniano, Wilfredo Añez, Roxana Gentile, Luis Alberto Pacheco, Oscar Urenda, Gina Crispieri, Michiaki Nagatani, Mamén Saavedra, Rubén Tabata y María René Espada. También fueron agredidos la senadora María Silvia Baldomar; el presidente del Comité Pro Santa Cruz, Branko Marinkovic; los dos vicepresidentes de esa entidad, José Luis Nuñez y Roberto Gutiérrez; la presidenta del Comité Cívico Femenino, Ruth Lozada; el secretario general de la Prefectura, Rolando Aguilera; y los constituyentes Javier Limpias y Wilder Vaca. La presidenta del grupo "Mujeres de Septiembre", Marioly Vincenti, fue herida por un disparo de balín en una pierna, por lo que debió ser trasladada a la clínica de la Caja Petrolera en horas de la noche. Hacia las 19:00 horas comenzó una nueva gasificación, más violenta que la anterior. El operativo comenzó al llegar nuevos grupos de manifestantes, organizados por la Federación Universitaria Local. La represión llegó hasta la carretera y afectó a los ocupantes de los vehículos que habían quedado varados por el bloqueo de esa vía. Niños, mujeres y ancianos fueron gasificados, así como las ambulancias con los heridos. Numerosos heridos por disparos de perdigón y personas mayores con graves problemas respiratorios fueron el saldo de la segunda oleada represiva. Fueron agredidos por la policía periodistas de varios canales de televisión, como PAT, Activa y SITEL, e incluso se llegó a amenazarlos con la detención. La periodista Uriel Gutiérrez, del Canal 57, debió ser trasladada en una ambulancia hasta el Hospital Japonés, con dificultades respiratorias causadas por la gasificación. También por la noche se conoció del arribo a Santa Cruz del ministro de la presidencia, Juan Ramón Quintana, quien habría llegado acompañado por 100 efectivos policiales de refuerzo. En la mañana del viernes 19 de octubre, ante la inminencia del desplazamiento masivo de ciudadanos hacia el Aeropuerto, el ministro Quintana anunció el retiro de las fuerzas militares y policiales señalando que "Ya se ha recobrado la calma". A partir de las 10:00 de la mañana, y tras la rápida salida de las tropas, una concentración de 30.000 asistentes festejó en Viru Viru la desmilitarización de la terminal aérea. Allí, el Prefecto del Departamento, Rubén Costas, le envió un mensaje al gobierno: "Aprendan a usar el Estado de Derecho".

- *También fue el momento en que surgió la imagen de Hugo Chávez como el "macaco mayor".*

- Usted lo ha dicho. El prefecto Costas aludió al mandatario venezolano con esa frase, lo que provocó una airada respuesta del ministro Quintana, quien dedujo por su cuenta que, entonces, se le estaba llamando a Evo "macaco menor".

- *El presidente terminó insultado por su propio ministro.*

- Cuando los funcionarios de la regional de AASANA volvieron a sus cargos encontraron vacía la torre de control, y diversos destrozos ocasionados por la ocupación militar. El cardenal Julio Terrazas condenó la violencia en su homilía del jueves 18 de octubre, durante una misa celebrada al anochecer en la catedral de Santa Cruz de la Sierra. Entonces volvieron los ataques del gobierno contra la iglesia.

- *¿La retoma de Viru Viru puede ser considerada como la primera derrota internacional de Chávez?*

- Así es. Claro que la intención de "crear dos, tres, cien Vietnam en Bolivia" no murió allí, sino que esa derrota intensificó la ofensiva contra las regiones. El aparato del MAS comenzó a agitar a las milicias sindicales, y entonces se produjo el brutal acto de Omasuyos que ya comentamos, con la matanza de perros... Los autores de *"El regreso del idiota"* han distinguido entre la izquierda "carnívora" y la izquierda "vegetariana", entendiendo por la primera a la versión radical y estalinista del socialismo, y a la segunda como la vía democrática y reformista seguida por Chile y Brasil. Pero lo que tenemos en Bolivia, a juzgar por ese acto y por lo que vendría después en Sucre, es la *izquierda caníbal.* Recuerdo que, al comenzar la presente gestión de gobierno, el jurista Joan Prats[120] dijo que la principal fuerza de oposición boliviana tenía ante sí la tarea fundamental de "disciplinar democráticamente a la derecha". Dos años después podemos decir que, razonablemente, cumplió ese objetivo. Eso está muy bien, pero, ¿quién disciplina democráticamente a la izquierda caníbal del MAS?

120 Director Ejecutivo del Instituto Internacional de Gobernabilidad de Barcelona.

CAPÍTULO XVI

Una Constitución manchada de sangre/Fuerza Delta/Resistencia democrática y Estatutos Autonómicos/Mister Fraude/Bajo la mirada del Gran Hermano/¿Diálogo o "dialogueo"?/El teléfono rojo/De la paz armada al "empate virtuoso".

CONFIDENCIAL

- Mientras los "Ponchos Rojos" exhibían armamento de guerra y realizaban ejercicios de combate cuerpo a cuerpo, varios voceros del gobierno y de organizaciones afines al Movimiento Al Socialismo declaraban su intención de llevar al país al enfrentamiento civil. Álvaro García Linera decía que "está más cerca de lo que parece el momento de tensionamiento de fuerzas". Por su parte, Juan Ramón Quintana declaró en un mitin celebrado en Tarija que se avecinaba "Una batalla política. Tienen que entender compañeros que acá, o vamos a salir más fortalecidos o vamos a salir débiles". De manera similar se expresaba el máximo dirigente de la Central Obrera Regional de El Alto, Edgar Patana, quien decía que "Ha empezado la batalla decisiva, la última que estaba esperando el pueblo, para poder hacerse escuchar", en medio de una marcha que bajó hasta la plaza Murillo de La Paz acompañada por gritos que amenazaban: "¡Guerra civil! ¡Guerra civil!"[121]. El alcalde de Achacachi y dirigente de los Ponchos Rojos, Eugerio Rojas, anunció que su sector se encontraba en estado de alerta ante una eventual confrontación, "incluso una guerra civil". A esto hay que agregar las instrucciones que, según algunos medios de prensa, le habría dado Evo Morales a la presidenta de la Asamblea Constituyente, Silvia Lazarte: "Viva o muerta, me entregas la nueva Constitución el 14 de diciembre". En medio de ese clima pre-bélico, el MAS trasladó 3.000 milicianos sindicales hasta Sucre, quienes amenazaron con dejar a esa ciudad sin alimentos ni agua potable. El viernes 23 de noviembre, la directiva de la Asamblea Constituyente dominada por el partido de gobierno instaló una sesión plenaria en el Liceo Militar de "La Glorieta", en Sucre, envuelta en tres anillos de seguridad: Ejército, Policía y *milicias sindicales*. La sesión violó la legislación boliviana, que prohíbe deliberar en recintos militares. Además, el Liceo de "La Glorieta" estaría fuera del radio urbano de Sucre, por lo que también se habrían incumplido la Ley de Convocatoria y la Ley de Ampliación, que establecieron a la capital de la república

---

121 Poco antes, sectores radicales del MAS habían intentado frustrar la reelección de Patana al frente de la COR. El dirigente alteño tuvo que hacer un compás de espera en las elecciones sindicales y se realineó momentáneamente con el gobierno. Finalmente, logró ser reelegido y volvió a asumir un perfil crítico.

como sede de la Asamblea. Adicionalmente, la plenaria sólo contó con la presencia de 150 de los 255 integrantes de la Constituyente, y la directiva mantuvo la resolución ilegal dictada el 15 agosto de 2007, que prohíbe el tratamiento de la propuesta de retorno de los poderes Legislativo y Ejecutivo a la capital de la república. Igualmente, la primera medida tomada por la plenaria, consistente en modificar el Reglamento de Debates, violó la normativa interna de la Constituyente, que indica que la propuesta de modificación debe ser puesta a consideración de todos los constituyentes con 72 horas de anticipación. Las múltiples irregularidades ocasionaron movilizaciones de protesta del Comité Interinstitucional de Chuquisaca, integrado por la mayor parte de las fuerzas vivas de ese departamento. Hacia el mediodía, el Comité realizó un cabildo multitudinario, donde se declaró ilegal la sesión plenaria y se anunció un referéndum para resolver el debate sobre la capitalidad plena. Hacia las 13:00 horas, estudiantes de la universidad estatal "San Francisco Xavier" se dirigieron a la sede legal de la Constituyente, el Teatro Gran Mariscal, donde varios funcionarios administrativos estaban sustrayendo muebles y equipos para trasladarlos al recinto militar. Los estudiantes instalaron una vigilia alrededor del edificio para impedir el traslado, momento en el que comenzó la represión policial. Los universitarios fueron gasificados varias veces, hasta que a las 15:00 horas las fuerzas policiales de Sucre se replegaron a sus comandos. Entonces, los operativos pasaron a ser realizados por policías llegados desde la ciudad de La Paz, comandados por el general Jorge Espinoza. La ferocidad de la represión se intensificó, con disparos de gases y balines a quemarropa y feroces golpizas con bastones. La ola de violencia se prolongó durante toda la jornada en el centro de la ciudad y en la zona de El Tejar, a cientos de metros de La Glorieta. El saldo de la represión fueron más de 100 personas heridas, incluyendo a un estudiante universitario con ambas piernas fracturadas por los golpes de los efectivos policiales, una persona internada por un preinfarto y menores de edad intoxicados por los gases lacrimógenos, que tuvieron que ser atendidos en terapia intensiva. También se registraron agresiones contra la prensa de parte de efectivos policiales: un camarógrafo del canal de TV Red Uno, José Vargas, fue golpeado y se le decomisó su equipo de filmación, tras lo cual se destruyó la cinta en la que había registrado algunos de los momentos más intensos de la represión. Un periodista de la Agencia France Press fue pateado en la cara, una reportera y un camarógrafo de PAT recibieron culatazos, y se pateó al periodista de El Deber Pablo Ortiz, así como a un fotógrafo del mismo medio. Paralelamente, fueron apresados más de 50 estudiantes universitarios, los mismos que habrían sufrido golpizas en el lugar de detención y que posteriormente fueron liberados de manera paulatina. Todos los operativos fueron dirigidos personalmente por el ministro de gobierno, Alfredo Rada, que se encontraba acuartelado en "La Glorieta". También estuvieron presentes en Sucre Juan Ramón Quintana y el viceministro de coordinación gubernamental, Héctor Arce. Se sabe que el presidente del Comité Interinstitucional de Sucre, Jaime Barrón, se acercó hasta "La Glorieta" e intentó dialogar con Rada, pero éste lo despidió y le dijo que lo recibiría después. Mientras los enfrentamientos recrudecían en la capital de la república, Evo Morales se paseaba en un tanque de guerra en la unidad militar "Calama", en la localidad de Patacamaya. Llamó a los chuquisaqueños a "no bloquear la sesión plenaria", pero no se pronunció sobre los hechos de violencia. Por su parte, Alfredo Rada se refirió a los manifestantes agredidos diciendo que eran "pequeños grupos que no representan a los chuquisaqueños".

- *¿Cuánta gente estaba en la calle protestando contra la plenaria?*

- Alrededor de 20.000 sucrenses. Jaime Barrón dijo que "Paradójicamente, esta Asamblea Constituyente que se dice popular va a sesionar en espacios que son emblema de la dictadura".

- *¿Qué reacciones llegaban desde otras regiones del país?*

- El Comité Pro Santa Cruz emitió un comunicado declarándose en vigilia permanente e indicando que "Quien hiere a Chuquisaca agrede a Santa Cruz". De la misma forma, manifestaron su solidaridad con el pueblo de Sucre las instituciones de Cochabamba, Tarija, Beni y Pando. Incluso el defensor del pueblo, Waldo Albarracín, quien tiene vínculos innegables con el oficialismo, tuvo que pedir desde Sudáfrica la suspensión inmediata de la plenaria. La Conferencia Episcopal Boliviana declaró a través de un comunicado que "Es una aberración que contradice los principios humanos y cristianos, usar las necesidades y aspiraciones humanas como recurso de cálculo político e instrumentalizar a grupos sociales como recursos de presión, más aún cuando estas medidas pueden conducir a lamentables enfrentamientos entre hermanos". Estas palabras hacían directa alusión a la presencia de milicianos sindicales en Sucre, como los Ponchos Rojos y sectores alteños, que controlaban los cerros en torno a "La Glorieta" y que llegaron a detener y destruir ambulancias que trasladaban a los heridos. Mientras se sucedían las declaraciones, caía la primera víctima de la represión gubernamental: el abogado Gonzalo Durán Carazani, de tan sólo 29 años, quien participaba de las manifestaciones universitarias. La Constitución del MAS nacía manchada de sangre. La muerte de Durán fue provocada por una bala que le atravesó el pulmón derecho, en una refriega entre estudiantes y policías en La Calancha. Informes posteriores de balística proporcionados por el IDIF[122] comprobaron que el calibre del proyectil utilizado era de 5.56 milímetros, percudido desde un fusil semiautomático o automático, probablemente Galil o M-16. El mismo sábado 24 de noviembre, el comandante del Regimiento Sucre II de Infantería, coronel Mario Tanaka, admitió que se habían encontrado cartuchos de bala de 5.56 milímetros en La Calancha. Según el diario Correo del Sur, Tanaka "aseguró que sus efectivos no habían hecho disparos y culpó de ello a la Unidad Especial Antiterrorismo de la Policía, que visten uniformes camuflados y usan los casquillos que fueron disparados". He consultado algunas fuentes reservadas y todas me han confirmado que existe un grupo antiterrorista de la Policía Nacional que usa fusiles Galil: el Grupo de Acción Inmediata o GAI, últimamente rebautizado como Fuerza Delta.

- *La misma unidad de élite que el gobierno envió a Santa Cruz en enero de 2008.*

- Exacto. En el momento más duro del enfrentamiento del 24 de noviembre, imágenes de televisión captaron a tres uniformados con trajes camuflados, rostros cubiertos y cascos, portando en sus manos armamento antimotines y llevando en sus espaldas fusiles de guerra. De acuerdo a una versión que debe ser tomada en cuenta, esos uniformados llevaban insignias que no pertenecen a ninguna unidad militar ni policial boliviana, y portaban fusiles AUG fabricados en Austria por la Casa Steyr, que también pueden disparar balas de calibre 5.56. Se sabe que el ejército venezolano es uno de los pocos en Sudamérica que tiene ese tipo de armamento. Esos efectivos descendieron repentinamente desde una elevación donde está ubicada la falla geológica entre la zona de La Florida y "La Glorieta", y se sumaron a los policías que reprimían a los manifestantes. Al saberse de la primera muerte, el prefecto de Chuquisaca, David Sánchez, se acercó a "La Glorieta" y trató de persuadir a Silvia Lazarte para que suspendiera la plenaria. Al rato, ella le comunicó a los constituyentes: "Hay un finado. Que descanse en paz, pero tenemos que continuar". Toda una humanista. David Sánchez pidió hablar con Rada, pero tampoco fue escuchado. Con la muerte del abogado se desató la furia popular y los gritos de "Evo asesino" se convirtieron en el estribillo de los universitarios. Mientras que afuera se mezclaban el luto y la rabia, dentro de la plenaria se vivía un clima de fiesta por la votación "en grande" de la nueva Constitución Política del Estado, al punto que los asambleístas se levantaron y terminaron cantando el himno nacional. Por supuesto, toda la votación estuvo viciada de nulidad. Y de ridículo, porque la aprobación se hizo sin

122Instituto de Investigaciones Forenses.

siquiera leer los artículos, sino únicamente el índice del texto masista. Cuando los combates llegaron a 200 metros de "La Glorieta", la policía disparó contra un regulador de corriente y dejó sin energía a toda la zona. Rato después, los asambleístas debieron ser evacuados por las vías del tren que pasan por detrás del Liceo Militar.

- *La jornada del domingo 25 sería más violenta todavía.*

- Sí, lamentablemente. Ese día murió Juan Carlos Serrudo, en inmediaciones de la Unidad Operativa de Tránsito, a causa de una lata de gas que le fue disparada a quemarropa y que acabó incrustada en su pecho. Se habló de universitarias violadas y ultrajadas por la policía. A esa altura de los acontecimientos, el escenario de los combates se había trasladado a las cercanías de los edificios policiales, que tuvieron que ser abandonados por los efectivos ante la llegada masiva de manifestantes. A la sangre derramada se sumaron las llamas provocadas por los cócteles molotov y varias de esas instalaciones fueron incendiadas, así como la casa del prefecto David Sánchez[123]. El número de heridos ya ascendía a 300. Completamente rebasada por la población, la Policía Nacional tuvo que abandonar la ciudad de Sucre, replegándose hacia Potosí. La salida colectiva de los policías, desarmados y en largas filas que llenaban las calles, será recordada por muchos como un momento histórico donde la lucha democrática de todo un pueblo le puso freno al autoritarismo.

- *También entonces se produjo la fuga masiva de presos del penal de Sucre.*

- Según versiones de los vecinos del penal, y de algunos pocos internos que se negaron a irse, la fuga habría sido alentada por la propia policía, a manera de represalia contra la población por el repliegue obligado. Los testimonios hablan de efectivos que abrían las puertas y que lanzaban gases lacrimógenos al interior del penal, para impulsar a salir a los presos. Al mismo tiempo, el Comando de Policía hizo circular la información de que habría muerto un efectivo, Jimmy Quispe, degollado por manifestantes. Poco después se comprobó la falsedad de esa versión, ya que el efectivo en cuestión gozaba de buena salud y seguía cumpliendo sus funciones. El último acto de la tragedia vivida en Sucre fue la muerte de otro manifestante, José Luis Cardozo, el 26 de noviembre, luego de permanecer dos días en estado de coma con una bala en la cabeza. El cuerpo de Cardozo presentaba señales evidentes de haber sufrido torturas. Le doy sólo un

123 Poco antes, en septiembre de 2007, el domicilio de la alcaldesa de Sucre, Haydée Nava, había sido cercado por los denominados "Ponchos Huayrurus".

ejemplo para no abundar más en detalles morbosos: todas las uñas de pies y manos le habían sido arrancadas. Los testimonios más consistentes indican que habría sido entregado con vida por efectivos policiales a los "Ponchos Rojos", quienes cometieron los diversos vejámenes para luego devolverlo a los uniformados, quienes le habrían dado el tiro de gracia.

- *A todo esto, ¿qué decía el gobierno?*

- Frente a este panorama catastrófico, el Ministro de Gobierno trató de deslindar responsabilidades, diciendo que policías y militares utilizaban armas reglamentarias de otros calibres, y atribuyó los disparos a civiles. Pero será muy difícil que Alfredo Rada pueda ocultar su responsabilidad directa en lo sucedido, si tenemos en cuenta que estaba presente en el área de los operativos. ¿Recuerda que también estuvo en Villamontes, cuando se produjo otra muerte por disparo de arma de fuego? Otra de las reacciones fue la de Juan Ramón Quintana, que ante el peritaje del Instituto de Investigaciones Forenses admitió que los proyectiles de 5.56 milímetros son compatibles con armas como los Galil y M-16. El Ministro de la Presidencia conoce bien ese tipo de armamento, porque fue durante el segundo gobierno de Banzer cuando se compraron 10.000 fusiles Galil, mientras él era asesor del entonces ministro de defensa, Fernando Kieffer.

- *Una bala del mismo calibre mató a Santiago Orocondo en Oruro, a mediados del 2006.*

- Buena memoria. La autopsia del "sin techo" Orocondo reveló que fue asesinado por un proyectil de 5.56 milímetros. La presencia en el operativo de efectivos con fusiles Galil fue confirmada por el segundo comandante del Regimiento Braun Octavo de Caballería, mayor Mauricio Ortiz Amestegui, en declaraciones dadas el 10 de junio de 2006 a la Fuerza Especial de Lucha Contra el Crimen de Oruro.

- *Volviendo a lo sucedido en Sucre...*

- Fue el primer acto de un libreto armado por los asesores chavistas, para que el gobierno implantara a sangre y fuego su proyecto de Constitución radical. Pero el MAS no se detuvo allí. Mientras las fuerzas represivas derramaban la sangre de los universitarios sucrenses con la ayuda de los "Ponchos Rojos", otra columna de milicianos sindicales llegaba a la ciudad de La Paz y cercaba el edificio del Poder Legislativo, presionando a los parlamentarios de oposición para que aprobaran la Ley de la "renta dignidad". Esto sucedía el 26 de noviembre, es decir, inmediatamente después de los brutales incidentes en la capital de la república. Evo recibió a sus huestes en un mitin, donde festejó la aprobación "en grande" de su proyecto de Constitución y volvió a atacar a los medios de comunicación. Esa misma noche y al día siguiente, sus pongos ejecutaron las instrucciones veladas: apedrearon las instalaciones de Radio Panamericana y de los canales Unitel, ATB y PAT. Intentaron incendiar el diario La Razón, insultaron públicamente a Radio Fides y golpearon a periodistas y camarógrafos a metros del Palacio de Gobierno, en presencia de la Ministra de Justicia. Pero no crea que era pura violencia irracional: se perseguía un fin muy bien planificado.

- *¿Cuál?*

- Amedrentar a los medios, para reducir la cobertura de su siguiente jugada política. El martes 27 García Linera convocó al Congreso, supuestamente para dirimir las diferencias surgidas entre la Cámara de Diputados y el Senado en torno al financiamiento de la "renta dignidad". El Senado había hecho enmiendas sustanciales al proyecto de ley enviado por el Poder Ejecutivo, que había sido sancionado sin más trámite por la mayoría oficialista en la Cámara de Diputados. En la Cámara Alta se había cambiado la fuente de financiamiento de la renta, creando una canasta financiera conformada por múltiples recursos, como el ITF[124] y los dividendos de las reservas internacionales. Esto permitía la sostenibilidad de la renta sin tocar los fondos del IDH para las prefecturas departamentales. Por supuesto, los cambios no le cayeron nada bien al Movimiento Al Socialismo, cuyo propósito real era disminuir el margen de acción de los gobiernos departamentales como parte de su *ofensiva centralista*. A golpes, empujones y chicotazos, el cerco "campesino" impidió la entrada de muchos parlamentarios de oposición a la sesión del Congreso. De hecho, el aparato del MAS había distribuido entre los milicianos fotografías de los diputados y senadores a interceptar, marcadas con "equis" rojas. La anécdota más jugosa la brindó el diputado de UN Peter Maldonado, quien tuvo que disfrazarse de albañil para poder entrar al Parlamento. La maniobra masista se completó con la convocatoria a los "suplentes traidores" que habían viabilizado la sesión trucha del Senado del 28 de noviembre del 2006. Nuevamente, el gobierno se encargó de su traslado y demás gastos, utilizando aviones de la Fuerza Aérea e incluso trayendo a uno de ellos desde el Brasil. De esa manera amañada se logró aprobar la Ley de la "renta dignidad", confiscándole recursos a las prefecturas y municipios. Sin embargo, el verdadero objetivo de la *sesión cercada* parece haber sido otro, aún más importante para la estrategia gubernamental: la aprobación de una norma que modificaba ciertos aspectos de la Ley de

124 Impuesto a las Transacciones Financieras.

Convocatoria de la Constituyente y de la Ley de Ampliación, facultando a la directiva de la Asamblea para convocar a sesiones fuera de la ciudad de Sucre. Se allanaba el camino para el segundo acto del proceso de imposición de la Constitución masista, que tendría lugar pocos días después en Oruro. Tantos atropellos levantaron una ola de indignación nacional: las instituciones de Chuquisaca promovieron decenas de procesos judiciales contra autoridades policiales y gubernamentales, incluyendo el pedido de juicio de responsabilidades contra el presidente y varios de sus ministros. En Santa Cruz, una gran concentración en la plaza 24 de septiembre condenó la masacre de Sucre, entre cientos de carteles que llevaban la leyenda “Evo asesino”. El CONALDE[125], integrado por la mayoría de los prefectos departamentales, había convocado inicialmente a la ciudadanía a la desobediencia civil, y ahora intensificaba su postura llamando a la *resistencia democrática*. Se proponía al pueblo boliviano desconocer los actos ilegales emanados del Poder Ejecutivo y de la Asamblea Constituyente. En ese marco, surgió una huelga de hambre masiva en la misma plaza, que se prolongó por varias semanas y llegó a reunir a más de 1.000 ayunadores[126]. También hubieron tomas de instituciones dependientes del gobierno central en varios departamentos y se inició una campaña de denuncia internacional. La Cámara de Industria y Comercio de Santa Cruz hizo gestiones para que los prefectos de oposición fueran recibidos en la sede de la OEA en Washington por José Miguel Insulza. Los prefectos de Santa Cruz, Cochabamba, Beni y Tarija le plantearon al secretario general de la OEA la situación de ruptura del Estado de Derecho generada por la administración de Evo Morales. Esa gira tuvo una amplia repercusión en las cadenas internacionales de TV y puso muy nerviosa a la nomenklatura, que pretendió utilizar al Servicio Exterior para orquestar una contracampaña. Por ejemplo, el primer secretario de la embajada de Bolivia en Estados Unidos, José Iván Dávalos, comisionó a un fotógrafo norteamericano para que tomara fotos de los residentes bolivianos que se atrevieran a manifestarse en solidaridad con los prefectos, frente a la sede de la Organización de Estados Americanos. El mismo funcionario también intentó organizar un acto de repudio a los prefectos a las puertas de Diálogo Interamericano, sin éxito.

---

125 Consejo Nacional Democrático.

126 Casi exactamente un año después de las huelgas realizadas en defensa de los 2/3, tanto en la Iglesia San Francisco de La Paz como en Santa Cruz.

- Por esos días se produjeron incidentes violentos en Cobija y Riberalta.

- Veamos el primer caso. Al parecer, el gobierno buscaba la forma de romper la cadena de las regiones rebeldes por lo que pensaron que sería su eslabón más débil: el poco poblado departamento de Pando. El MAS trasladó a sus "movimientos sociales" a la capital pandina, Cobija, con la supuesta finalidad de "festejar la nueva Constitución". Toda una provocación, teniendo en cuenta que la población del lugar había votado mayoritariamente a favor de la autonomía, y ahora veía incumplido su mandato precisamente por el texto que se pretendía celebrar. En realidad, se quería generar un *casus belli* para justificar la intervención policial del departamento. Cuando se dio el previsible choque entre pongos políticos y pobladores, no tardaron en llegar los contingentes de la Policía Nacional al aeropuerto de Cobija. Pero algo salió mal en los cálculos de los "cerebros" masistas, porque una verdadera insurrección popular acabó obligando al repliegue de los efectivos policiales. Se repetía la película vista en Sucre, esta vez sin muertos, afortunadamente. El incidente de Riberalta, como ya sabe, estuvo relacionado con el aterrizaje de un avión Hércules de la Fuerza Aérea de Venezuela en el aeropuerto de esa localidad. Una de las muchas aeronaves venezolanas que entran y salen subrepticiamente de Bolivia, y cuyos tripulantes se dedican a cargar y descargar cajas pesadas sin ningún control por parte de las autoridades nacionales. Cansados de esta situación y ante la posibilidad de que el avión trajera un cargamento de armas, los pobladores de Riberalta cercaron el Hércules y lo apedrearon, obligándolo a despegar. Pero uno de los pasajeros del avión no pudo volver a abordar la nave y quedó varado en el aeropuerto, con un millón de dólares en su maletín. Para justificar su "cargamento" el hombre, llamado Luis Michel Klein Ferrer, dijo ser funcionario del Bandes, un banco de fomento de Venezuela que supuestamente estaría colaborando en proyectos productivos con Bolivia. Toda una patraña. Si investiga un poco, encontrará un acta de la justicia venezolana de julio del 2004, donde el mismo sujeto aparece como testigo en el caso de la finca "Daktari", donde fueron detenidos varios paramilitares acusados de rebelión. Según el acta, Klein Ferrer estaba adscrito a la Dirección General Sectorial de Inteligencia Militar y sería oficial de la Fuerza Aérea Venezolana con grado de capitán. Un extraño cooperante para el desarrollo, ¿no cree? Lo cierto es que el maletín de Riberalta viene a engrosar las sospechas levantadas por el caso de Antonini Wilson en Buenos Aires, sobre la existencia de una red de corrupción y financiamiento clandestino solventada con gastos reservados del régimen chavista. Luego del incidente, Evo Morales le pidió perdón al gobierno venezolano por lo que consideró una "agresión", demostrando aún más su sometimiento.

- *La situación del país se iba enrareciendo cada vez más.*

- Diciembre fue un mes complicado. "Guerra civil" era la expresión más utilizada por los analistas, para calificar lo que juzgaban inminente. El ejército de Brasil llegó a hacer ejercicios en la frontera, para el caso en que tuviera que rescatar a ciudadanos de ese país residentes en Bolivia. Las presiones contra la prensa recrudecieron: el comentarista de TV Carlos Valverde fue perseguido en la calle por una movilidad misteriosa; Centa Reck y "Yoyo" Pando fueron incluidos en una lista negra elaborada en esferas cercanas al gobierno, como analistas a los que había que neutralizar; una camioneta de uso oficial se encargó de hacer desaparecer todos los ejemplares de un conocido diario cruceño en la ciudad de La Paz; e incluso Cayetano Llobet, a quien ya habían sacado del aire, se salvó por poco de ser agredido por los guardaespaldas del Ministro de Minería.

- *Luego está el caso del ex prefecto de Chuquisaca, David Sánchez.*

- "El gran escape", como lo denominó El Mercurio. Según el diario chileno, fueron los grupos de choque del MAS los que incendiaron la casa de Sánchez en Sucre, poniendo en riesgo la vida de su mujer y sus tres pequeñas hijas. Al parecer, habría sido acusado de "traidor" por sus ex camaradas. Al otro día, en medio de los disturbios, Sánchez abandonó la capital de la república. Fue prácticamente arrestado por la policía y trasladado a La Paz, donde quedó bajo la custodia de los ministerios de Gobierno y Defensa. El prefecto aseguró sentirse "secuestrado por el gobierno", pero logró evadirse con la ayuda de la iglesia evangélica a la que pertenece, que lo puso en una casa de seguridad. Entonces, el Ministerio de Gobierno desató una verdadera persecución contra Sánchez, quien pidió asilo político en varias embajadas. El resultado fue negativo y los diplomáticos consultados confesaron temer a la reacción de Hugo Chávez. Así que pasó al "plan B": la noche del 4 de diciembre, un grupo de pastores evangélicos lo llevó hasta la frontera con Perú, a donde cruzó de manera clandestina. Junto a su familia, David Sánchez llegó a Lima y solicitó asilo político a las Naciones Unidas, a través del ACNUR. La ONU acogió el pedido y Perú aceptó su estadía de manera temporal. Desde su refugio, Sánchez envió al Senado y al Poder Ejecutivo su renuncia irrevocable al cargo de prefecto[127].

127 A fines de agosto, David Sánchez había hecho pública una primera carta de renuncia, aunque luego desistió de esa medida.

- *El primer exiliado político de Evo Morales...*

- El segundo, contando a Amauris Samartino. Mientras sucedía este escape digno de convertirse en película, el Movimiento Al Socialismo preparaba las sesiones finales de la Asamblea Constituyente, que planeaba realizar en Oruro.

- *Aunque el partido de gobierno primero manejó la posibilidad de sesionar en El Chapare.*

- Una maniobra distractiva. Hicieron salir a varios de sus voceros a los medios de comunicación, como el asambleísta Carlos Romero y otros, a decir que la sesión final de la Constituyente se realizaría el 14 de diciembre en el Trópico de Cochabamba, y que allí se completaría la aprobación de la Constitución "en detalle" y "en revisión". Todo era un engaño, porque al mismo tiempo hacían los preparativos para Oruro. Otro ejemplo de la deshonestidad esencial y la mala fe con la que se maneja el Movimiento Al Socialismo. El objetivo era evitar que los asambleístas de oposición, sobre todo de los departamentos alejados, donde son más numerosos, estuvieran presentes en la sesión. Entonces hicieron dos cosas: concentraron a los asambleístas del partido de gobierno en hoteles de La Paz, a pocas horas de viaje de Oruro, y la directiva presidida por Silvia Lazarte emitió la convocatoria a sesionar en esa ciudad en la madrugada del 8 de diciembre. La sesión tendría lugar ese mismo día, a las 18:00 horas, de forma que los constituyentes opositores de Santa Cruz, Beni, Pando y Tarija no tuvieran tiempo de llegar. Ese llamado violó el artículo 10 del Reglamento de la Constituyente, que establece que las convocatorias deben hacerse con un mínimo de 24 horas de antelación. También se vulneró el artículo 74 del mismo Reglamento, que dispone que el texto final será impreso y distribuido al menos cinco días antes de su tratamiento. En esa nueva sesión de la vergüenza se votaron, a la carrera y sin debate, los 411 artículos del monstruo jurídico que el MAS pretende hacer pasar por la nueva Constitución Política del Estado. Los asambleístas de Evo batieron los Records Guiness a la aprobación más rápida de una Carta Magna; fue todo un ejercicio gimnástico, de levantar los brazos cientos de veces y decir sí sin saber bien a qué. Incluso, en cierto momento la presidenta Silvia Lazarte tuvo que hacer aprobar de nuevo algún artículo, porque en el apuro los levantamanos habían votado de manera equivocada. Por la noche, lograron llegar a la sesión los asambleístas de PODEMOS de los departamentos del occidente, más cercanos al lugar, e intentaron realizar un acto de protesta, pero fueron rápidamente desalojados a golpes y patadas por los milicianos sindicales que cercaban el edificio. En total, los constituyentes del MAS cometieron 21 ilegalidades en el proceso de aprobación, convirtiendo a ese texto en una completa nulidad. Si se lo promulga, carecerá de legitimidad jurídica y será desobedecido.

- *¿Qué es lo más cuestionable en el contenido de ese proyecto de Constitución?*

- Sobre eso han corrido ríos de tinta, pero señalaré los puntos de mayor controversia. En primer lugar, Bolivia deja de ser "República" para convertirse en "Estado Plurinacional". Algo así como un nuevo Incario, con su pluralidad de suyos sometidos al mando común del monarca originario, Evo Morales. Junto a esto viene la desaparición de la nacionalidad boliviana, que no está mencionada en ninguna parte del texto. En vez de eso, se reconoce a los 37 pueblos indígenas del país como "naciones", sin tener en cuenta que varias de estas etnias sólo cuentan con decenas de integrantes. Los nacidos en el país que no pertenezcan a alguna de esas naciones originarias podrán ser ciudadanos, *pero no tendrán nacionalidad.* Ése es sólo el comienzo de una categorización de los ciudadanos de acuerdo a su pertenencia étnica, algo que hace recordar a las leyes de Nüremberg y a los sistemas de segregación racial. Esa clasificación en ciudadanos de primera y segunda se refleja en los procedimientos de elección de los representantes a la "Asamblea Legislativa Plurinacional". La Constitución del MAS dice que los indígenas elegirán a sus representantes de acuerdo a sus usos y costumbres, es decir, que no estarán sujetos a los métodos de la democracia representativa. ¿Qué sucederá, por ejemplo, con etnias donde aún impera el mando hereditario? ¿Y en las comunidades rurales sujetas a la dictadura de los sindicatos campesinos? ¿Quién garantiza la participación de la mujer en los pueblos indígenas de organización patriarcal? La representación indígena-originaria en el nuevo legislativo "plurinacional" no está sometida a criterios condicionales de densidad poblacional, límites departamentales, continuidad geográfica ni fiscalización institucional de sus organizaciones, como sí lo está la representación de los ciudadanos no-indígenas, que acabarán convertidos en los judíos de Bolivia. El jurista Cayo Salinas ha dicho que "Con ello, se habrán creado dos procedimientos diferentes para la constitución de los poderes públicos, además de mecanismos diferenciados para el ejercicio de los derechos políticos". Otro tanto pasa con el sistema judicial, desdoblado en jurisdicción ordinaria y jurisdicción indígena-originaria-campesina o "justicia comunitaria". Las decisiones de esta última no podrán ser apeladas ante la justicia ordinaria, por lo que podrían lesionarse gravemente los derechos humanos. Hablamos de una "justicia" donde no estaría garantizado el derecho a la vida, a la integridad física y al debido proceso, cuyos fallos deberán ser respetados por "toda persona" y que podría convertirse fácilmente en un instrumento de persecusión contra los opositores políticos. Sería, como decían los bolcheviques, una "justicia revolucionaria" o "justicia de clase".

- *Las "naciones indígenas-originarias" tendrán, además, soberanía territorial.*

- Lo que abre paso a la desintegración del Estado boliviano. Se reconoce la "libre determinación" de las naciones originarias "anteriores a la invasión colonial española" y el derecho de autogobierno en sus "entidades territoriales". Fíjese bien: cada una de estas supuestas naciones tendrá territorio, población y poder, los tres elementos que configuran un Estado. Lo más importante dentro del cálculo político gubernamental es que estas autonomías indígenas perforarían por completo a las autonomías departamentales, haciéndole trampa a la voluntad popular expresada en cuatro departamentos e incumpliendo el mandato vinculante del referéndum. Las autonomías quechua o aymara, por ejemplo, podrían atravesar varios departamentos. Y los colonos aymaras de Yapacaní o San Julián, en pleno departamento de Santa Cruz, ¿tendrán su autonomía indígena no enmarcada en la departamental? Para completar la desintegración territorial y política de los departamentos, la Constitución masista incluye además las autonomías regionales, formadas por una o más provincias. Con todo esto, los gobernadores departamentales quedarían reducidos a meros alcaldes capitalinos. Las autonomías indígenas, tal como están planteadas, también generarán discriminación racial en el derecho de acceso a la tierra. Y al habérseles reconocido a las "naciones originarias" la soberanía territorial, el Estado se verá obligado a pedir permiso a las autoridades indígenas para explotar los recursos naturales no renovables. Como verá, el *Estado Fragmentado* abre un enorme campo de negocios para las ONGs tutoras de cada etnia, que se convertirán en intermediarias con las empresas multinacionales. Las aventuras de Morales Olivera en el piso ocho de YPFB serán sólo un juego de niños comparadas con los negociados que puede provocar la tuición originaria sobre los recursos naturales. La puesta en vigencia de este sistema, junto a otras cláusulas de la Constitución "plurinacional", obligaría a una nueva revisión de los contratos petroleros, con todo el percance para la seguridad jurídica y las inversiones que eso conllevaría.

- *¿Qué otras cláusulas?*

- Un artículo de la Carta masista exige que las utilidades de las empresas privadas *se reinviertan en el país*. Otro establece que las empresas extranjeras del sector hidrocarburos no podrán recurrir a tribunales fuera del país, ni a reclamaciones diplomáticas. Todo el texto está permeado por una visión estatista de la economía, donde la iniciativa privada es considerada como algo casi delincuencial, que debe estar sujeto en todo momento a una estricta supervisión pública. Claro que, como sabemos, el abrazo del *Ogro Filantrópico* suele matar de asfixia. Así podría pasar con los servicios básicos, donde el Estado asumirá la responsabilidad de la prestación directa, anulando concesiones y licencias a empresas privadas. Las cooperativas de este sector serán sometidas al "control social", que en la jerga de los gobernantes significa el control político de las bases del MAS. Entre otras bellezas, el proyecto de Constitución faculta a los trabajadores a "reactivar" empresas en proceso de quiebra, concurso o liquidación, cerradas o abandonadas de forma injustificada, para conformar empresas comunitarias con ayuda del Estado. Una forma elegante de encubrir la apropiación indebida. El texto votado en Oruro indica que "la propiedad privada deberá cumplir una función social y su uso no debe ser contrario al interés colectivo", abriéndole la puerta grande a las expropiaciones. En general, se tiende a una economía planificada con un Estado Empresario, que produce directamente bienes y servicios. Esa concentración económica, recuérdelo bien, es un instrumento para la concentración totalitaria del poder político. El abrazo sofocante del Estado no podía dejar de lado a los servicios sociales: "El Estado regulará y controlará el ejercicio de los servicios privados de salud y efectuará auditorías médicas de evaluación de personal, infraestructura y equipamiento para garantizar la atención de calidad". Parece una broma, ¿no? ¡Cuando todos sabemos que los problemas están en la salud pública! Lo mismo con la educación, que será *"revolucionaria, descolonizadora y liberadora"*. Es decir, que se adoctrinará ideológicamente a los niños bolivianos. Los colegios privados estarán obligados a seguir esa misma línea. ¿Dónde queda la libertad de los padres para elegir la educación de sus hijos? El panorama de la seguridad social también pinta complicado, porque ésta no podrá ser concesionada ni privatizada, por lo que el Estado garantizará el derecho a la jubilación, pero no el cobro de los aportes a las AFPs[128]. Esto significaría un nuevo zarpazo confiscatorio al bolsillo de los ciudadanos, después del dado por Yacimientos a las acciones de los bolivianos en las empresas capitalizadas del sector hidrocarburos.

- *¿Dónde quedó la reelección presidencial?*

- El presidente y vicepresidente del Estado Plurinacional podrán ser reelectos por una sola vez de manera continua. Aquí vemos que el Movi-

128 Administradoras de Fondos de Pensiones.

miento Al Socialismo viabilizó el principal anhelo de Evo Morales, como es la reproducción en el poder, pero no se atrevió a insertar la reelección indefinida, tal vez por miedo a sufrir una derrota parecida a la de Hugo Chávez en su referéndum constitucional. Sin embargo, hay una trampa: el actual mandato no será tomando en cuenta para el cómputo del plazo, por lo que Evo podría quedarse en el gobierno, reelección mediante, nada menos que hasta el año 2.020. Pero hay otros aspectos preocupantes que quisiera comentar...

- *¿El articulado sobre "traición a la patria"?*

- Por ejemplo. La Constitución del MAS dice que "Los derechos políticos de ser elegido y elegir, fiscalizar y organizarse con fines de participación, se suspenden, entre otros casos, por cometer el delito de Traición a la Patria". Cometería ese delito "quien enajene recursos naturales o promueva acciones para la desintegración territorial o atente contra la unidad del país". Salta a la vista el propósito de penalizar las posturas autonómicas o federalistas en los departamentos de la "media luna". Los presos políticos creados con esta medida serían castigados con 30 años de cárcel sin derecho a indulto. Todo esto resulta paradójico, por supuesto, porque la que promueve la desintegración territorial y atenta contra la unidad del país es, justamente, la Constitución Plurinacional.

- *Un asunto de cuidado es la restricción a la libertad de prensa.*

- El texto determina que la información u opinión que se emita en los medios de comunicación, *"por cualquier persona"*, debe respetar los principios de responsabilidad y veracidad. Y aquí salta la pregunta: ¿quién determina qué información es responsable y veraz? ¿El censor público? ¿Las bases sociales? ¿El observatorio de medios castro-chavista? Para colmo, la CPE masista señala que la jurisdicción ordinaria no reconoce fueros, lo que implica la eliminación de la Ley de Imprenta.

- *Hay mucho de qué preocuparse.*

- Y todavía no termino. Como ya le dije, el proyecto del Movimiento Al Socialismo constitucionaliza la hoja de coca como "factor de cohesión social", haciéndola intocable. También se convierte a la *wiphala* en símbolo patrio y se impone a los ciudadanos el deber de respetarla. Pero lo peor de todo es la discrecionalidad que se otorga al presidente y a su Asamblea Legislativa Plurinacional para reformar la Constitución. El presidente puede convocar a referéndum por decreto para activar la elección de la Asamblea Constituyente cuando quiera, siguiendo el modelo *chavista-perfeccionado* de Rafael Correa en Ecuador. Por su parte, la Asamblea Legislativa Plurinacional puede reformar parcialmente la Carta Magna mediante ley aprobada por mayoría absoluta. Obviamente, esta extremada flexibilidad conllevaría que todo el andamiaje institucional del país variaría de acuerdo a los tiempos políticos del gobierno. A esto sumemos lo establecido en las Disposiciones Transitorias: promulgada la CPE masista, quedarán derogadas automáticamente todas las leyes, decretos y resoluciones que no respondan a su modelo de Estado.

- *¿De qué manera enfrentaron las regiones autonomistas a la aplanadora constitucional del gobierno?*

- La respuesta fue contundente y consistió en aprobar, en cada uno de los cuatro departamentos, sus propios Estatutos Autonómicos, medida que se convirtió en el eje de la *resistencia democrática.* Si la mitad del país, que no otra cosa representa el MAS, pretendía imponerle una Constitución a la otra, la segunda mitad se dotaría de sus propias normas, creando una especie de *fuero ciudadano* que protegería los derechos de sus habitantes, cercenados por el proyecto masista. Se obedecía la voluntad de los Cabildos del Millón, ¿recuerda? Allí se había determinado que si la Asamblea Constituyente incumplía el mandato vinculante del referéndum, se impulsarían consultas departamentales para poner en vigencia los respectivos Estatutos Autonómicos. Así que, tras el inicio de las sesiones irregulares en Oruro, las regiones activaron sus órganos estatuyentes. En el caso de Santa Cruz, la Asamblea Provisional Autonómica fue facultada para esa tarea por el cabildo de enero del 2005 y goza de una amplia legitimidad, ya que está compuesta por todos los representantes electos del departamento, directa o indirectamente: parlamentarios, consejeros departamentales, presidentes de los concejos municipales y delegados de las etnias originarias... Beni, Pando y Tarija se dotaron de cuerpos colegiados similares. En sesiones maratónicas y sin dormir durante días, los integrantes de la Asamblea Provisional Autonómica afinaron el Estatuto, que había sido elaborado pacientemente durante tres años. Claro que el gobierno no se quedó de brazos cruzados mientras sucedía aquello. Circularon informes sobre una probable militarización de Santa Cruz, con la movilización de los "cóndores" de Sanandita, unidad de élite del ejército entrenada para operaciones de asalto. También se conocieron planes para un eventual Estado de Sitio[129], que incluían la detención de los principales dirigentes de Santa Cruz, Cochabamba, Chuquisaca, Beni, Pando y Tarija.

129 Ver parte del Plan "Bolivia III" en los Anexos de este libro. Otro de los operativos planificados era el denominado "Navidad autonómica", por el cual se detendría a dirigentes regionales por cargos ficticios de narcotráfico. Ver el anexo respectivo.

Fuentes reservadas de la ciudad de La Paz informaron que las Fuerzas Armadas tenían listo un lugar de confinamiento entre Oruro y Potosí, un gran tinglado en medio del altiplano adonde irían a parar prefectos, presidentes de comités cívicos y dirigentes de las cámaras empresariales. Se supo que los soldados llegaron a limpiar y acondicionar el lugar ante su inminente uso. El miércoles 12 de diciembre por la mañana, coincidiendo con el inicio de las sesiones de la Asamblea Provisional Autonómica, arribó a Santa Cruz el Fiscal General de la República, Mario Uribe, quien convocó a una reunión de emergencia a todos los representantes del Ministerio Público del departamento, en la Fiscalía de Distrito. El objetivo era planificar la forma en que los fiscales acompañarían las detenciones que se realizaran durante la militarización. También hubieron preparativos con la Policía, pero los efectivos pusieron sus condiciones. Durante los acontecimientos de Sucre a finales de noviembre, el gobierno le había prometido un bono a los policías por "resguardar" a la Asamblea Constituyente, es decir, por reprimir a la población, pero nunca se pagó. Así que, para plegarse a los planes represivos contra las regiones autonómicas, los miembros de la fuerza del orden exigieron un aumento de sueldo. De ahí que, durante los días críticos que fueron del 12 al 15 de diciembre, el Comandante Departamental Rolando Caballero estuviera en La Paz, negociando el incremento salarial. Sabiendo de todos estos aprestos, la dirigencia cruceña decidió que sus principales líderes no participarían en la huelga de hambre de la plaza, ya que al estar concentrados en el mismo lugar serían detenidos fácilmente si se daba la militarización. En vez de eso, se diseñó una estrategia para mantenerlos diseminados y se optó por plegar a la huelga a los vicepresidentes del Comité Pro Santa Cruz, de CAINCO y de la CAO. Al mismo tiempo, ABI difundía notas de prensa tituladas "Las Fuerzas Armadas están con el proceso de cambio" o "La Policía Nacional está con el pueblo", preparando el terreno para la acción. También se supo de movimientos de tropas venezolanas en el aeropuerto del Trompillo y de personas de esa misma nacionalidad que alquilaban casas en torno a esa terminal aérea, así como departamentos en edificios altos, donde se podía emplazar francotiradores. El viernes 14 se volvió a hablar con insistencia de posibles detenciones, aunque en realidad deberíamos llamarlas "tomas de rehenes", ya que eso es lo que habrían sido los dirigentes apresados.

- *Sin embargo, no se dictó el Estado de Sitio ni nada similar.*

- El operativo fue abortado por una importante fractura al interior de las Fuerzas Armadas, entre los sectores cooptados por los petrodólares chavistas y corrientes institucionalistas, que se opusieron a participar en la represión. Se ha hablado de fuertes discusiones en el Estado Mayor, que incluso habrían llegado a los golpes entre camaradas de armas... La intervención había sido orquestada por Rada y Quintana, y se comenta que al producirse los choques entre sectores militares el ministro Walker San Miguel habría presentado su renuncia a la cartera de Defensa, al no poder alinear a toda la oficialidad... La amenaza de fuerza no pudo detener el proceso de aprobación final del Estatuto Autonómico cruceño, ni de los proyectos votados en las demás regiones. La democracia le ganó al miedo. El 15 de diciembre del 2007, mientras Evo Morales presentaba su Constitución ilegal en la Plaza Murillo ante algunos miles de seguidores, el Estatuto Autonómico era celebrado en Santa Cruz en una gigantesca concentración realizada en el Parque Urbano[130]. Allí, el presidente de la Asamblea Provisional Autonómica, Carlos Pablo Klinsky, definió al Estatuto como "la partida de nacimiento de la nueva Bolivia autonómica". Entre esa noche y los días siguientes, Tarija, Pando y Beni hicieron lo propio.

- *Usted ha hablado de los Estatutos como un fuero ciudadano. ¿Puede explicar ese concepto?*

- Además de precisar las competencias de los gobiernos departamentales, los Estatutos amparan derechos que serían violentados por el proyecto constitucional masista. Por ejemplo, la libertad de prensa, ampliamente protegida por los documentos aprobados en las regiones; la educación libre, la propiedad privada...

- *El ataque desde filas gubernamentales no se hizo esperar.*

- Descargaron una furiosa artillería. Ministros y voceros se rasgaron las vestiduras, hablando una vez más de "separatismo", cuando los Estatutos reconocen de manera clara un marco de unidad nacional. Otros hablaron de "federalismo", como si eso pudiera ser un delito. El viceministro Héctor Arce cuestionó la legitimidad de los miembros de la Asamblea Provisional Autonómica para redactar el Estatuto cruceño, olvidando que de acuerdo a la Iniciativa Popular prevista en la legislación boliviana, cualquier ciudadano puede presentar un proyecto a referéndum con sólo reunir la cantidad de firmas necesaria. Precisamente, la recolección de firmas para las consultas departamentales que han de poner en vigencia los Estatutos fue el siguiente paso dado por las instituciones regionales. En Santa Cruz,

130 Aún en la mañana del día 15 persistía la amenaza del uso de fuerza. El gobierno parapetó tropas antimotines frente al Parque Urbano para disuadir a la población de concurrir al lugar, pero no pudieron evitar la masiva afluencia popular.

el mínimo necesario es de 70.000 firmas, y hasta mediados de enero de 2008 la Corte Departamental Electoral ya estaba procesando 128.000.

- *¿Recuerda cuál fue el siguiente paso dado por Evo Morales?*

El nerviosismo se campeaba por el Palacio Quemado, ante los nuevos obstáculos puestos a su estrategia de copamiento totalitario. Analizaron varias opciones, hasta que se eligió una apuesta arriesgada: todo o nada. Evo salió en cadena nacional y propuso ir a un referéndum revocatorio, tanto para su cargo como para los nueve prefectos. Se planteaba la necesidad de "barajar y dar de nuevo", para *desempantanar la situación*. Se reeditaba así la teoría del "empate catastrofico", la falacia antidemocrática pregonada por García Linera, según la cual sólo puede haber gobernabilidad si un solo bloque hegemoniza todo el poder. En la lógica del gobierno, del referéndum revocatorio podrían surgir dos opciones: 1) Evo es ratificado y los prefectos opositores no, en cuyo caso se profundizaría el "proceso de cambio"; y 2) sucede lo contrario, lo que significaría el retorno al orden político tradicional. No cruzó por la mente de los geniales asesores la posibilidad, mucho más certera, de que tanto Evo como los prefectos opositores sean ratificados, con lo que el revocatorio sería un enorme esfuerzo inútil que nos devolvería, al cabo de grandes campañas, exactamente al punto de partida. Hay analistas que han visto en la propuesta una maniobra distractiva de Morales, uno de los tantos globos de ensayo con los que esta administración busca confundir a los restantes actores políticos. Recuerde que el MAS ya había manejado la idea del revocatorio a comienzos del 2007, poco después del *enero negro* en Cochabamba, pero nunca llegó a presentar un proyecto de ley. Esta vez fue distinto, ya que desde la oposición se exigió que la propuesta presidencial se reflejara en un proyecto concreto. Al final éste llegó al Congreso, enviado por el Poder Ejecutivo, pero con una pequeña trampa incluida.

- *¿En qué consistía esa trampa?*

- Para revocar el mandato del presidente o de los prefectos, haría falta una votación mayor a la obtenida en las elecciones del 2005. La "letra chica" de esta cláusula significa que Evo no abandonaría el gobierno aunque hubiese un 51%, 52% o 53% de votantes que se lo pidiese, sino únicamente si el NO a su continuidad obtuviera más del 53,74% que alcanzó en los comicios nacionales. La inclusión de este punto evidencia el temor del oficialismo a no alcanzar la mayoría absoluta en el eventual revocatorio, tal vez a raíz de las últimas encuestas, que dan a Morales una aprobación apenas superior al 50%. Y cualquier entendido en estadística política le dirá que la intención de voto suele situarse varios puntos porcentuales por debajo de la aprobación de gestión.

- *Es decir, que a Evo le bastaría con tener cerca del 47% de los votos a su favor para continuar gobernando.*

- Así es. De todas formas, a medida que fueron pasando los días el Movimiento Al Socialismo pareció desinteresarse del tema, al punto que los senadores oficialistas boicotearon con su ausencia una sesión de la Cámara Alta, donde debía aprobarse la Ley del referéndum revocatorio.

- *En diciembre, el gobierno también comenzó a hacer llamados a los prefectos para dialogar.*

- Esa no fue una decisión propia, sino una respuesta a la intensa presión internacional. La campaña de denuncia en el exterior llevada a cabo por los prefectos fue bastante efectiva y la cobertura de las grandes agencias de prensa comenzó a reflejar la realidad de lo que estaba sucediendo. En ese contexto, los embajadores de la Unión Europea en Bolivia le pidieron en grupo a Evo Morales que dialogara con la oposición, para preservar el marco democrático y evitar el enfrentamiento civil. Por supuesto, los primeros llamados al diálogo fueron hechos de la forma amañada a la que nos tiene acostumbrados este gobierno. En la primera oportunidad, García Linera convocó a los prefectos a conversar sobre los desastres climáticos que podrían producirse en enero de 2008, y excluyó claramente temas como el IDH y las ilegalidades cometidas en la Constituyente. Otro episodio que también influyó para que Evo adoptara un perfil más "dialoguista" fue el acercamiento realizado por Lula y Bachelet, con la excusa de la firma de un tratado sobre el corredor bioceánico. En realidad, detrás de esto hubo una jugada de alta diplomacia de las cancillerías de Brasil y Chile, que tras la derrota de Hugo Chávez en el referéndum constitucional juzgaron que podría debilitarse en algo la influencia del mandatario venezolano sobre Morales. Entonces, buscaron acercarse a él para ofrecerle un apoyo externo alternativo, tratando de atraerlo hacia el bloque regional de naciones gobernadas por la centro-izquierda[131]. Ese *padrinazgo de la moderación* vino acompañado de abundantes recursos para el proyecto del corredor bioceánico, así como de recomendaciones sobre el manejo de los conflictos internos. Lula le aconsejó a Evo "Paciencia, paciencia y más

131 El incidente en Santiago de Chile entre Rodríguez Zapatero, el rey Juan Carlos y Chávez, con el famoso "Por qué no te callas", parece haber activado las defensas de la izquierda "vegetariana" encuadrada en la Internacional Socialista, que ahora parece más dispuesta a ponerle freno a los excesos de su pariente "carnívora".

paciencia", frase que fue repetida por el presidente boliviano en alguno de sus discursos. Quisiera creer que la estrategia emprendida por Chile y Brasil pudiera tener éxito, pero lamentablemente, todo parece apuntar a que las poses conciliadoras de Morales son sólo una táctica coyuntural, y que el cordón umbilical que lo une con Hugo Chávez es muy difícil de cortar.

- *Se dice que Lula atrasó su venida a Bolivia por una semana.*

- Así es, debido a una gestión realizada por el presidente de la Cámara de Industria y Comercio de Santa Cruz. Sucede que la fecha inicial para la visita de Lula era el 12 de diciembre, durante las sesiones finales de la Asamblea Constituyente, lo que habría significado un aval a los atropellos que el oficialismo estaba cometiendo en el proceso de reforma constitucional. Enterado de esto, Gabriel Dabdoub sostuvo una reunión en La Paz con el embajador del Brasil y con el agregado político de esa legación diplomática. Allí les dijo que, si Lula venía en esa fecha, "no se mostraría un equilibrio democrático con las regiones que son aliadas naturales del Brasil". También pidió que Lula se reuniera con los prefectos durante su visita al país, o bien que los recibiera posteriormente en Brasilia. A raíz de esa conversación, el presidente brasilero postergó su llegada hasta después de que la Constituyente terminó de sesionar. Sin embargo, nunca se dio la reunión con los prefectos. Una señal de que algo andaba mal, que después sería confirmada por declaraciones del principal asesor de Lula, Marco Aurelio García, como veremos en un rato.

- *A fines de diciembre y comienzos de enero, también empezó a notarse cierta inquietud en los "movimientos sociales" para reestructurar el gabinete.*

- Tal como había pasado el año anterior, las "bases" volvieron a impulsar la puja por los cargos públicos. Y nuevamente el gobierno hizo su pantomima de "evaluación con los movimientos sociales". Para contentarlos, hubo un par de tirones de orejas a algunos ministros, entre ellos a Susana Rivero, quien salió molesta de la reunión y luego desapareció de escena por varias semanas, alegando motivos de salud. Pero no se produjo la redistribución de carteras que esperaban los dirigentes sindicales. Los movimientos sociales tuvieron que conformarse con un "botín consuelo", creado por el gobierno especialmente para calmarlos: la Coordinadora Nacional para el Cambio, una especie de Estado Mayor del Pueblo reeditado. El cambio de gabinete tuvo que esperar hasta fines de enero y fueron ratificados casi todos los ministros, incluyendo a los responsables del área política y de la económica[132]. Así se desperdició una gran oportunidad para reducir la tensión y la polarización en el país. La salida del Ejecutivo de personajes como Alfredo Rada, tan manchado por los hechos de Sucre, o del vocero Alex Contreras, que no cesa de abrir frentes de conflicto, habrían sido importantes señales de conciliación.

- *Entre las declaraciones hechas por representantes de los "movimientos sociales", llamó la atención un pedido de los sectores alteños al presidente, para que abriera un diálogo con las regiones y con la oposición.*

- Un síntoma de que algo se está moviendo en El Alto. También se han visto manifestaciones de paceños de clase media, sector que no se pronunciaba desde un año atrás, cuando la lucha por los 2/3. Salieron con banderas blancas a pedir paz y a cambio recibieron agresiones de parte de "Los intocables", célula de la izquierda radical en la universidad pública. Hasta la alianza MAS-TAU parece pasar por un mal momento, si tenemos en cuenta algunas críticas de Roberto Mustafá al rumbo del gobierno.

- *¿Qué me dice sobre los cambios en el Alto Mando de las Fuerzas Armadas?*

- Como dijo Evo: "Si por mi fuera, seguiría con los mismos comandantes, pero la ley me obliga a cambiarlos cada dos años". Se ve que estaba muy cómodo con los jefes salientes, sobre todo con el ahora ex Comandante de las Fuerzas Armadas, general Wilfredo Vargas, que secundó todas sus posiciones y rompió el principio de que los militares no deben deliberar. En su discurso de despedida, Vargas volvió a anotarse varios puntos con Morales, al decir que las FFAA deben estar listas para "aniquilar" a quienes desestabilicen a su gobierno. Un mensaje que luego le sería bien retribuido. Su sucesor en el cargo es el general Luis Trigo, artífice de la militarización de Viru Viru, así que ya entenderá por qué fue ascendido a nuevo Comandante de las Fuerzas Armadas.

- *Vamos, ahora sí, al diálogo entre el presidente y los prefectos.*

- Los últimos le plantearon una contrapropuesta de diálogo a Evo, fijando la fecha del 7 de enero y dejando que él fuera quien propusiera el lugar de reunión. Morales respondió: "En La Paz los esperaré". El día fijado, las cámaras de canal 7 transmitieron durante largas horas el encuentro, Evo sentado en su trono a la cabecera de la mesa, flanqueado a la diestra por Álvaro García Linera y a la siniestra por Juan Ramón Quintana. La

132 En el acto de posesión del nuevo gabinete, David Choquehuanca volvió a perpetrar una de sus frases célebres: "El pasado volverá a ser presente", dijo, resumiendo su visión mesiánica o milenarista.

transmisión en vivo impuso su dinámica y la reunión se convirtió en un show mediático, donde cada bando buscó publicitar las razones de sus posturas. José Luis Paredes tuvo una de las intervenciones más contundentes, en la que le recordó a Morales que ambos son "cholos" o mestizos. Pero el personaje de la noche fue sin duda el prefecto de Pando, Leopoldo Fernández, que con firmeza y aplomo derrumbó los argumentos gubernamentales, y que incluso hizo pública una infidencia sobre las elecciones del 2005: Evo lo invitó a candidatear a la prefectura de su departamento por el MAS. El espectáculo se alargó hasta la madrugada y recién cuando se apagaron las cámaras comenzó el verdadero diálogo. Puedo decirle que el intercambio que se produjo entonces fue bastante duro. Al final, se pactó la conformación de una comisión técnica que buscaría un posible acuerdo en cuanto al IDH. El gobierno central propuso mantener el recorte a las prefecturas, a cambio de un fondo de compensación provisional de 3 años. Los gobiernos departamentales, por su parte, plantearon fuentes de financiamiento alternativas para la "renta dignidad", de manera que no se tocaran los recursos prefecturales. El prefecto de Cochabamba, Manfred Reyes Villa, llegó a ofrecer un aporte de su departamento al pago de esa renta, pero que no saldría del IDH. En las semanas siguientes, los prefectos hicieron un total de 9 propuestas a la comisión técnica, sin que se registraran avances significativos por la insistencia del equipo de gobierno en afectar al Impuesto Directo a los Hidrocarburos. Como usted sabe, volvieron a repetirse los encuentros entre el presidente y los prefectos, televisados o no, y pudo verse una curiosa inversión de roles entre Evo Morales y Álvaro García Linera. Ahora el vicepresidente de la república asumía el papel de radical, tal vez para preservar la imagen presidencial desgastada por tanto conflicto, reforzando su nuevo perfil "dialoguista".

--En los siguientes encuentros, el debate se centró en el proyecto constitucional del MAS y en los Estatutos Autonómicos.

- En ese tema, la línea oficialista se basó en la propuesta de "compatibilizar" la Constitución masista y los Estatutos, estratagema salida de las elucubraciones de García Linera, que bajo un disfraz conciliador busca en realidad legitimar el engendro de Oruro. Se trata de hacer entrar a las regiones autonómicas en la trampa de la "adecuación a la nueva Constitución", según la cual los Estatutos deberían enmarcarse en ese texto. Previa elección directa de nuevos consejeros departamentales, que estarían encargados de la redacción de los Estatutos definitivos. Con esto, el gobierno pretende implantar la lógica del hecho consumado. "El cambio es irreversible" y "El camino emprendido es sin retorno", son algunas de las frases repetidas por el vicepresidente, apoyando la idea anterior. Consignas que más bien parecen indicar que el Movimiento Al Socialismo ha decidido llevar al país a un callejón sin salida.

- *¿Cree que el gobierno ha acompañado las poses dialoguistas con actos concretos?*

- En absoluto. Mientras Evo se reunía con los prefectos, sus segundos redoblaban la campaña por el SÍ a la Constitución del MAS. Así lo hizo Álvaro, al otro día del primer encuentro con los representantes prefecturales. Su mitin en el Plan 3.000 de Santa Cruz acabó con un choque violento, entre los "militantes" acarreados en camiones desde las zonas de colonización y los pobladores de ese barrio. Alex Contreras y Silvia Lazarte hicieron otro tanto, e incluso se descubrió que REPAC estaba "socializando" la Carta masista a través de seminarios cuasi clandestinos. Todo lo cual apunta a que el diálogo sería una suerte de anestesia que el oficialismo aplica al cuerpo político nacional, para seguir avanzando hacia sus fines preestablecidos. En la misma línea, aprovecharon los tiempos del diálogo para comenzar el copamiento de la Corte Nacional Electoral. La punta de lanza es el "comunicólogo" José Luis Exeni, intelectual orgánico del MAS[133] designado por Evo como su representante ante esa institución. Básicamente, el mérito que le valió su nombramiento es la incesante ofensiva contra opositores y regiones autonomistas desplegada por Exeni desde su blog, *Fadocracia*, considerado uno de los más "linkeados" del país. Curiosamente, el día después de su nombramiento el blog desapareció de Internet, algo muy conveniente para que no queden huellas de su labor como propagandista gubernamental. Veinticuatro horas después de su designación como vocal, fue elevado por sus pares al rango de presidente de la Corte Nacional Electoral, una carrera meteórica auspiciada por presiones y otros incentivos desde el Poder Ejecutivo. ¿Sabe cuál fue su primera medida? Remover a los directores de tres áreas claves: Informática, que tiene a su cargo nada menos que el Padrón Electoral y el sistema electrónico de la Corte; Educación Cívica y Bienes y Servicios. Exeni alegó que los destituidos no habían salvado una evaluación periódica, pero la mentira cayó rápidamente, cuando se supo que los funcionarios habían alcanzado altos porcentajes de calificación superiores al 90%. Queda claro que el peligro de fraude electoral ha aumentado de manera crítica con el nombramiento de este dudoso personaje al frente de la CNE. Su siguiente paso fue intentar trabar el proceso de depuración de las firmas para el referéndum departamental en Santa Cruz. A través de una carta, instruyó al presidente de la Corte Departamental Electoral

133 Exeni participó activamente en el grupo Comuna y en la campaña 2005 del Movimiento Al Socialismo.

cruceña para que detuviera la recepción de las firmas, argumentando que antes había que "hacer una consulta al Congreso sobre la legalidad del referéndum". Fue tan torpe de agregar que, antes de enviar la carta, le había preguntado sobre el tema a García Linera. El presidente de la CDE de Santa Cruz, Mario Orlando Parada, contestó con firmeza y con la ley en la mano, demostrando que la depuración de firmas es anterior a cualquier consulta sobre legalidad, y que ésta debe hacerse, en todo caso, al Tribunal Constitucional. El hecho demostró no sólo la intencionalidad política de Exeni, sino también su nula calificación para el cargo. Al final, tuvo que visitar la Corte Electoral cruceña y desdecirse públicamente. El nombramiento de *Mister Fraude* al frente de la Corte Nacional Electoral viene a sumarse a las maniobras nocturnas realizadas por militantes del MAS en las oficinas de Identificación Civil, con "apoyo técnico" venezolano, lo que equivale a decir que se está importando el *know-how* chavista para trampear votaciones. Ya son demasiados los casos comprobados de dobles y triples carnetizaciones llevadas a cabo en la actual gestión de gobierno. O sea, que se estaría creando un ejército de votantes masistas que podrán sufragar dos o tres veces. Exeni ha dicho que la prioridad de la CNE en el 2008 será el "derecho a la identidad", lo que nos da a entender que se redoblará la carnetización manipulada. Si tuviera que aconsejarle una acción imprescindible a la oposición parlamentaria, les diría que exijan cuanto antes una auditoría a todo el trabajo realizado en Identificación en los dos últimos años... Junto a estas movidas en contra de la transparencia electoral, el régimen evista también utilizó el tiempo útil que le brindó la distracción del "diálogo" para avanzar en el despliegue de su aparato represivo. Pocos días después del primer encuentro con los prefectos, se presentó en Santa Cruz a la *Fuerza Delta*, la misma unidad antiterrorista que estaría complicada con los disparos de armas de fuego en Sucre. ¿El propósito? Intimidar. A continuación, Evo Morales posesionó como nuevo viceministro de defensa al general Wilfredo Vargas, el "aniquilador" de opositores, que como vemos fue generosamente recompensado por su alineamiento oficialista.

- *¿Comienza la militarización del gabinete, como en la Venezuela de Chávez?*

- Es muy probable. Es el modelo a seguir, y además, el progresivo encierro político del gobierno, que ha ido perdiendo la capacidad para tratar los conflictos, hace que cada vez se apoye más en las Fuerzas Armadas. Junto a esto hay otros signos preocupantes: hablo de la movilización masiva de "bases" masistas desde el altiplano hacia los barrios y provincias cruceñas, camuflados como "vendedores de coca relocalizados". Llegan en camiones y su función inmediata parecería ser la de impulsar la aprobación de la Constitución ilegal, aunque también podrían jugar un papel importante en el diseño de la guerra territorial.

- *¿Qué cosa?*

- Hablaremos de eso en un rato. Le decía que hay demasiadas señales de que el Movimiento Al Socialismo no pretende cambiar en nada su conducta, y que las conversaciones con los prefectos no pasan de ser una pantalla. El MAS volvió a mostrar los colmillos durante la elección de la directiva 2008 del Senado, cuando hicieron preparativos para volver a utilizar a los "suplentes traidores" y hacerse con la presidencia de la Cámara Alta. Afortunadamente, la jugada fue detectada a tiempo por los senadores de la oposición, que tuvieron que dormir en el hemiciclo para impedir que se instalara una sesión nocturna y se eligiera una directiva de manera irregular. Las maniobras del partido de gobierno afectaron también a dos senadores masistas que han mostrado independencia y que proponían una fórmula distinta a la determinada por su bancada. Uno de ellos fue el senador Gerald Ortiz, quien es piloto civil y volvía desde Canadá en su avioneta, para participar en la sesión de elección de la directiva. Misteriosamente, el legislador fue interceptado antes de llegar a la frontera boliviana por aviones de combate Tucano de la Fuerza Aérea del Brasil, que lo obligaron a aterrizar en Portobelo. La instrucción de no dejarlo entrar a Bolivia había partido de la Dirección de Aeronáutica Civil de nuestro país, según le confirmaron las autoridades brasileras al parlamentario. Gerald Ortiz llamó por teléfono al también senador del MAS, Antonio Peredo, para preguntarle si el gobierno boliviano estaba detrás de aquello. Peredo le dijo: "Yo no sé, tal vez fue Santos Ramírez", pero luego agregó que no sabía nada. Un rato después de esa llamada, llegó el permiso para que el senador entrara a Bolivia. Otro que sufrió el accionar de su propio partido fue el senador Guido Guardia, quien fue golpeado a las puertas del Poder Legislativo por *pongos políticos*, cuando entraba a la sesión en la que se eligió a la directiva. Finalmente, PODEMOS, Unidad Nacional y el MNR unieron fuerzas, eligiendo como presidente del Senado al cruceño Oscar Ortiz, con lo que se consolida el bloque de oposición en la Cámara Alta.

- *La "socialización" del proyecto de Constitución del MAS llegó hasta la OEA.*

- Sí, es otra prueba de que la administración Morales no tiene la mínima intención de hacer siquiera una pausa en su atropello. El gobierno comisionó a un representante para que fuera a Washington a exponer las "virtudes" de la Carta masista, y poco después esa visita fue correspondida por otra del secretario general de la OEA a Bolivia. Previamente, una delegación de avanzada visitó Santa Cruz y se reunió con el prefecto, a quien informaron del interés que tendría el secretario general de reunirse con él. Pero un día antes del arribo de Insulza, la OEA canceló misteriosamente la reunión con Rubén Costas. Durante su breve estadía, José Miguel Insulza se mostró en su hora más infame. Dijo que no veía "ninguna incongruencia en la nueva Constitución Política del Estado", que no encontraba "nada antidemocrático" en ella, que apoyaba el "proceso de cambio en Bolivia" y que "no hay ninguna amenaza a la democracia boliviana". Todo eso, mientras se paseaba con Evo Morales por la Feria de Alasitas paceña. La agenda del alto funcionario no incluyó entrevistas con representantes de la oposición o simplemente independientes, aunque Rubén Costas llegó a hablar con él, mientras el secretario general de la OEA hacía una escala técnica en Viru Viru. El prefecto de Santa Cruz le entregó una carta inusualmente dura de parte del CONALDE, donde le recordaban que aún no había atendido las denuncias que le hicieron en diciembre durante su viaje a Washington. Después le dieron una lección de jurisprudencia, cuando le indicaron qué artículos de la Carta Democrática de la OEA fueron violados por la Asamblea Constituyente. Y hasta se tomaron la licencia de recordarle que Hugo Chávez lo había llamado "pendejo"... Paralelamente, una manifestación de cruceños y chuquisaqueños indignados protestaba en Viru Viru contra la actitud del funcionario internacional. Es evidente que Insulza vino con algún mandato del exterior, para avalar expresamente al gobierno. Lo que no está claro es si actuó de esa manera por instrucciones de Chávez, a quien debe su cargo, o si su venida habrá sido una señal de Michelle Bachelet, como demostración para Evo de las influencias que pueden mover sus nuevos padrinos en su favor, siempre que continúe lo que ellos consideran un re-alineamiento con la izquierda democrática, y lo que él sabe muy bien que es una farsa provisoria. La presencia de helicópteros chilenos y brasileros en Bolivia, durante las recientes operaciones de ayuda a los damnificados por las inundaciones, es otro signo de que los gobiernos de Bachelet y Lula quieren darle continuidad al acercamiento.

- *Si realmente existe esa nueva influencia brasilero-chilena, no sería necesariamente mala.*

- No. Pero yo le aconsejaría a los dirigentes cívicos, a los prefectos y a los líderes opositores que traten de mantener bien informados a ambos presidentes sobre la verdadera situación de Bolivia. Las recientes declaraciones de Marco Aurelio García son muy preocupantes. Como si se hubiera puesto de acuerdo con Insulza, el asesor de Lula elogió al gobierno boliviano por "sumar a sectores populares" y opinó que "el proceso de reforma constitucional impulsado por el presidente Evo Morales contribuye a la transformación de un sistema político perverso". Por si esto fuera poco, agregó que "La irrupción de camadas populares e indígenas en la vida política boliviana es resistida por los grupos que han detentado el poder". Si Chile y Brasil creen que de esa forma van a atraer a Evo hacia la izquierda democrática, están muy equivocados...

- *Casi coincidentemente con la visita de Insulza, estalló el escándalo del espionaje político por los servicios de inteligencia.*

- Seguimientos, pinchazos telefónicos y fotografías a periodistas, sacerdotes católicos, prefectos, cívicos y dirigentes de oposición, incluyendo a masistas disidentes. En total, son 15 tomos de pruebas documentales las que se filtraron a la prensa, desde una fuente no identificada de inteligencia. Por esos documentos, se sabe que el aparato que realiza el espionaje está conformado por 30 funcionarios en La Paz, 15 en Santa Cruz y 15 en Cochabamba, que también operaron en Sucre durante los enfrentamientos de noviembre. Entre las carpetas había, por ejemplo, fotografías de Jorge Quiroga y de Manfred Reyes Villa en sus ocupaciones cotidianas. Ante la tormenta desatada en los medios de comunicación, el general Miguel Vásquez, comandante nacional de Policía, admitió que fueron los servicios de inteligencia de su fuerza los responsables, aunque supuestamente no le habían comunicado lo que estaban haciendo. Alfredo Rada también se hizo el que no sabía nada y hasta intentó culpar a Estados Unidos. La filtración se produjo en momentos de tensión al interior del Alto Mando policial, ya que el gobierno intentó favorecer a varios coroneles con el ascenso al generalato, llegando al extremo de cambiar la regla que prohibe que asciendan los que hayan sido sancionados por faltas graves por el Tribunal de Honor de la Policía. Esto provocó un gran descontento entre los injustamente postergados. Ese episodio de la interna policial terminó con la ratificación por dos años más del general Vásquez como comandante nacional y con la postergación de los ascensos de la promoción ´76. Más allá de lo anecdótico del caso, lo crucial es entender que estamos bajo la mirada del Gran Hermano del MAS. Un híbrido de Orwell con García Linera. Este es el *Watergate boliviano.* ¿Habrá quienes se atrevan al *impeachment*?

- *Otro fenómeno que ha enrarecido el clima político en los últimos tiempos es el de los atentados con explosivos.*

- Que afortunadamente no han dejado víctimas, pero que siguen siendo muy preocupantes. Recrudecieron en los últimos meses, aunque ya habíamos visto algo parecido a fines del 2006, cuando la lucha por los 2/3. Entonces, recordará que ametrallaron el frontis del Comité Pro Santa Cruz y el domicilio del presidente cívico, Germán Antelo. Ahora, en cambio, la ola de atentados se ha concentrado en objetivos cercanos al gobierno, produciendo un conveniente efecto de victimización. Todo esto me ha hecho recordar las tácticas utilizadas por el general Luis García Meza y el coronel Luis Arce Gómez poco antes de su golpe de Estado, cuando los servicios de inteligencia controlados por el segundo generaban supuestos "atentados" para justificar el retorno de los militares al poder. Actualmente, es posible que se esté buscando sentar las bases para posteriores operativos de represión contra opositores políticos, bajo la cobertura de una supuesta "lucha contra el *terrorismo*". Si así fuera, en realidad estaríamos ante la emergencia de un terrorismo de Estado. Esto llevó a algún humorista a decir que Bolivia pasó del garcíamesismo al "garcíamasismo". Claro que, tampoco descartaría que varios de estos atentados se deban en realidad a la intensa lucha de facciones desarrollada en el campo oficialista. No olvide que, entre los casos de espionaje recientemente descubiertos, estaba el seguimiento hecho por la inteligencia gubernamental al diputado del MAS Gustavo Torrico, entre otros ejemplos que podríamos citar.

- *Con todo esto, ¿dónde queda el diálogo?*

- A esta altura, deberíamos preguntarnos si el gobierno convocó al diálogo o simplemente al "dialogueo". ¿Conoce esa expresión? La crearon hace décadas los exiliados cubanos, para designar las cíclicas conversaciones a las que la dictadura castrista convoca a algunos disidentes, alimentando esperanzas en una supuesta apertura que nunca llega a producirse. Esas reuniones propagandísticas le sirven al régimen de la isla para aparecer ante varios gobiernos europeos como moderado y conciliador, mientras sigue violando los derechos humanos de manera medieval. El método del "dialogueo" también ha sido utilizado por Hugo Chávez, que contó en esa maniobra con la bendición de un ingenuo profesional como Jimmy Carter y de la OEA. Los acuerdos logrados no impidieron que el mandatario venezolano siguiera su camino hacia el totalitarismo, y terminaron dándole un aval internacional al dudoso sistema electoral controlado por el gobierno "bolivariano". Entonces, ¿por qué no pensar que Evo Morales esté aplicando otra receta de sus maestros?

- *García Linera habló de ampliar el diálogo a los empresarios, cívicos, Poder Judicial, sindicatos y otros sectores, como "la mejor forma de superar los conflictos".*

- O de huir de ellos escapando hacia adelante. Eso les permitiría dilatar aún más la situación sin necesidad de hacer concesiones sustanciales, dividir y enfrentar a los distintos actores del diálogo, y ganar tiempo para seguir haciendo campaña por el SÍ a su Constitución.

- *Evo también ha hablado de "unir las dos agendas".*

- De manera retórica, apelando a la memoria colectiva sobre el acuerdo que viabilizó las Leyes de Convocatoria de la Asamblea Constituyente y del Referéndum Autonómico. De pronto, alguien podría reclamarle por el incumplimiento de esa primera "unión de agendas", debido a la trampa al mandato vinculante hecha por los constituyentes del Movimiento Al Socialismo... Bajo esa falacia se esconde la intención de subordinar la agenda autonómica al proyecto constitucional de su partido. Evo sigue una dinámica de *atropellar la institucionalidad-parar y negociar-volver a atropellar*.

- *¿Qué pueden hacer las regiones autonómicas?*

- Impulsar su propia agenda en vez de limitarse a reaccionar a las iniciativas del gobierno. En una táctica reactiva siempre perderán. Esa agenda proactiva debe fijar sus propias metas y caminar hacia ellas, si es necesario, aprendendiendo del método del adversario: hay que *avanzar hacia la autonomía-parar y negociar-volver a avanzar*.

- Bolivia estaría ante dos procesos políticos paralelos.

- Lo está. Recuerde lo que hablamos sobre la emergencia de las dos periferias, ante el derrumbe del viejo Estado centralista. De ahí vienen ambos procesos, que configuran las dos realidades políticas del país. Hoy vemos una paridad de fuerzas a nivel nacional, donde el MAS conserva una mitad demográfica cada vez más confinada territorialmente a los departamentos de La Paz y Oruro. La otra mitad, que votó fragmentada en las elecciones nacionales, se va rearticulando a través de nuevos actores y ya pisa fuerte en dos tercios del territorio nacional. Ninguna puede imponerse a la otra, aunque García Linera siga soñando con la hegemonía absoluta y pensando que todo empate es catastrófico. Dos años de gestión del "garcíamasismo" nos han demostrado que puede no haber nada más catastrófico que sus intentos de desempate. El "punto de bifurcación" que quería cruzar en noviembre el vicepresidente, "la batalla política decisiva" en palabras de Quintana, acabó con sangre y luto en la capital de la república.

- *¿No habrán aprendido nada?*

- Lamentablemente, no. Pero mientras sigan intentando desempatar por la fuerza o la trampa, continuarán dándose contra el muro de una realidad social que sólo puede ser solucionada de otra manera. Por ahora, Bolivia vive una paz armada o una Guerra Fría, producida por un *equilibrio del miedo*. Nadie se atreve a desatar la batalla final, porque saben que sería una decisión suicida. En este escenario, donde se evita el enfrentamiento frontal, proliferan los conflictos focales, localizados, y es posible que el MAS adopte un esquema de *guerra territorial*. Ya sus teóricos han comenzado a hablar de eso.

- *¿Puede explicarlo?*

- Se trata de ir ganando espacios geográficos progresivamente, a través de conflictos puntuales. Las tomas de tierras en el oriente pueden ser el método a seguir, lo que además permitiría llevar la pelea a la región del adversario, sembrando confusión y distracción. El decreto de expropiación agraria promulgado por Evo a fines de enero parece ser parte de esa estrategia, junto con el desplazamiento masivo de cocaleros hacia las provincias y barrios cruceños. Este ajedrez de movimientos no encuentra dormidas a las fuerzas autonómicas, que ya iniciaron esfuerzos importantes para impedir la consolidación de "bastiones" territoriales del MAS en el departamento de Santa Cruz. En ambos lados se sabe que con el control territorial viene el electoral, y cuentan con eso para el referéndum departamental sobre el Estatuto Autonómico, que ha sido convocado para el 4 de mayo... Mientras la paz armada continúe y para evitar confrontaciones inútiles, le recomendaría algo muy simple al presidente y los prefectos.

- *¿Qué cosa?*

- El teléfono rojo. Haga memoria: durante la Guerra Fría, el presidente estadounidense y el premier soviético estaban conectados por una línea de teléfono que sólo ellos podían contestar. La leyenda o las películas hicieron que ese objeto por el que podía pasar la suerte del planeta fuese rojo. Sin que los contendores dejasen de considerarse adversarios globales, llegaron a la conclusión de que era mutuamente conveniente que hubiese una conexión directa entre las cabezas, para eliminar el ruido comunicacional ocasionado por intermediarios como los ministros, voceros y todo tipo de delegados, que generalmente terminan provocando conflictos por sus propias pugnas de intereses... Además, la mediación entre el primer mandatario y los prefectos a través del Ministerio de la Presidencia quedó obsoleta con la elección directa de los gobernantes departamentales. Ni hablar de los delegados presidenciales en las regiones, que no pasan de ser organizadores de cuadros partidarios. Otra intermediación que se muestra muy negativa es la del vicepresidente de la república, que parece haberse autodesignado "coordinador" del diálogo con los prefectos. Si existiera el teléfono rojo, al menos, Leopoldo Fernández podría soplarle a Evo las cifras económicas que le ocultan sus ministros.

- *¿Cómo sale el país de esto?*

- La pregunta debería ser: ¿cómo transformar la paz armada en "empate virtuoso"? Habría que comenzar por valorar la idea de que la paridad de fuerzas no significa necesariamente "empantanamiento" ni "catástrofe", sino la posibilidad de equilibrios básicos, como la construcción pactada de las grandes políticas de Estado. Ya sé, no me mire así. No estoy soñando con que se pueda concertar de esa manera con Evo Morales. Pero téngame paciencia. Decía que apreciar la paridad o el equilibrio me parece más razonable que buscar la hegemonía absoluta, camino seguro al enfrentamiento civil y al autoritarismo. Una solución realista debería partir por reconocer que no habrá ningún desempate si uno de los bloques gana con el 51% o poco más en cualquier votación. Seguirán habiendo dos mitades y la que pierda por unos pocos votos jamás acatará lo que quiera imponerle la otra. El punto de equilibrio siguen siendo los 2/3, la piedra de toque para saber si un proyecto o propuesta concita realmente un acuerdo nacional.

- *Si no se pacta con Evo, ¿entonces con quién?*

- Piense más allá de las personas, en fuerzas y procesos. Se ha dicho que Evo es un inquilino en el poder, puesto por el nuevo dueño de la sede de gobierno: El Alto. Y sucede que el dueño está siendo bastante maltratado por su administrador: problemas con el ATPDEA, arriesgando el trabajo de cientos de miles de alteños[134]; artículos en la Constitución masista que apuntan a una estatización del comercio y que no deben de hacerle ninguna gracia a la creciente burguesía mercantil de esa ciudad; y por último, la exclusión del gabinete, con la salida de Mamani y la negativa a entregarle cuotas a Patana. Que El Alto despida a los inquilinos podría no estar tan lejos... Junto a la aprobación de los Estatutos Autonómicos, la construcción de alianzas interregionales ha sido uno de los pilares más importantes de la *resistencia democrática*. Las regiones que no aceptan

134 El gobierno ni siquiera ha sido capaz de enviar una simple nota al Congreso de Estados Unidos, solicitando la ampliación de las preferencias arancelarias. A petición de empresarios de Santa Cruz y El Alto, 6 prefectos enviaron esa misiva, pidiendo una extensión del ATPDEA por dos años. ATiempo suficiente para negociar un acuerdo bilateral de largo plazo. La Cámara de Industria y Comercio cruceña demandó a Choquehuanca que haga gestiones similares desde la Cancillería.

la imposición del proyecto masista deben seguir acumulando fuerzas por esa vía, mirando a Potosí y, finalmente, hacia El Alto.

- *El camino que plantea puede ser lento. ¿Qué hacer mientras tanto?*

- Resistir la arbitrariedad con movilización y participación ciudadana, por medios no violentos. Que son muchos y más efectivos de lo que cree. Han derrocado imperios y dictaduras, y pueden impedir que se instale una.

- *Voy a decir que toda nuestra conversación fue pura ficción.*

- Escríbalo así. Pero escríbalo.

POSDATA A LA TERCERA EDICIÓN

No volví a ver al Ciudadano X desde nuestro último encuentro, a comienzos de febrero de 2008. Tampoco tuve noticias fidedignas sobre su paradero, aunque sí me llegaron abundantes y contradictorios rumores. Una de las tantas versiones decía que fue llevado de manera forzada a Caracas, maniatado en el interior de un avión Hércules. En cambio, otro informante juraba haberlo visto junto a dos mulatas en las playas de Rio... Pero a comienzos de abril, una llamada telefónica me despertó cerca de la medianoche. Reconocí su voz en el auricular, que sin hacer caso al eco en el teléfono, producto de un evidente pinchazo, me decía:

- No quise despertarlo, pero hay información importante.

- *Usted ni siquiera saluda...*

- Escúcheme bien, porque tengo poco tiempo. El gobierno, ante la imposibilidad de frenar el referéndum de aprobación del Estatuto Autonómico en Santa Cruz, ha puesto en marcha la "Operación Eclipse".

- *A ver, cómo es eso.*

- Parece que ya lo interesé. Después de evaluar mucho la opción del Estado de Sitio o de una militarización, que era impulsada por ministros como Quintana, se impuso esta alternativa: minimizar la importancia de la votación del 4 de mayo alegando que no tendrá efectos vinculantes a nivel jurídico y, al mismo tiempo, generar un mega-evento oficialista capaz de robar titulares en la prensa internacional. Para eso se piensa echar mano al 1º de mayo, segundo aniversario del decreto de "nacionalización" de los hidrocarburos, que según estos planes debería ser festejado a lo grande, con anuncios rimbombantes. A eso apuntan los decretos emitidos por Evo para refundar YPFB como empresa "corporativa". Pero la jugada maestra sería la compra por parte del Estado del porcentaje de acciones que le daría el control de las petroleras capitalizadas. Sé de buena fuente que por estos días se ultiman detalles para esa compra, a un precio muy superior al del mercado. Esto, obviamente, porque las petroleras no tienen ningún interés en desprenderse de esas acciones. Sin embargo, Evo está dispuesto a hacer ese mal negocio para el país, con tal de tener una bandera que agitar el 1º de mayo. Todo deberá condimentarse con mucho circo, como siempre. Eso podría incluir a "Ponchos Rojos" y otros sectores colocando whipalas en los campos gasíferos. En el fondo, la *nomenklatura* está nostálgica de las altas cifras de aprobación popular conseguidas en el 2006 tras el show de la seudo-nacionalización, y creen que podrían remontar en algo el pobre resultado del gobierno en las últimas encuestas.

- *Usted dice que la otra opción era el Estado de Sitio. Eso todo el mundo lo ha escuchado, pero, ¿qué hay de cierto?*

- El ministro de Soros, don Juan Ramón, y que no es Jiménez, se había empeñado a fondo en ese camino. Al principio por pura mentalidad autoritaria y, luego del portazo de Alex Contreras, por mero instinto de supervivencia política.

- *No entiendo...*

- Vamos paso a paso. En el laberinto de las intrigas palaciegas, J.R. representaba a la línea dura. Y hablo en pasado porque el superministro bien podría ir de salida. Él fue quien ordenó a la Superintendencia de Telecomunicaciones que enviara aquella carta amenazante a los medios, advirtiéndolos con sancionarlos si publicaban "informaciones que, aún siendo verdaderas, pudieran causar alarma en la población". Una joyita democrática, en realidad basada en un decreto de la dictadura militar-comunista de Juan José Torres, régimen que al parecer se ha convertido en referente inspirador del *quintanismo*. Recuerde que hablamos del principal articulador de la alianza entre un sector de las Fuerzas Armadas y el MAS.

- *¿Cómo se relaciona esto con Alex Contreras?*

- Alex estaba entre la espada y la pared. La división entre unos y otros en el Palacio era insostenible y la presión de los embajadores europeos, luego de las amenazas gubernamentales a la libertad de expresión, era muy fuerte. Contreras ya no aguantaba seguir mintiendo. Venía del periodismo y los viejos colegas le zumbaban en el oído todo el día con sus críticas. El resultado es que uno de los más fieles de Evo se fue y no será el último. En cierta manera, se trató de una renuncia preventiva, ante las medidas de fuerza contra los opositores que promovía el superministro. Por eso Contreras anunció su retiro diciendo que lo primero era "la unidad antes que la división, el diálogo antes que la violencia, la libertad de expresión antes que la censura, la transparencia antes que la corrupción y la gestión antes que la desinformación".

- En su carta de renuncia también habló de "logias enquistadas en el gobierno".

- Confirmando nuestras anteriores conversaciones, sobre el papel jugado por la Logia TAU en la conformación del actual gobierno.

- ¿Por qué dice que Quintana podría ir de salida?

- Como recordará, Contreras también habló del "enemigo interno" infiltrado en las filas gubernamentales, y las bases sindicales parecen haber identificado a Juan Ramón con esa figura. A las declaraciones de Roberto De la Cruz en ese sentido, rápidamente se sumaron las de Román Loayza y Edgar Patana. Este último incluso amenazó con hacer bajar a sus huestes desde El Alto hasta la Plaza Murillo, para "sacar por la fuerza" al Ministro de la Presidencia. De ahí que Quintana viera la necesidad de redoblar la marcha hacia una gran confrontación con el oriente, estrategia que podría, una vez más, alejar las tensiones del altiplano hacia otras latitudes del país. Recuerde que, luego del alejamiento del ex Vocero Presidencial y de la lluvia de críticas desde los "movimientos sociales", J.R. salió a decir, en tono desencajado, que había que "frenar como sea" el referéndum autonómico. Sabiendo que está en riesgo su supervivencia política, estaba dispuesto a jugar su carta más fuerte: las medidas de fuerza contra Santa Cruz.

- Sin embargo, usted afirma que se impuso la vía alternativa.

- Correcto. El estado de desesperación del superministro fue aprovechado por su principal contendor, Álvaro García Linera, con quien, como ya hemos dicho, disputa el segundo lugar en la pirámide alimenticia del poder. El vice sugirió apostar a la astucia antes que a la fuerza, ante la evidencia de que la represión dañaría gravemente la imagen internacional del gobierno, e incluso podría significar su caída... De ahí nació la "Operación Eclipse".

- O sea, que el eclipsado no sería sólo el referéndum autonómico, sino también Quintana...

- Así es. Pero el caso es que la disidencia de los sectores sociales con el gobierno ya ha pasado a mayores, y tal vez no se calme sólo con la cabeza del Ministro de la Presidencia. A las voces mencionadas se suma ahora la de Pedro Montes, principal ejecutivo de la Central Obrera Boliviana, quien también demanda una reestructuración profunda. Estamos ante verdaderos movimientos telúricos en la alianza oficialista, con sectores sociales que comienzan a despertar y a ver cómo han sido manipulados por las redes de ONGs. Todo esto podría resultar nefasto para la estrategia de control desplegada por los operadores de George Soros.

- *¿Cómo cree que evolucionará la tensión entre el gobierno central y las regiones autonómicas?*

- Un gobierno central que, dicho sea de paso, cada vez controla menos porciones del territorio nacional. Aunque se hayan impuesto los partidarios de la astucia, no crea que la estrategia gubernamental ha descartado por completo la violencia. Si no, veamos lo que está sucediendo con el "saneamiento" de tierras en Camiri, a cargo del Zar Expropiador, Alejandro Almaraz. Se trata de generar focos de enfrentamiento que distraigan atención y esfuerzos de los procesos de referéndum, y que al mismo tiempo puedan servir de excusa en caso de que hubiera que volver al plan original de la militarización. De cualquier forma, y para pesar de García Linera, quien repetía que "el proceso de cambio" es irreversible, lo que sí parece no tener vuelta es el derrumbe del viejo Estado centralista en los próximos meses, que verá cómo, región tras región, optan por un modelo altamente descentralizado que tarde o temprano será seguido por el país entero.

- *¿Qué resolución podría tener la crisis de gobernabilidad que atraviesa la administración MAS?*

- En la nueva Bolivia, la gobernabilidad pasará por el consenso construido con las regiones. En este escenario, el régimen evista está ante la disyuntiva de sobrevivir al centralismo agonizante, por medio de un giro improbable, o de morir con él...

- *Parece difícil el golpe de timón.*

- Está claro. Si Evo sigue el mismo rumbo, pasará a la historia no como el primer presidente del cambio, sino como el último mandatario del centralismo.

- *¿La perspectiva de elecciones anticipadas empieza a asomar en el horizonte?*

- El CONALDE parece sugerir esa vía. De hecho, luego de la aprobación popular de los Estatutos debe plasmarse un nuevo pacto con el Estado boliviano, lo que exigiría la elección de una nueva Asamblea Constituyente. Y es difícil que este gobierno fracasado pueda impulsar ese proceso. Si en los meses siguientes se da una convergencia mínima entre los liderazgos de las regiones y los dirigentes sociales *rebeldes*, podría hacerse realidad el acortamiento de mandato. Claro que los sectores radicales del evismo no piensan irse tan fácilmente... Pero ahora quiero preguntarle algo yo a usted: ¿sabe que los asesores del MAS en Santa Cruz han comenzado a difundir el rumor que detrás de su libro estarían la CIA y los servicios secretos franceses?

- *Si es así lamento decepcionarlos, porque hasta ahora sólo he llegado a formar parte de la Central de Inteligencia de la Monseñor Rivero y del Comando de Operaciones Especiales del Café Victory.*

- Parece que se está volviendo un humorista.

En ese momento, un ruido extraño en el teléfono interrumpió nuestra conversación y el Ciudadano X decidió suspenderla.

- Mándele saludos a los amigos venezolanos que nos están escuchando. La seguimos muy pronto...

APÉNDICE A LA CUARTA EDICIÓN

"CIUDADANO X" PREOCUPA A SOROS

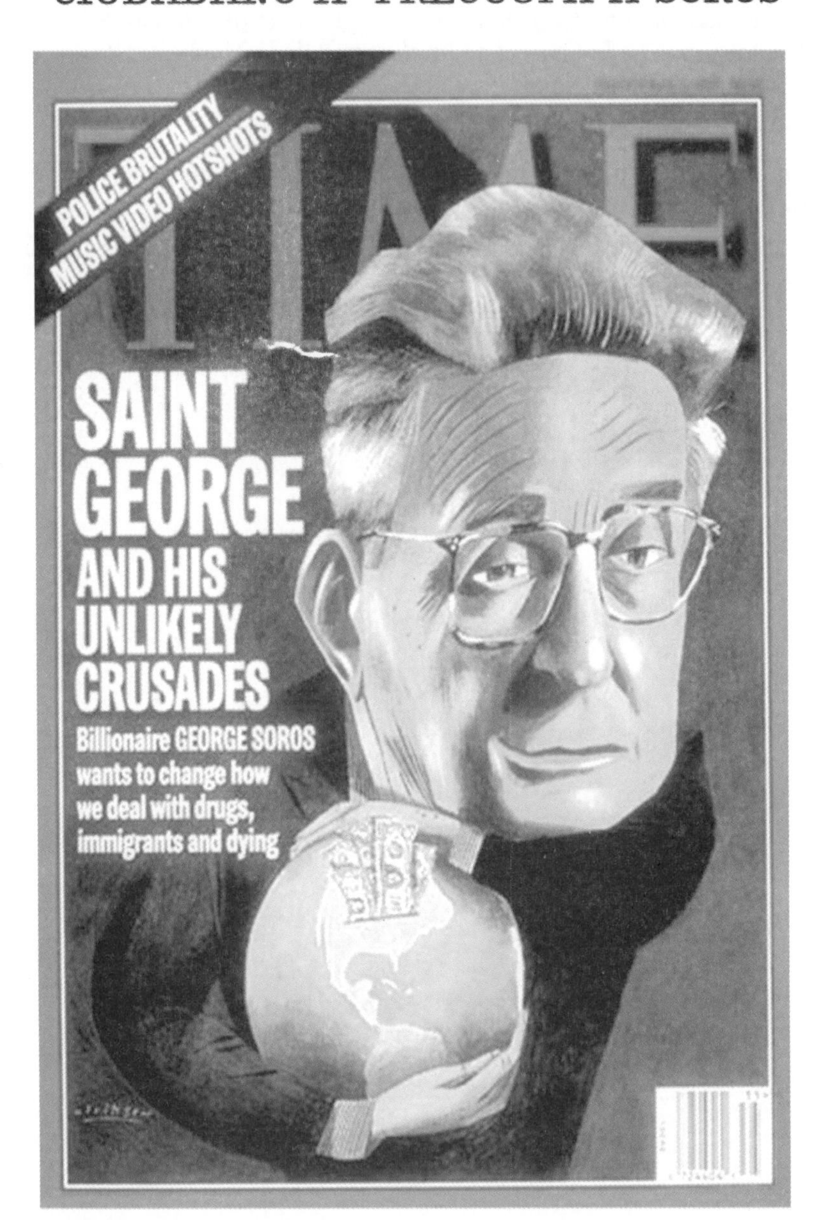

La intensa lluvia no impidió el encuentro que habíamos pactado con X en una galería de horcones, en el centro histórico cruceño. Enfundado en un impermeable y sosteniendo un paraguas chorreante en la mano derecha, mi informante se guarecía junto a un portal. Al acercarme, sacó un periódico del interior del impermeable y me lo extendió con una sonrisa:

- ¿Ya leyó esto?

Mientras yo recorría la hoja indicada hasta encontrar una solicitada de media página, el Ciudadano X fue desgranando sus comentarios.

- Minera San Cristóbal. ¿Recuerda? La filial de Apex Silver Mines Limited, compañía registrada en el paraíso fiscal de las Islas Caimán y de la que son accionistas los hermanos George y Paul Soros... Acaba de iniciar una costosa campaña comunicacional con la pretensión de cuestionar varios datos incluidos en su libro.

- *¿A qué atribuye tanto interés de esa empresa?*

- Debe recordarle a sus lectores que una de las tesis centrales desarrolladas en nuestros diálogos habla de la relación entre los intereses económicos de Soros y una red de ONG´s directamente vinculadas al partido de gobierno (MAS), así como sobre el financiamiento canalizado hacia diversos "movimientos sociales" y la sujeción de ciertas políticas públicas a los mencionados intereses, a través de la influencia de personajes de particular ascendencia en el Poder Ejecutivo. La conclusión más obvia es que las repercusiones de esa investigación, tanto en Bolivia como en círculos internacionales, han movido algún cimiento de las estructuras de poder cuestionadas, generando un intento de represalia por medio de solicitadas publicadas en varios periódicos de circulación nacional. Un intento fallido que usted tendría que agradecer.

- *¿Por qué?*

- Porque es una inesperada y gratuita campaña de publicidad para el libro que, no obstante haber alcanzado buenos niveles de ventas en los pasados meses, tendrá sin duda un impulso adicional para su difusión masiva con los avisos pagados por la filial de Apex.

LAS ACCIONES DE SOROS

La lluvia comenzó a amainar y algunos transeúntes se animaron a salir de sus escondites, cruzando la calle con grandes saltos. El Ciudadano X deslizó su índice por la página del periódico, hasta señalar uno de los puntos de la solicitada.

- También debe agradecer a Minera San Cristóbal por certificar la participación de George Soros en el paquete accionario de Apex, despejando las últimas dudas que pudieran quedar sobre la veracidad de ese punto en algún sector de la opinión pública.

- La empresa agrega una mención sobre el porcentaje que el Sr. Soros tendría en dicho paquete...

- Dato innecesario, desde el momento en que nunca señalamos un porcentaje determinado en ninguna de nuestras conversaciones registradas en el libro, no existiendo por tanto las supuestas "afirmaciones erradas" que esta compañía minera lo conmina a "corregir", de manera tan poco cordial como ineficaz. Es importante indicar que las cifras exhibidas en las solicitadas (3% de las acciones de Apex) difieren sustancialmente de las publicadas por diarios como The New York Times y Clarín (20%), entre muchos otros, por lo que sugiero que la brillante Dirección de Comunicación de la empresa comience a redactar desde ya las correspondientes cartas de conminatoria contra esos prestigiosos medios.

- ¿Qué dice The New York Times?

X buscó en uno de sus bolsillos y extrajo un sobre repleto de recortes de prensa e impresiones de páginas de internet.

- Revela que "Bastante antes de que el financista Warren Buffett hiciera su comentada apuesta con la plata, George Soros venía poniéndole sus propias fichas a ese metal. (...) Para eso, la rica mina que ha comprado en Bolivia debe entrar en producción a tiempo como para cosechar su parte del boom. (...) Junto con su hermano Paul, Soros controla casi el 20% de Apex Silver Mines, dedicada a la exploración y desarrollo de minas de plata. La firma, con sede en las islas Caimán, tiene una mina abierta en Bolivia que, según afirma, puede constituir uno de los mayores depósitos de plata conocidos del mundo". Por si esto fuera poco, el diario neoyorquino agrega un comentario sobre los problemas generados por la concentración de acciones en manos de Soros y sus asociados: "Pese a las perspectivas, a las acciones de Apex no les fue tan bien desde su debut en noviembre. Stanley Shopkorn, gerente de Moore Capital, sugirió que eso se debe a la alta proporción del paquete -cerca del 80%- que está en manos de Soros, Bacon y otros inversores grandes. Una flotación pública chica achata las acciones, dijo".

- *¿Decía que hay otras fuentes?*

- El diario Clarín de Buenos Aires publicó información similar bajo el sugestivo titulo de "La mina boliviana que compró Soros", lo que me exime de mayores comentarios. La referencia al 20% del paquete accionario de Apex controlado por Soros aparece en muchas otras fuentes, incluyendo declaraciones del ex ministro de hidrocarburos, Andrés Soliz Rada, y columnas de opinión del analista Jorge Lora Cam. La publicación chilena Editec, especializada en temas mineros, también señala que "Los principales accionistas de Apex son Quantum Industrial Fund del grupo de inversiones Soros, Thomas Kaplan (ex presidente y fundador de la compañía) e inversionistas institucionales canadienses". A todo esto podemos sumar las revelaciones de la revista Execlub, donde se dice que "George Soros es dueño de los principales yacimientos mineros que están en proceso de consolidación en Potosí. (...) Esto fue confirmado por uno de los hombres más importantes del proyecto, Johnny Delgado, quien durante una visita a la mina reconoció que Soros es socio principal de la empresa Apex Silver Mines".

- *Parece que Minera San Cristóbal sólo quiso contar una pequeña parte de la historia...*

- Así es. El misterio de las acciones de Soros se aclara en un artículo de otra publicación económica especializada, Gold-Eagle, donde se sostiene que "Los hermanos Soros llegaron a poseer casi el 30% de las acciones de Apex", parte de las cuales habrían sido vendidas a partir de abril de 2005. O tal vez deberíamos decir que fueron transferidas a testaferrros, conociendo el tipo de maniobras financieras a las que es afecto el creador del Quantum Fund. Acotando a lo anterior, información publicada en la página electrónica de El Duende indica que "Eike Batista, que comparte algunos intereses con el especulador financiero George Soros, su socio en MMX S.A., ha vuelto a realizar inversiones importantes en Bolivia después de la pesadilla de EBX. Recientemente ha adquirido 13.57% del 65% de las acciones que posee Apex Silver en la Minera San Cristóbal, ubicada en el departamento de Potosí". También es importante señalar que la fecha en que George Soros habría iniciado el operativo para encubrir su vinculación con Apex (abril de 2005) coincide con la época en que la prensa boliviana comenzó a "destapar" su participación en el Proyecto San Cristóbal.

PAUL SOROS EN EL DIRECTORIO DE APEX

- *¿Qué conclusión saca de estos datos?*

- Son más que suficientes para establecer que la información incluida en las solicitadas de Minera San Cristóbal (con el propósito evidente de minimizar la participación de los hermanos Soros) adolece, por decir lo menos, de un severo déficit de transparencia. Sin embargo, el examen del resto del documento nos muestra los extremos alcanzados por la omisión deliberada de información.

- *Adelante.*

- En su punto dos, el aviso pagado por la filial de Apex afirma que "George Soros no está involucrado *de manera alguna* con la administración u operación de la mina San Cristóbal" y que éste sería sólo uno de los 12.000 inversionistas de la firma. Por supuesto, nunca hemos afirmado que un hombre tan ocupado en las apuestas de los mercados globales como el Sr. Soros se ocupe personalmente del detalle de la explotación de una mina en Potosí, pero sí es cierto que ha delegado buena parte de esa tarea en su hermano Paul.

- *¿Cómo es eso?*

- Según lo certifica la Comisión de Valores de los Estados Unidos (United States Securities and Exchange Comission o SEC), Paul Soros fue uno de los directores de Apex hasta una fecha muy reciente, 10 de enero de 2008, cuando renunció alegando "razones de salud". La información registrada en la SEC también puede encontrarse en múltiples sitios de Internet, como Business Week, Market Watch y otros. No obstante su renuncia, Paul Soros sigue figurando en la web de Apex como integrante del Comité de Compensación de la compañía. En resumen, si bien Apex puede tener 12.000 accionistas, sólo tiene 10 directores, uno de los cuales era hasta sólo tres meses atrás el hermano mayor de George Soros. Es evidente que, al ser Minera San Cristóbal una subsidiaria de Apex, su "administración y operación" debe haber estado sujeta a la supervisión del directorio de su empresa matriz, donde los hermanos Soros gravitaban de manera importante.

RELACIONES CON INTREPID

- *La solicitada de la empresa también afirma que "Apex no tiene intereses ni actividades en El Salvador" ni "ninguna relación con Intrepid Mines".*

- Nuevamente, las aseveraciones divergen de la información disponible en varios sitios especializados en el campo minero. Cito por segunda vez a Editec, en cuya página se lee que: "Intrepid Minerals Corporation, asociada con Apex Silver Mines Limited, obtuvieron los primeros resultados de exploración para su proyecto de plata-zinc denominado Aldea Zapote, ubicado en la parte oeste de El Salvador. Apex posee un 40% del proyecto y puede hacerse de un 20% adicional. Las empresas han desarrollado a la fecha 1.500 metros de sondajes como parte de un programa de exploración que incluye el desarrollo de un total de 2.500 metros de sondajes". Idéntica información se registra en Business Wire, Inforpress Centroamericana y Business Services Industry. ¿Ninguna relación con Intrepid, entonces? ¿Ninguna actividad ni intereses en El Salvador?

EL "LOBBY" Y EL LITIO

- Pero hay un tercer motivo para agradecerle su aviso a Minera San Cristóbal.

- ¿Cuál?

- La confirmación de otro comentario del libro, donde señalamos que Apex realizó "cabildeos" con legisladores norteamericanos, sobre la extensión del ATPDEA. Claro que la solicitada no atribuye estas gestiones a un interés en obtener del gobierno boliviano la concesión del litio en el Salar de Uyuni, como consta en el libro, sino que intenta mostrarlas como actividades desinteresadas a favor del país. Sobre el "lobbying" realizado por Apex me permito citar a La Razón, que supo "de fuentes de la empresa (Minera San Cristóbal), que la socia mayoritaria del proyecto, la multinacional estadounidense Apex Silver, de buenos oficios con el gobierno, contrató y pagó un bufete de abogados en Washington para apoyar a la gestión gubernamental que logró la ampliación por unos meses más de la Ley del ATPDEA para Bolivia". El diario acota que las gestiones de Apex se llevaron a cabo "en coordinación con el embajador de Bolivia en Estados Unidos, Gustavo Guzmán". Las líneas que acabo de leerle dejan entrever las estrechas relaciones entre Apex y ciertas esferas de gobierno, al tiempo que abren legítimas interrogantes sobre cuán desinteresada puede haber sido la acción de contratar y pagar un bufete en la capital norteamericana.

- El interés de Soros por el litio del Salar de Uyuni ya había sido señalado por medios de prensa nacionales.

- Exacto. En un reportaje publicado por las revistas dominicales Extra y OH!, los diarios El Deber y Los Tiempos revelaron que "El magnate George Soros anunció que invertirá 200 millones de dólares en autos ion-litio desarrollados por la fábrica china Chery", al tiempo de señalar que "El polémico inversionista suma movidas que lo acercan más a los salares bolivianos. Participa de varios proyectos en Potosí, especialmente en San Cristóbal, la mina de plata más grande del mundo explotada por la Apex Silver, de la cual es principal accionista". El artículo comenta que "La investigadora María Lohman, de la organización Somos Sur, llama a Soros 'el dueño de Potosí'. Señala que invierte en nueve grandes yacimientos de ese departamento en un total de 174.000 hectáreas. Dos de esas inversiones están asentadas en San Antonio y Candelaria de los Lípez, es decir, en el Salar". Para mayor abundamiento, la nota refiere "Un dato sugestivo, en estos tiempos de preocupación por el litio: Soros invitó a cenar al presidente Evo Morales durante la reciente visita del mandatario a Nueva York. (...) Y claro, en el ambiente político también se advierten palpitaciones por los vapores del salar. No por nada uno de los ejes de la polémica sobre la visita en septiembre del presidente iraní a Bolivia fue el anunciado acuerdo marco para la explotación de... ¡litio!".

- Por lo que veo en la solicitada, Minera San Cristóbal afirma que Apex "no tiene ningún interés de explotar yacimientos de litio"...

- Lo que tal vez signifique, simplemente, que el Sr. Soros ha decidido utilizar otros medios para acceder al control de ese recurso estratégico. A comienzos de mayo, el presidente Evo Morales anunció la instalación de una planta estatal que explotará el litio del Salar de Uyuni. Lo interesante es que dijo que ese mineral "es el combustible del futuro para los vehículos". Al parecer, las inversiones de Soros en el desarrollo de autos en base a ion-litio no caerán en saco roto. Ya tiene su fuente de abastecimiento. Poco después, la empresa japonesa Sumitomo Corporation, dueña del 35% de las acciones de Minera San Cristóbal, manifestó al gobierno de Evo Morales su interés en participar de dicha explotación.

- ¿Hay constancia de eso?

- Así lo registra una nota publicada por la agencia estatal ABI, donde se lee que "La industrialización de litio iniciada por el Gobierno con la construcción de la planta piloto para el tratamiento de salmueras en el Salar de Uyuni despertó el interés de importantes fábricas de automóviles que desean invertir en el proyecto, dijo este lunes el ministro de Minería y Metalurgia, Luis Alberto Echazú". El artículo detalla que "Entre las interesadas se destacan las fábricas japonesas Sumitomo y Mitsubishi, las cuales le expresaron al Gobierno su interés en participar en la explotación de litio, así como otras de origen francés". El Ministro de Minería también dijo que "Hay empresas japonesas y francesas interesadas y tendremos contacto con ellas. La reserva del litio del salar es de lejos la más grande del mundo y hay litio para más de mil años". Una nota de AP agrega a lo anterior que los representantes japoneses "se entrevistaron el lunes (19 de mayo) con el ministro de Minería, Luis Alberto Echazú, y el martes con técnicos de la empresa minera estatal", según informó a esa agencia el portavoz de la cartera de minería, Alfredo Zaconeta, quien acotó que "Los consultores japoneses volverán en un mes para afinar una propuesta al gobierno boliviano". Aunque los anuncios iniciales hechos por el gobierno indicaban que la explotación del litio sería exclusivamente estatal, Echazú habría declarado a los posibles inversionistas que esto sería sólo una primera etapa, abriendo posibilidades de negocios a mediano plazo. Reconoció que entre los potenciales mercados para el litio boliviano está China y señaló que "A partir del litio metálico se podrán elaborar baterías para carros que remplazarán el uso de diesel o combustibles, convirtiéndose en el futuro de la industria automovilística en el mundo". ¿Quiere saber un dato sugerente sobre Sumitomo?

- *Siga, siga.*

- Según La Nación y The Wall Street Journal, Sumitomo Corporation está por darle a PDVSA un gigantesco préstamo de 3.500 millones de dólares, junto a la firma Itochu. El pago del préstamo se realizará con petróleo.

ERROR COMUNICACIONAL

A esa hora de la tarde, la tormenta había pasado por completo. Caminamos a través de la plaza; el sol brillaba de nuevo y las campanas de la catedral daban las cinco. X continuó:

- Por todo lo que hemos comentado, queda claro que la acusación de Minera San Cristóbal sobre supuesta "información incorrecta" en *Ciudadano X* carece de todo asidero argumental, siendo más bien esa compañía y su empresa matriz las que han intentado soslayar u ocultar información relevante a la opinión pública boliviana. Es evidente que la empresa minera (quizás por mala asesoría) ha cometido un grave error comunicacional magnificando las referencias al Proyecto San Cristóbal incluidas en el libro, ya que, si bien el Sr. Soros ocupa un lugar destacado en el mismo, los comentarios sobre la mina de plata son escuetos, limitándose a unos pocos párrafos donde el tema sólo es tocado de manera tangencial. Sin embargo, de continuar este enriquecedor intercambio de información a través de solicitadas o en otros escenarios, sería interesante que la polémica sirva para profundizar aspectos no tocados hasta el momento, como la preocupación expresada por el Organismo Latinoamericano de Minería por el "daño ambiental irremediable" que podría ocasionar el Proyecto San Cristóbal, entre otros puntos pendientes.

- Nuestra conversación de hoy podría acabar dando forma a un nuevo capítulo del libro...

- Me parece bien. El debate público siempre será positivo. Justamente por eso, es lamentable que se quiera usar el poder económico para intentar restringir la investigación periodística y la libre expresión, tan asediada en estos días.

X se despidió con un apretón de manos y detuvo un taxi. Mientras se acomodaba en el asiento delantero, junto al conductor, alcanzó a decirme al partir:

- Sólo me falta agregar que tengo por costumbre documentar ampliamente los datos que comento y que he contestado a la campaña de Minera San Cristóbal con apenas una fracción de la información que dispongo sobre el tema. Nos vemos...

APÉNDICE A LA QUINTA EDICIÓN

EL ENIGMA DEL REVOCATORIO Y LA ARITMÉTICA DEL DIABLO

- Las cosas no suceden por una sola causa, no hay que ser reduccionistas. Más bien, piense que los hechos políticos son la síntesis de varios factores simultáneos, de distintas *tensiones* que dan como resultado un vector...

X y yo estábamos sentados en un banco, en la plaza 14 de septiembre de Cochabamba. Le había preguntado cuál sería la verdadera causa para la aprobación de la Ley del Referéndum Revocatorio y él desgranaba sus razonamientos.

- En principio, tenemos las explicaciones dadas por los cardenales de PODEMOS luego de la votación en el Senado, resumidas en los que llamaremos argumentos 1 y 2. El primero dice que se habría aprobado el Revocatorio como el mal menor, ante la inminencia de un cerco al Congreso por las tropas sindicales del oficialismo, hecho a producirse el martes 13 de mayo. En ese hipotético cerco se iba a aprobar de manera amañada una nueva convocatoria al Referéndum Dirimidor y al Referéndum Constitucional. Según esta versión, en una "hábil jugada de ajedrez" la oposición se habría adelantado a los acontecimientos, pateando el tablero al aprobar la Ley del Referéndum Revocatorio, que Evo estaba prácticamente obligado a promulgar, ya que fue votada tal cual él la envió al Congreso. Además de agendar al gobierno, que se vió forzado a un cambio de planes, se habría bloqueado jurídicamente la posibilidad de convocar a los Referendos Dirimidor y Constitucional por el 2008, porque sólo sería legal una consulta nacional por año. Tesis muy discutible, ya que el artículo 3 de la Ley del Revocatorio excluye a esa norma de la Ley Marco del Referéndum.

- *¿Cuál sería el argumento 2?*

- Los promotores del Revocatorio dicen que esta convocatoria en realidad persigue "incentivar" a las dos partes –gobierno central y prefectos-

para que se sienten a dialogar, entendiendo que ninguno de los actores está seguro de ganar y no querrían la consulta. Ergo, dicen, esta Ley de alguna manera obligaría a concertar un gran acuerdo nacional, del que se desprendería, entre otros puntos, una segunda Ley que derogaría el Referéndum Revocatorio. ¿Me sigue? Es decir que, siguiendo su lógica, aprobaron una Ley confiando en que luego, mediante un acuerdo con el MAS, la dejarían sin efecto a través de otra norma... Una apuesta arriesgada, ¿no? Sería más fácil creer en esto si las reglas de juego fueran iguales para ambas partes, 50% + 1 para la revocatoria de todos, pero esta es un partida con las cartas marcadas, regida por la "aritmética del diablo" de la que le hablaré luego.

- *Hay otras interpretaciones sobre los motivos para aprobar la Ley en el Senado...*

- El argumento 3 es la interpretación crítica hecha desde las regiones proautonómicas, donde se vió la aprobación del Revocatorio como una operación de reposicionamiento de los partidos, que habían ido quedando paulatinamente fuera de la escena política, con la creciente polarización entre gobierno central y prefectos. Con la sorpresiva aprobación de la Ley, que les permitió rediseñar el escenario político nacional, los partidos recobraron algo de protagonismo y fueron convocados por García Linera a una "multipartidaria" en la Vicepresidencia de la República. Además, la necesidad de contar con mayorías especiales para la ratificación de los prefectos o gobernadores podría hacer que éstos se vean forzados a tejer alianzas con los partidos, cediendo participación en las decisiones estratégicas y, quizás, en la composición de las listas a las Asambleas Legislativas Departamentales a elegirse hacia fin de año. Todo esto, que habrá sido parte del cálculo de los senadores, es perfectamente coherente desde el punto de vista de la *realpolitik*, de la protección racional a sus intereses sectoriales, pero introdujo un peligroso elemento distractivo del esfuerzo de los referendos autonómicos, los eslabones del proceso de profundización democrática que representa el desafío real a los afanes concentradores y totalitarios del gobierno.

- *Incluso se habló de cierta influencia de la Logia TAU en todo esto.*

- Una versión más radical, a la que llamaremos argumento 4, atribuye la aprobación del Referéndum Revocatorio a la maniobra de una facción centralista, conformada por Luis Vásquez Villamor, Carlos Böhrt, Carlos Mesa y Juan del Granado... Personajes a los que, sin mucho esfuerzo deductivo, podríamos reconocer como funcionales a los intereses de la Logia TAU, dedicada a preservar la hegemonía política paceña.

- *¿Usted qué cree?*

- Es posible que haya algo de verdad en cada una de estas tesis. ¿Hubo cálculo para reposicionar a los partidos? Por supuesto. ¿La oposición parlamentaria buscó adelantarse a los acontecimientos? También. ¿Sectores de la vieja élite centralista jugaron sus cartas? Es posible. ¿El Revocatorio es una apuesta arriesgada? Sin duda. Como decía Pío Baroja, "dejemos las conclusiones para los idiotas".

- *Usted mencionó a "la aritmética del diablo".*

- Al haber sido aprobada tal como la envió Evo Morales al Congreso, la Ley del Referéndum Revocatorio consagró reglas desiguales para la ratificación del mandato del presidente y de los prefectos. Evo sólo necesita algo más del 46% de los votos para quedarse en el cargo, mientras que el prefecto de La Paz, para dar un ejemplo, necesitaría alcanzar el 63% de la votación para ser ratificado. Con esas reglas de juego, José Luis Paredes sería un cadáver político. Como ve, se trata de un mecanismo perverso que podríamos suponer fruto de una elucubración del vicepresidente García Linera...

- *¿Qué avizora para el futuro cercano?*

- Lamentablemente, no tengo la bola de cristal para conocer el porvenir, pero me parecen probables dos cosas: primero, que el gobierno de Evo Morales, nervioso por la seguidilla de derrotas en los referendos autonómicos y en las elecciones prefecturales de Chuquisaca, incremente la dureza represiva como parte de una táctica desesperada para aferrarse al poder. Tenemos abundantes ejemplos recientes de esto: el secuestro de Lenin Sandóval en Sucre, el montaje del "magnicidio", las torturas a integrantes de la Unión Juvenil Cruceñista... Puedo confirmarle que, inclusive, el gobierno está buscando algún tipo de aval internacional para esta política de represión, mostrándose como víctima de una conjura golpista. Es lo que hizo Evo en la cumbre de Unasur. Como parte de esa vía, hay sectores del MAS que buscan la ruptura con los Estados Unidos. En ese contexto hay que leer la marcha contra la embajada norteamericana y la violenta expulsión de USAID del Chapare. Si los Estados Unidos cayeran en la trampa de la ruptura, todo movimiento opositor sería estigmatizado por la maquinaria comunicacional oficialista como un instrumento del "imperio". En segundo término, parece difícil desactivar la polarización "revocatorio vs. elecciones anticipadas". El gobierno tiene el respaldo de la supuesta legalidad del Revocatorio, aunque los juristas más prestigiosos del país lo definan como inconstitucional. Del otro lado, los gobernadores de la "Media Luna" tienen en su haber el importante capital político que les dio la victoria en los referendos autonómicos. En este escenario, hay un factor que puede resultar decisivo, como lo ha sido en otras oportunidades.

- *¿Cuál?*

- La postura de los actores internacionales, muy en particular la de Brasil. Pero ese es otro enigma, del que hablaremos en nuestra próxima conversación...

ANEXOS

INTEGRANTES DE LA LOGIA TAU*

COFRADES DE LA PAZ

1	Eduardo Álvarez Lemaitre	32	Luis Fernando Palza Fernández
2	Jorge Palza Prudencio (ausente)	33	Javier Palza Prudencio
3	Gonzalo Salinas Estensoro	34	Gonzalo Patiño Zuazo
4	Alejandro Vásquez Estenssoro	35	Raúl Pinto Sosa
5	Armando Alvarez Lemaitre	36	Armando Renjel Blanco
6	Edmundo Ariñez Zapata	37	Emilio Rivero Benavides
7	Luis Alfonso Canelas Tardío	38	Jorge Rodríguez Aguiló
8	Rodolfo Castillo López	39	Eduardo Rodríguez Veltzé (ausente)
9	Santiago De Col Pires	40	Ricardo Rojas Harrison
10	Mauricio Diez De Medina Aramayo	41	Fernando Rojas Herrera
11	Ramiro Diez De Medina Aramayo	42	Horacio Romanelli Boitano
12	Ramiro Diez de Medina Guzmán	43	Horacio Romanelli Zuazo
13	Marcelo Diez de Medina Valle	44	Eduardo Ruiz García
14	Javier Diez de Medina Valle	45	Javier Ruiz García
15	Jorge Estenssoro Machicado	46	Jorge Sainz Trigo
16	Raúl Garrón Claure	47	Marcelo Salinas Alvarez García
17	Carlos Gerke Mendieta	48	Gustavo Salinas Aramayo
18	Carlos Gerke Siles	49	Alejandro Salinas Vilela
19	Néstor Gutiérrez Bertam	50	Gonzalo Sánchez de Lozada
20	Fernando Gutiérrez Lavayen	51	Marcelo Soria Velasco
21	Fernando Gutiérrez Moscoso	52	Antonio Trigo Espinoza
22	Leonardo Handal Katimi	53	Arturo Valdivia Hochkofler
23	Ramiro Jáuregui Alvarez	54	Ignacio Vásquez Pantoja
24	Ignacio Jáuregui Zabalaga	55	Diego Vásquez Pantoja
25	Alejandro Jordán Vasquez	56	Jorge Villanueva Estensoro
26	Hugo López Videla Zamora	57	Luis Villanueva Estenssoro
27	Gonzalo Méndez Gutiérrez	58	Luis Villanueva Schenk
28	Antonio Miranda Gumucio	59	Marcelo Zalles Barriga (ausente)
29	Luis Monje Barrios	60	Miguel Zalles Denegri (ausente)
30	Luis Fernando Neri Urioste	61	Germán Zuazo Chávez
31	Xavier Nogales Iturri	62	Eduardo Zuazo Cuenca

* Extraída de "La Fraternidad TAU", publicación interna editada por el *cofrade* Xavier Nogales. Es notoria la ausencia de Carlos Mesa en la lista. Esto podría deberse a que la misma no registra las "iniciaciones" realizadas después del 2003.

COFRADES FALLECIDOS (al 31 de marzo de 2003)

1	Luis Alcázar Ampuero	32	Raúl Jordán Velasco
2	José Antezana Estrada	33	CarlosLarrieu Granier
3	Eduardo Arauco Paz	34	Alberto Lanza Quesada
4	René Ballivián Calderón	35	Hugo López Videla
5	Juan Ballivián Saracho	36	Augusto Moscoso Etcheverry
6	Jorge Ballón Saravia	37	Fadrique Muñoz Reyes Ibargüen
7	Adrián Castillo Nava	38	Juan Víctor Muñoz Reyes Ibargüen
8	Federico Castillo Nava	39	Luis Palza Veintemillas
9	Jorge Cuadros del Castillo	40	Jorge Palza Veintemillas
10	Víctor Cuevas Pabón	41	Luis Patiño Sánchez Bustamante
11	Eduardo del Portillo Cusicanqui	42	Arturo Prudencio Guzmán
12	José de la Reza Velasco	43	Carlos Puente de la Serna
13	Jorge de la Reza Prudencio	44	Arturo Ramírez Loayza
14	Emilio Díaz Romero	45	Armando Renjel López Videla
15	Mario Diez de Medina Medina	46	Hugo Reyes Ortiz Villegas
16	Raúl Espejo Balanza	47	Jorge Rodríguez Balanza
17	Alberto Estenssoro Alborta	48	René Rojas Velasco
18	Miguel Estenssoro Machicado	49	Gastón Rojas Velasco
19	Hernán Flor Medina	50	ErnestoRuiz Rada
20	Rafael Gumucio Irigoyen	51	Emilio Sarmiento Caruncho
21	Armando Gutiérrez Granier	52	Hernán Siles Zuazo
22	Juan Luis Gutiérrez Granier	53	Julio Trullenque Veiga
23	Alfredo Gutiérrez Salgar	54	Alejandro Vásquez Maldonado
24	Fernando Iturralde Chinel	55	Julio Valdéz Hertzog
25	Luis Iturralde Chinel	56	Luis Villanueva Saénz
26	Alfonso Jauregui Cusicanqui	57	Jorge Ibarnegaray Aramayo
27	Julio Jauregui Cusicanqui	58	Eduardo Zalles Cisneros
28	Carlos Johnson Groenenwold	59	Miguel Zalles Cisneros
29	José Luis Johnson Groenenwold	60	Roberto Zalles Calderón
30	Germán Jordán Aramayo	61	Javier Zuazo Chávez
31	Hugo Jordán Velasco	62	Julio Zuazo Cuenca

"ENCOMIENDA DE OROPEZA" (CBBA.)

Cofrades de Cochabamba

1	Osvaldo Antezana Vaca Diez	31	Felipe Guzmán Brockman
2	Gastón Aranibar Beltrán	32	Mario Guzmán Morales
3	Enrique Aranibar Urquidi	33	Jorge Llosa Tejada
4	Jorge Argandoña Calvo	34	Joaquín López Arana
5	Alberto Arze Quiroga	35	José Morales Achá
6	Mario Asín Gutierrez	36	Efraín Morales Morales
7	Marcelo Canelas Mendez	37	Mauricio G.Prada Deiters
8	Carlos Canelas Mendez	38	José G. Prada Montaño
9	Enrique Canelas Tardío	39	Marcelo Prudencio Rocabado
10	Carlos Canelas Tardío	40	Marcel Ramirez Velarde
11	Eduardo Canelas Tardío	41	Alberto Reuqena Urioste
12	Gonzalo Canelas Tardío	42	Carlos Rivero Adriázola
13	Luis Alfonso Canelas Tardío (ausente)	43	German Rivero Benavides
14	Fernando Canels Tardío	44	Julio Rodriguez Casas
15	Ramiro Coronel Valle	45	Carlos Rodriguez Estenssoro
16	Ernesto Daza Rivero	46	Javier Rodriguez Rivas
17	Ramón Daza Rivero	47	Marcelo Rodriguez Veltzé
18	Ernesto J.M. Daza Salamanca	48	Roberto Rodriguez Veltzé
19	Ramón O Daza Salamanca	49	William Scarborough Montaño
20	Federico Diez de Medina F.C.	50	Paul Scarborough Rodriguez
21	Ivo Eterovic Orías	51	Estanislav Seusek (ausente)
22	Eduardo Eulert Gutierrez	52	Jorge Soruco Quiroga
23	Arturo Galindo Grandchant	53	Jorge Soruco Rodriguez
24	Hugo Galindo Salcedo	54	Ramiro Suarez Soruco
25	Marcelo Guardia Guzmán	55	Gonzalo Suarez Soruco (ausente)
26	Juan Carlos Guardia Jordán	56	Marcelo Tardío Sanchez Bustamante
27	Juan Carlos Guardia Romero (ausente)	57	Jorge Tardío Urquidi (ausente)
28	Bernardo Gumucio Aguirre	58	Germán Urenda Tardío
29	Guillermo Gumucio Aguirre	59	Alberto Urquizo Unzueta (asuente)
30	Ramón Gumucio Gutierrez (ausente)		

Cofrades fallecidos

1	Fernando Arenas Frías	12	Germán Michel Quiroga
2	Carlos Canelas Canelas	13	Atilio Molina Pantoja
3	José Cuadros Quiroga	14	Edurado Moreno de la Reza
4	José de la Reza Velasco	15	Hugo Moreno Taillacq
5	Luis Frías Cuellar	16	Luis Ramirez Velarde
6	Hernán Flor Medina	17	Germán Rivero Torres
7	Carlos Galindo Gutierrez	18	Carlos Rodriguez Rivas
8	Rafael Gumucio Irigoyen	19	Joaquín Salcedo Laredo
9	Rafael Gumucio Gutierrez	20	Osvaldo Unzueta Velasco
10	Mons. Armando Gutierrez Granier	21	Victor Veltzé Cespedes
11	Alberto Gutierrez Lozada		

"ENCOMIENDA DE CHARCAS" (SUCRE)

Armando Álvarez Santivañez
Roberto Álvarez Vásquez
Jorge Ibarnegaray Aramayo
Alfredo Jáuregui Molina
Jorge Urriolagoitia Harriague
Wálter Urioste Gantier
Jorge Zamora Blacut
Eduardo Lemaitre F. de Cordova
Hugo Ruck Uriburu
Pastor Sáinz Fuenteseca
Luis Solares Risco
Julio Solares Risco
Leonardo Medeiros Querejazu
Gastón Querejazu Calvo

"ENCOMIENDA DE SAN LORENZO DE LA FRONTERA" (SANTA CRUZ)

Jorge Estenssoro Moreno
Rodrigo Jordán Prudencio
Fernando Muñoz Vargas
Juan Javier Estenssoro Moreno
Gastón Mejía Brown
Jaime Patiño Zuazo
Mario Diez de Medina Guzmán (+)
Germán Michel Galindo
Mauricio Reyes Ortiz Soria Galvarro (+)
Oswaldo Unzueta Zegarra
Carlos Urioste Saucedo
Ramón Gumucio Gutiérrez
Marcelo Muñoz Añez
Miguel Ruiz García
Jorge Urriolagoitia Ruck
Carlos Urioste Gumucio

INICIADOS DEL 2003 (BOLIVIA)

Raúl Pinto Sosa
Alejandro Jordán Vásquez
Mauricio Diez de Medina Aramayo
Diego Vásquez Pantoja
Ramiro Diez de Medina Aramayo
Luis Villanueva Schenk
Fernando Gutiérrez Lavayén
Santiago de Col Pires
Ignacio Jáuregui Zabalaga
Ignacio Vásquez Pantoja
Horacio Romanelli Zuazo
Marcelo Soria Velasco
Arturo Valdivia Hochkofler
Carlos Gerke Siles

URANIO: INFORMES EN PODER DE LA COMISIÓN BOLIVIANA DE ENERGÍA NUCLEAR DE LAS FFAA

Ae-COB-005	Estudio Preliminar para el Funcionamiento de la Planta de Uranio Planta de Producción de Concentrados de Uranio.
Ae-COB-006	Informe sobre Prospección de Minerales Radioactivos.
Ae-COB-022	Informe de reservas de Depósitos Uraníferos de Cotaje Potosí.
Ae-CoB-039	Geología y Evaluación Preliminar de los depósitos de Uranio en Cordillera Los Frailes (500 toneladas).
Ae-COB-058	Report to the Government of Bolivia on Uranium exploration and evaluation.
Ae-COB-0090	Prospección de Minerales Radioactivos en el S-W de la Cordillera Occidental Promoción Pegaso-Conamar.
Ae-COB-0112	Informe de Labores del Distrito Uranífero Tupiza.
Ae-COB-0124	Áreas Potenciales de Uranio en Bolivia.
Ae-COB-0209	Informe al Gobierno de Bolivia Prospección y Evaluación de Materias Primas Nucleares.
Ae-COB-0214	Rapport Technique sur la Mission en Bolivie.
Ae-COB-0234	Uranium Prospection Report to the Government of Bolivia. Mina Cotaje.
Ae-PRE-001e	Proyecto de Exploración Mineral del Oriente Boliviano Proyecto Precámbrico.
Ae-PRE-002e	Geología y Potencial de Minerales del Área de Concepción.
Ae-PRE-003e	Geología y Potencial de Minerales del Área de San Ignacio de Velasco.
Ae-PRE-004e	Geología y Potencial de Minerales del Área Las Petas San Matías.
Ae-PRE-005e	Geología y Potencial de Minerales del Área de San José de Chiquitos.

Ae-PRE-006e Geología y Potencial de Minerales de Santo Corazón Rincón del Tigre.

Ae-PRE-007e Geología y Potencial de Minerales del Área de Complejo Ígneo Rincón del Tigre

Ae-PRE-008e Geología y Potencial de Minerales del Área de la Provincia Alcalina de Velasco y Cerro Manomó.

Ae-PRE-0033 The Geology and Minerals Resources of the Bolivian Precambrian Shield.

YACIMIENTOS DE URANIO EN BOLIVIA

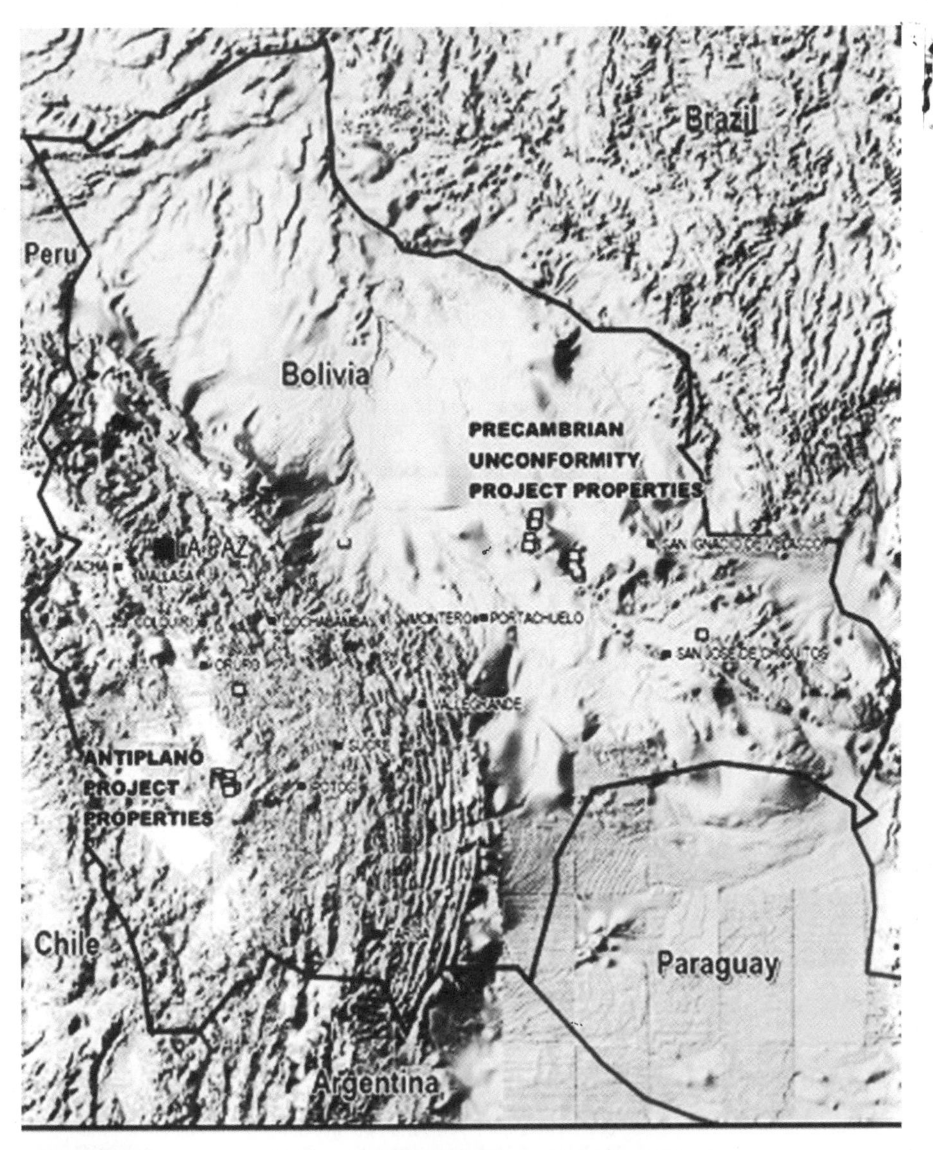

Mega Uranium-Intrepid Mining Bolivia JV
Location of Properties

PLAN BOLIVIA III (extracto)*

SECRETO

CEC. – III.
COC – BOLIVIA III
EMC./C-3
No. 811/RNS.

CG. COCHABAMBA, 121000-DIC-07

PLAN DE OPERACIONES "BOLIVIA III"

OBJETO : EL COC. BOLIVIA III en la ejecución de Operaciones Militares y de Seguridad.

CARTAS : Mapa de BOLIVIA Esc. 1:2.000.000
Mapa Político de Cbba. Esc. 1:500.000
Plano General de Cbba. 1:18.000

ANEXOS : "A" Calco de Operaciones
"B" Inteligencia
"C" Personal
"D" Logística
"E" Comunicaciones
"F" Reglas de Comportamiento

MEDIOS ORGANICOS.

DIV. 7

- 1 GRIE DIV. 7
- RI-18
- RI-19
- RA-7
- BPM. III

CMDO BRIG Ac.

- GAe. 34
- GAe. 51
- GADA 91

CAN. No 1

- BPMN. No. 1

TDD. (CBBA)

- REG. MIL No. 7
- BATECOL.
- BAT. LOG.

RESERVA DEL COC.

- EMSE
- EAA.
- ECEM.
- RR.MM.
- CC.CC. COL. MIL. EJTO.

I.- SITUACION GENERAL.

A.- Marco Legal.

1.- El numeral 18 del Art. 96 de la CPE. , establece que es atribución del Presidente de la Republica, conservar y defender el orden Interno y la seguridad Exterior de la Republica, por tanto hará cumplir el Art. 208 que dice : Las FF.AA. tienen por misión fundamental, entre otras la de asegurar la CPE. y garantizar la estabilidad del gobierno legalmente constituido.

SECRETO
1 - 11

* Documento que circuló por Internet a comienzos de diciembre de 2007.

SECRETO

2.- El ejercicio legitimo de la fuerza por las FF.AA. de la Nación y su respectivo empleo, esta determinado por la CPE., las convenciones y tratados internacionales, vigentes sobre la materia, Leyes de la Republica y Decretos Supremos que aprueba manuales internos sobre diferentes aspectos de esta regulación.

B.- Situación del Oponente.

Ver Anexo "B" Plan de Inteligencia.

C.- Fuerzas Propias.

1.- El Comando Estratégico Conjunto III, se encuentra en su CG. de la ciudad de COCHABAMBA, cumpliendo sus funciones especificas, a fin de adoptar previsiones para enfrentar futuras amenazas, en todo o parte del Territorio Nacional.

2.- El Comando Operativo Conjunto "BOLIVIA III", se encuentra planificando operaciones para el empleo de sus Unidades, en toda o parte de su jurisdicción, con la finalidad de contrarrestar las amenazas que pongan en peligro la unidad y seguridad interna del país.

3.- Los CC.OO.EE. acantonados en la ciudad de SUCRE y la localidad de EL CHAPARE, se encuentran desarrollando sus actividades en forma normal y en condiciones de cumplir misiones impuestas por el Comando Estratégico Conjunto III.

D.- Hipótesis.

Ante la convocatoria de la Directiva de la AC. para la aprobación de la nueva CPE. a través de un Referéndum y posterior promulgación; dirigentes politicos, cívicos y empresariales, adoptarán medidas de presión en contra del Gobierno Legalmente Constituido, en los departamentos de COCHABAMBA y CHUQUISACA, dirigidas a desestabilizar al gobierno y el estado de derecho, buscando la división del país, a través de enfrentamientos armados.

II.- MISION.

El Comando Operativo Conjunto "BOLIVIA III", ejecutará Operaciones Militares y de Seguridad, a partir del día "D" hora "H", en su jurisdicción, con orden, para detectar y neutralizar acciones terroristas de sabotaje y hostigamiento a las UU. Militares, proporcionar seguridad a la infraestructura gubernamental y SS.PP.EE., intervenir en enfrentamientos de organizaciones sociales, a fin de garantizar el restablecimiento del orden legalmente constituido.

SECRETO
2 - 11

SECRETO

III.- MODALIDADES EJECUTIVAS.

A.- Idea de Maniobra.

La operación consistirá en la ejecución de Operaciones Militares y de Seguridad, sobre los SS. PP. EE., Patrimonio del Estado e Instalaciones Militares en forma descentralizada.

1.- Maniobra.

El Comando Operativo Conjunto "BOLIVIA III", ejecutará operaciones militares y de seguridad a partir del día "D" hora "H", dentro de su jurisdicción, comprendido entre:

- **Al Norte.**
  Estribaciones de la CORDILLERA MOSETENES – SANTA ELENA.

- **Al Oeste.**
  SANTA ELENA – CAVARI – LEQUE PALCA – MOROCOCALA.

Al Sud.
MOROCOCALA – HUAYCURI MOLLE – RIO CAINE.- SAIPINA

Al Este.
SAIPINA – VILLA ESPERANZA – TIRAQUE – CORDILLERA MOSETENES.

Realizando acciones de organización, concentración y despliegue con 2 RR. II., 1 RA. y 2 Batallones, organizados en:

- Fuerzas de Seguridad
- Fuerzas de Intervención
- GRI.

Como elementos de maniobra principal

- ECEM.
- EAA.
- EMSE.
- RR.MM.

Como Reserva

Para detectar y neutralizar acciones terroristas de sabotaje y hostigamiento a las UU. Militares, proporcionar seguridad a la infraestructura gubernamental y SS.PP.EE., intervenir en

SECRETO

3 - 11

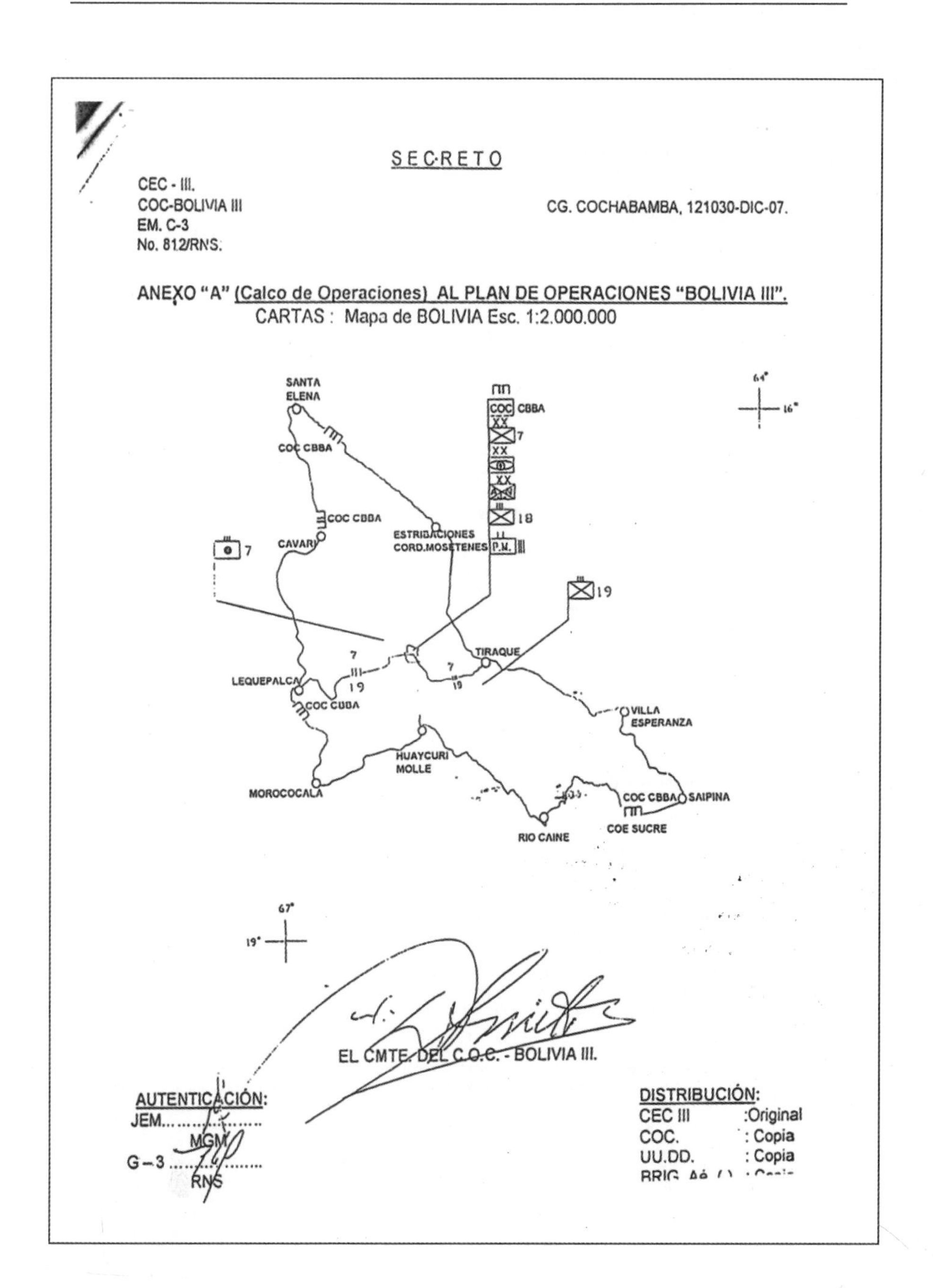

SECRETO

CEC - III.
COC-BOLIVIA III
EM. C-3
No. 812/RNS.

CG. COCHABAMBA, 121030-DIC-07.

ANEXO "A" (Calco de Operaciones) AL PLAN DE OPERACIONES "BOLIVIA III".
CARTAS : Mapa de BOLIVIA Esc. 1:2.000.000

EL CMTE. DEL C.O.C. - BOLIVIA III.

AUTENTICACIÓN:
JEM.....................
MGM
G – 3 ....
RNS

DISTRIBUCIÓN:
CEC III :Original
COC. : Copia
UU.DD. : Copia

PLAN "NAVIDAD AUTONÓMICA"

CONSEJO NACIONAL DE LUCHA
CONTRA EL NARCOTRAFICO
DIRECCION NACIONAL DE CONTROL DE
SUSTANCIAS PELIGROSAS
Teléfonos: [illegible]
Casilla [illegible]
BOLIVIA

Div. Operaciones
Depto. II
Cite No. Reservado

"La lucha contra el abuso de las drogas es una tarea de todos"

La Paz, 10 de Diciembre del 2.007

De: DIRECCIÓN NACIONAL DE LA FUERZA ESPECIAL DE LUCHA COTRA EL NARCOTRÁFICO.

A: COMANDANTES DE LAS UNIDADES DE LA FUERZA ESPECIAL DE LUCHA CONTA EL NARCOTRÁFICO DE SANTA CRUZ, TARIJA, BENI, PANDO.

Para su debido cumplimiento y ejecución, transcribo la parte pertinente que corresponde ejecutar a su Dirección, referente a la puesta en marcha del Plan Navidad Autonómica, elaborado por el Min. Gobierno y Min. Presidencia, bajo la dirección y supervisión de la Pres. República, en coordinación con la Vice Pres. República y la Unidad de Asesoramiento para Prevención de Contingencias de la Emb. de la hermana Rep. Bolivariana de Venezuela, y cuyos antecedentes, nómina de sujetos a ser neutralizados y demás pormenores ya cursan en el Dpto. II de cada Dirección Distrital asignada.

4.- DE LA INTERVENCÓN Y EJECUCIÓN DE OPERACIONES DE LA FUERZA ESPECIAL DE LUCHA CONTRA EL NARCOTRÁFICO.

4.1.- Los Comandantes de las Unidades de la Fuerza Especial de Lucha Contra el Narcotráfico de los departamentos de Santa Cruz, Tarija, Beni y Pando, en estricta coordinación con los Comandos Departamentales de la Policía Nacional, a través de la Sección II, INTERPOL y Direcciones Departamentales de Migración, procederán a ordenar a los grupos operativos, ejecuten las acciones señaladas en los instructivos de la Sección II, tendientes a promover el inicio de diligencias de policía judicial, conforme al procedimiento contemplado en los Arts. 93, 94 y 95 de la Ley 1008, en contra de los sujetos señalados como cabecillas de los movimientos autonómicos-separatistas de los departamentos señalados y sus familiares mas cercanos, para lo cual podrán utilizar lo precursores, implementos y substancias controladas que se han dispuesto, a fin de justificar los operativos y fundamentar las acusaciones judiciales que sobrevengan, pudiendo contar con ciudadanos-testigos de cargo que proporcionarán los Estados Mayores del Instrumento en cada lugar de juzgamiento o detención.

4.2.- Para facilitar la operabilidad de las acciones a tomarse, se tomarán las medidas necesarias tendientes a la calificación de "infraganti" de los operativos a realizarse, evitando así la intervención entorpecedora de los fiscales locales, por lo que contarán en su caso, con fiscales especiales designados desde el Min. Justicia.

4.3.- Las detenciones y allanamientos a practicarse, deberán efectuarse con personal encubierto, evitando la publicidad y/o exhibición de uniformes, credenciales, distintivos y demás señas que identifiquen a las unidades en faena.

4.4.- Los fondos, implementos, movilidades y cualquier tipo de recursos necesarios al cumplimiento de los planes operativos activados, serán proporcionados por los Comandos respectivos, los que dispondrán discrecionalmente de la logística proporcionada por la cooperación de la hermana República Bolivariana de Venezuela, a través de los respectivos Delegados Presidenciales y los Estados Mayores del Instrumento, con la celeridad que el caso requiere.

CONSEJO NACIONAL DE LUCHA
CONTRA EL NARCOTRAFICO
DIRECCION NACIONAL DE CONTROL DE
SUSTANCIAS PELIGROSAS
Teléfonos: [tachado]
BOLIVIA

Dir. ....
Depto. ....
Cite No. ....

"La lucha contra el abuso de las drogas es una tarea de todos"

4.5.- El apoyo militar que se requiera, así como la logística imprevista que se precise, deberá ser proporcionado por las unidades militares acantonadas en la zona prevista del Chapare, debiendo remitirse los requerimientos, con los santos y señas predeterminados, al Gral. Macay, responsable general de la coordinación del Ejército, la Fuerza Aérea, la Policía Nacional y la dirigencia del Instrumento, en cada uno de los departamentos señalados.

4.6.- En absoluta coordinación con todas las unidades operativas designadas y en estricto cumplimiento a los planes anexos operacionales que cursan en la Sección II de cada Dirección, se deberá dar prioridad a la neutralización enérgica de todos los sujetos mencionados en las listas pre-elaboradas, debiendo promover un efecto psicológico fulminante en los subvertores señalados de cada región, sus familiares y entorno, capaces de imposibilitar la continuación de sus movimientos intentados, produciendo el desbande, desorientación y desinteligencias que culminen con la necesidad de una intervención de organismos estatales, para reponer el orden constitucional.

4.7.- En provincias y localidades donde residan elementos señalados en las listas pre-determinadas, se podrá contar con el apoyo logístico absoluto de los dirigentes del Instrumento que se encuentran debidamente entrenados por las unidades especiales bajo dirección directa de personal de apoyo venezolano, que actúa en coordinación con los responsables políticos designados e instruidos por los delegados presidenciales de cada región y sus estados mayores.

4.8.- Las fechas, horas y lugares específicos de ejecución de los operativos contenidos en los anexos adjuntados, serán comunicados a los grupos operacionales, conforme a las asignaciones predeterminadas, quedando a partir de la fecha todas las unidades, en alerta roja y estado de apronte, debiendo cumplirse el objetivo de impedir la consumación del afianzamiento de las acciones tendientes a la instauración de las ilegales autonomías, contrarias a nuestra Constitución recientemente aprobada y los planes y proyectos del Gobierno Constitucional que lidera el Instrumento de liberación y descolonización nacional.

A fin de asegurar el éxito absoluto de los operativos pre-determinados, se deberá evaluar minuciosamente a los efectivos que conformen cada grupo ejecutante, bajo responsabilidad conforme a Reglamento.

DIRECTOR NACIONAL DE CONTROL
DE SUBSTANCIAS PELIGROSAS

CONTRA EL NARCOTRAFICO
DIRECCION NACIONAL DE CONTROL DE
SUSTANCIAS PELIGROSAS
Teléfonos [illegible]
BOLIVIA

Dir. ....
Dpto. ....
Cite No. ....

"La lucha contra el abuso de las drogas es una tarea de todos"

La Paz, 14 de Marzo del 2.008

De: DIRECCION NACIONAL DE LA FUERZA ESPECIAL DE LUCHA CONTRA EL NARCOTRAFICO.

A : COMANDANTES DE LAS UNIDADES DE LA FUERZA ESPECIAL DE LUCHA CONTRA EL NARCOTRÁFICO DE SANTA CRUZ, TARIJA, BENI, PANDO.

Para su debido cumplimiento y ejecución, transcribo la parte pertinente que corresponde ejecutar a su Dirección, referente a INSTRUCTIVA de 10 de diciembre/07, OPERACIONES Dpto. II, Plan Navidad Autonómica, ordenado por Pres. República, Vice Pres. República, Min. Gobierno y Unidad de Asesoramiento para Prevencion de Contingencias de la Emb. de la hermana Rep. Bolivariana de Venezuela, bajo su absoluta responsabilidad en reserva y ejecución instructiva, conforme a listas de sujetos señalados que ya cursan en Dpto. II a su cargo, incluyendo filtraciones o infidencias, que de producirse, serán severamente penalizadas, conforme a las nuevas disposiciones disciplinarias en vigor.

3- ACTIVACIÓN SIMULTANEA INSTRUCTIVA PLAN "NAVIDAD AUTONÓMICA", CONFORME A NÓMINAS, LUGARES Y DOMICILIOS QUE SE TIENEN PREDETERMINADOS.

3.1.- Los Comandantes de las Unidades de la Fuerza Especial de Lucha Contra el Narcotráfico de los departamentos de Santa Cruz, Tarija, Beni y Pando, en estricta coordinación con sus Comandos Departamentales de la Policía nacional a través de la Sección II, UTOP, INTERPOL, Direcciones Departamentales de Migración, Delegados Prefecturales, Coordinadores de los Estados Mayores de los Movimientos Sociales del instrumento y con el apoyo logístico y en su caso de tropa que se requiera, del Comando en Jefe de las FF.AA. a cargo del Sr. Gral. Fuerza. FAB Luis Trigo, deberán estar atentos a los santos y señas predeterminados, que serán activados a orden Presidencial o Vice Presidencial (indistintamente), a fin de cumplir en forma inmediata y fulminante lo instruido en el Plan "NAVIDAD AUTONÓMICA" de 10/12/2007, dado el inminente rompimiento separatista gestado en Santa Cruz y las repercusiones que pudieren haber en los otros Departamentos que la secunden.

A fin de asegurar el éxito absoluto en los operativos relámpago a cumplirse, se recomienda evaluación permanente del personal asignado, debiendo eliminarse a cuadros que hayan variado sus perfiles conforme a los últimos acontecimientos internos de la Policía Nacional.

DIRECTOR NACIONAL a.i. DE CONTROL
DE SUSSTANCIAS PELIGROSAS

CRONOLOGÍA

1997

- Evo Morales es elegido diputado uninominal.
- El presidente Hugo Banzer intensifica la erradicación de cocales ilegales.
- Son liberados Álvaro García Linera y Felipe Quispe, junto a otros integrantes del EGTK.

2000

- Guerra del Agua en Cochabamba. Los "movimientos sociales" expulsan a la empresa Bechtel.
- Oscar Olivera, uno de los principales dirigentes de las movilizaciones, integra a dos allegados suyos en el directorio de la nueva cooperativa de agua.

2002

- Gonzalo Sánchez de Lozada consigue el primer lugar en las elecciones nacionales, seguido de cerca por Evo Morales.

2003

- Disturbios en febrero y octubre. Organizaciones radicales boicotean la exportación de gas por Chile y se producen enfrentamientos violentos, con decenas de muertos.
- Cae el presidente Sánchez de Lozada y asume Carlos Mesa, quien habla de cumplir la "agenda de octubre".

2004

- Primer cabildo por la autonomía en Santa Cruz. Se lanza la "agenda de junio".
- Referéndum sobre Hidrocarburos.
- Elecciones municipales, donde el MAS se posiciona como la primera fuerza política, con el 17% de la votación nacional.
- El 30 de diciembre, el presidente Mesa promulga un decreto aumentando el precio del diesel.

2005

- Protestas contra el "dieselazo" en Santa Cruz.

- Segundo cabildo, celebrado el 28 de enero. Se conforma la Asamblea Provisional Autonómica y el Poder Ejecutivo accede a la elección directa de los prefectos.
- En junio, Mesa renuncia a la primera magistratura y los "movimientos sociales" impiden la sucesión constitucional por el presidente del Senado, Hormando Vaca Diez, y por el presidente de la Cámara de Diputados, Mario Cossío. Asume el presidente de la Corte Suprema de Justicia, Eduardo Rodríguez Veltzé.
- Evo Morales triunfa en las elecciones anticipadas celebradas en diciembre, con el 53,74% de los sufragios, equivalentes al 15% de la población.
- También se elige directamente a los nueve prefectos departamentales, por primera vez en la historia de Bolivia.

2006

- Evo Morales asume la presidencia a fines de enero. Su primera medida es firmar varios convenios de cooperación con Hugo Chávez, entre ellos un acuerdo militar.
- El Congreso vota por unanimidad las Leyes de Convocatoria de la Asamblea Constituyente y del Referéndum Autonómico.
- El 1º de mayo, el gobierno lanza el decreto de nacionalización de los hidrocarburos y militariza los campos petroleros.
- En las elecciones de constituyentes realizadas el 2 de julio, el MAS obtiene el 50,4% de los votos válidos, lejos del 70 u 80% que se había propuesto conseguir.
- El SÍ a la autonomía triunfa con una alta aprobación en cuatro departamentos: Santa Cruz, Beni, Pando y Tarija.
- El 6 de agosto se instala en Sucre la Asamblea Constituyente. Casi de inmediato, el oficialismo hace pública su decisión de imponer la votación por mayoría absoluta, violando el principio de 2/3 establecido en la Ley de Convocatoria.
- Entre septiembre y diciembre se desarrolla la lucha democrática por los 2/3, incluyendo varias huelgas de hambre en diversos puntos del país.
- Turbas del partido de gobierno invaden el piquete de huelga en la Iglesia San Francisco, en La Paz.
- En diciembre, los cuatro departamentos autonómicos realizan de manera simultánea los "Cabildos del Millón", advirtiendo que desconocerían la nueva Constitución si ésta fuera aprobada de manera ilegal.

2007

- "Enero Negro" en Cochabamba. Cocaleros y otros grupos sociales, alentados por altos dirigentes del MAS, intentan tomar la prefectura departamental y deponer al prefecto Manfred Reyes Villa. Los pobladores de la ciudad se enfrentan con las milicias sindicales. Mueren el joven Christian Urresti y los cocaleros Juan Ticacolque y Luciano Colque.
- En julio, la propuesta de que la capital de la república –Sucre- sea también la sede de los tres poderes de gobierno ingresa en 5 de las 21 comisiones de la Asamblea Constituyente. Una semana después, un cabildo realizado en La Paz le prohíbe a la Constituyente el tratamiento de la capitalidad plena para Sucre.
- El 6 de agosto, Evo Morales es silbado y abucheado en la capital de la república. Advierte que Sucre pagará las consecuencias.
- El 15 del mismo mes, los constituyentes de su partido deciden prohibir el debate sobre la capitalidad en las plenarias de la Asamblea.
- A comienzos de agosto, la Constituyente culmina su plazo de funcionamiento legal. Un polémico pacto político amplía sus sesiones hasta el 14 de diciembre. Menos de dos semanas después de votada la Ley de Ampliación, los conflictos entre universitarios y policías obligan a suspender las sesiones de la Asamblea.
- El 8 de septiembre, el tribunal de garantías constitucionales declara ilegal la resolución de la directiva de la Constituyente que excluía el debate sobre la capitalidad.
- El gobierno decide recortarle fondos a las prefecturas departamentales y blinda esa decisión destinando el dinero al pago de una renta para los ancianos, que sustituye al Bonosol.
- En octubre, Hugo Chávez dice que convertirá a Bolivia en "el Vietnam de las ametralladoras".
- Evo Morales militariza el Aeropuerto Internacional de Viru Viru, en Santa Cruz. Hay presencia de tropas venezolanas. Una movilización ciudadana logra el fin de la intervención militar.
- El 22 de noviembre, el MAS instala una plenaria irregular de la Constituyente en el liceo militar de La Glorieta, en las afueras de Sucre. La Policía reprime duramente las protestas populares contra la ilegalidad.
- El oficialismo aprueba en grande su proyecto de Constitución, violando varias normas. Mueren tres jóvenes manifestantes: Gonzalo Durán, Juan Carlos Serrudo y José Luis Cardozo. La Policía se repliega masivamente a la ciudad de Potosí.

- Los prefectos de oposición viajan a la sede de la OEA en Washington, para denunciar las violaciones a los derechos humanos y el rompimiento del orden constitucional.
- En diciembre, el partido de gobierno y sus aliados instalan otra plenaria en Oruro, quebrantando nuevamente las normas. Aprueban en detalle y en revisión su proyecto de Constitución.
- En los cuatro departamentos que optaron por el SÍ a la autonomía, se concluye la redacción de los Estatutos Autonómicos. Las regiones comienzan la recolección de firmas para convocar a referéndums departamentales, que pongan en vigencia los Estatutos.
- Evo Morales habla de convocar a un referéndum revocatorio. Presionado por la comunidad internacional, Morales también llama al diálogo a los prefectos.

2008

- Los prefectos departamentales fijan la fecha del 7 de enero para el diálogo. Las conversaciones se extienden durante un mes, sin resultados.
- Escándalo político por el espionaje de inteligencia a periodistas, opositores, sacerdotes católicos, prefectos y dirigentes cívicos.
- El gobierno comienza el pago de la "renta dignidad" con los fondos confiscados a las prefecturas.
- El prefecto de Santa Cruz, Rubén Costas, convoca a un referéndum departamental para el 4 de mayo, con el fin de poner en vigencia el Estatuto Autonómico.
- El 28 de febrero las milicias sindicales toman el Congreso y el oficialismo aprueba de manera ilegal la convocatoria a los referendos constitucional y dirimidor, también para el 4 de mayo. Posteriormente, la Corte Nacional Electoral pidió que tanto la consulta autonómica como las constitucionales quedaran en suspenso.
- A pesar del boicot gubernamental, que incluyó el congelamiento de cuentas a la prefectura cruceña, el 4 de mayo tuvo lugar el referéndum, en medio de incidentes aislados de violencia promovidos por grupos afines al MAS. El Sí a la puesta en vigencia del Estatuto Autonómico alcanzó un abrumador 85%. Cuatro días después, el Senado aprobó la polémica Ley del Referéndum Revocatorio, con reglas dispares para la revocatoria del mandato del presidente y los prefectos.
- El 1° de junio, los departamentos de Beni y Pando aprueban sus respectivos Estatutos Autonómicos con votaciones superiores al 80%. Se registran casos de dirigentes afines al partido de gobierno, quienes pagan

a los votantes entre 300 y 500 Bs. por retener sus carnés de identidad hasta el día después del referéndum. Mediante ese procedimiento, sectores del oficialismo pretendieron promover la abstención, con resultados limitados.

- PDVSA compra Gravetal, como parte de la estrategia chavista de hegemonía geopolítica en el sudeste boliviano (cabecera de la Hidrovía y yacimiento del Mutún).
- El gobierno denuncia un supuesto intento de magnicidio. La Fiscalía no encuentra pruebas que respalden la acusación contra dos jóvenes cruceños que portaban un rifle de cacería, en una zona lejana a la que se encontraba el primer mandatario.
- Un integrante de la guardia presidencial es encontrado en las inmediaciones de la estación repetidora de Unitel en Yacuiba (Tarija), momentos después de que la misma sufriera un atentado dinamitero. Se trasladaba en un auto alquilado por la Embajada de Venezuela.
- El 22 de junio, el departamento de Tarija aprueba su Estatuto con el 79% de la votación.
- Los gobernadores y prefectos de oposición declaran su negativa a someterse al Referéndum Revocatorio. Al mismo tiempo, señalan la necesidad de ir a elecciones anticipadas.
- Brutal represión contra integrantes de la Unión Juvenil Cruceñista, tras la toma relámpago de un peaje.
- El 29 de junio se produce la quinta derrota del MAS en dos meses, con la elección de la candidata opositora, Savina Cuéllar, como prefecta de Chuquisaca.

ÍNDICE DE FUENTES HEMEROGRÁFICAS, BIBLIOGRÁFICAS, DOCUMENTALES, VIRTUALES Y AUDIOVISUALES

PRENSA INTERNACIONAL

Solidarietá ("Soros, rey de la droga libre" y "Bolivia y el imperio de la droga de Soros")

Executive Intelligence Review ("El narcoterrorismo a la toma del poder en Bolivia" y "Soros gana el round boliviano", por Dennis Small)

Rebelión (James Petras)

Red Voltaire (Gastón Pardo)

La Stampa (declaraciones del ex canciller soviético y ex presidente de la república de Georgia, Eduard Shevardnadze)

Globe and Mail (Canadá)

Counterpunch (Jacob Levich)

Time ("George Soros y sus indeseables cruzadas")

The New York Times

Clarín ("La mina boliviana que compró Soros")

La Jornada (México)

Página 12 (Álvaro García Linera entrevistado por José Natanson)

Associated Press (AP)

Revista Veja (Brasil)

Revista Noticias (Argentina)

El País (España)

La Nación (Argentina)

The Wall Street Journal

"En el laberinto de Bolivia" (artículo de Tomás Eloy Martínez, publicado en varios medios internacionales)

PRENSA NACIONAL

Datos ("El factor Soros en Bolivia")

Agencia de Noticias Fides (ANF)

La Gaceta Ilustrada (1992, artículo "Quién es quién" sobre el EGTK)
La Razón
El Juguete Rabioso
Agencia Boliviana de Información (ABI)
El Deber
El Nuevo Día
La Estrella del Oriente
La Prensa
Los Tiempos
La Patria
Correo del Sur
El Mundo
Pulso
Bolpress
Indymedia Bolivia
Somos Sur
Entrevista de Carlos Hugo Molina a Filemón Escóbar
Declaraciones de Andrés Soliz Rada tras su salida del gobierno (varios medios)
Solicitadas de Minera San Cristóbal en varios medios nacionales
Declaraciones del ex-prefecto David Sánchez en El Mercurio (Chile)
Declaraciones del senador masista Gerald Ortiz a la Oficina de Prensa del Senado
"Indios y q´aras: la reinvención de las fronteras internas" (artículo de Álvaro García Linera)
"Rebelión en la ciudad más joven de Bolivia" (artículo de Álvaro García Linera)

BIBLIOGRAFÍA CONSULTADA

"El regreso del idiota" (Plinio Apuleyo Mendoza, Álvaro Vargas Llosa y Carlos Alberto Montaner)
"Sociología de los movimientos sociales en Bolivia: estructuras de movilización, procesos enmarcadores y acción política" (Álvaro García Linera y otros)

"Manifiesto Comunista" (Karl Marx y Friedrich Engels)

"La Fraternidad TAU" (memoria institucional publicada por Xavier Nogales)

"Teoría de la clase ociosa" (Thorstein Veblen)

"Presidencia sitiada" (Carlos Mesa Gisbert)

"La Formación de la Conciencia Nacional" (René Zavaleta Mercado)

"Confianza" (Francis Fukuyama)

"Las relaciones de producción en Rusia" (Cornelius Castoriadis)

"La explotación del campesinado bajo el capitalismo burocrático" (ídem)

"El papel de la ideología bolchevique en el nacimiento de la burocracia" (ídem)

"El régimen social de Rusia" (ídem)

"El destino de los totalitarismos" (ídem)

"Evo Morales de la coca al palacio, una oportunidad para la izquierda indígena" (Pablo Stefanoni y Hervé do Alto)

"Evo Morales, primer indígena que gobierna en América del Sur" (Malu Sierra y Elizabeth Subercaseaux)

"Biografía de Evo Morales" (Alex Contreras)

"Un tal Evo" (Roberto Navia y Darwin Pinto)

"Evo Morales. La Biografía" (Muruchi Poma)

"Tecnología Militar y Estrategia Nacional" (Norberto Ceresole)

"Caudillo, Ejército, Pueblo" (ídem)

"Caracas, Buenos Aires, Jerusalén" (ídem)

"Imperio" (Toni Negri)

"Horizontes rojos" (Ion Mihai Pacepa)

"El otro sendero" (Hernando de Soto)

"Movimientos sociales en tiempos de poder" (Ma. Teresa Zegada, Yuri F. Tórrez y Gloria Cámara)

DOCUMENTOS

Información sobre el EGTK incluida en el listado del Departamento de Estado de los EEUU sobre grupos terroristas

"Visión País" (Cámara de Industria, Comercio, Servicios y Turismo de Santa Cruz)

"Pacto por la Democracia, el Trabajo y la Producción" (ídem)

"Territorio, soberanía, vida" (documento programático del MAS)

"50 propuestas concretas para salir de la crisis" (programa de gobierno aprobado por el V Congreso Nacional del MAS)

"Bolivia digna, productiva y soberana para vivir bien" (programa de gobierno del MAS, 2005)

Memorándum de entendimiento firmado por el Ministerio de Planificación y Desarrollo de Bolivia y su par de Venezuela, para la explotación del Mutún

Conclusiones del seminario "Integración y Democracia: Descentralización y Reforma Constitucional"

"Carta abierta por la libertad de expresión" (PEN Club Santa Cruz)

Comunicados de la Asociación Nacional de Prensa (ANP)

Comunicados de la Conferencia Episcopal Boliviana

Comunicados y Resoluciones del Comité Pro Santa Cruz

Comunicados y Resoluciones del Comité Interinstitucional de Sucre

Comunicados y Resoluciones de la Brigada Parlamentaria Cruceña

Comunicados y Resoluciones del Consejo Nacional Democrático (CONALDE)

Comunicados y Resoluciones de la Asamblea Provisional Autonómica de Santa Cruz

Comunicados y Resoluciones del Colegio de Abogados de Santa Cruz

Informes y Comunicados de Human Rights Foundation-Bolivia

Cartas-solicitadas de Human Rights Foundation (Nueva York)

Decretos y Resoluciones Ministeriales del gobierno de Evo Morales Ayma

Certificaciones de la Contraloría General de la República

Carta de renuncia de Alex Contreras

Informe 2007 de la CEPAL sobre el crecimiento económico de Bolivia

Informe 2007 de la Oficina de Naciones Unidas contra la Droga y el Delito (ONNUD)

Informes de la Comisión Boliviana de Energía Nuclear

Informes del Instituto de Investigaciones Forenses (IDIF)

Expediente de la justicia venezolana con el testimonio de Luis Michel Klein Ferrer en el caso de la finca "Daktari"

Informes de las Comisiones de la Asamblea Constituyente
Análisis del Dr. Cayo Salinas sobre el proyecto de Constitución del MAS
Plan "Bolivia III"
Plan "Bolivia Autonómica"

FUENTES VIRTUALES

Open Society Institute (www.soros.org)
MoveOn.org (www.moveon.org)
Capital Research Center (www.capitalresearch.org)
Lindesmith Center (www.lindesmith.org)
American Civil Liberties Union (www.aclu.org)
Democracy Center (www.democracyctr.org)
Centro de Estudios Jurídicos e Investigación Social – CEJIS (www.cejis.org)
Narco News (www.narconews.com)
Centro de Estudios para el Desarrollo Laboral y Agrario – CEDLA (www.cedla.org)
Centro de Investigación y Promoción del Campesinado – CIPCA (cipca.org.bo)
Blog de Bolivia Confidencial (boliviaconfidencial.blogspot.com)
Blog de José Brechner (brechner.typepad.com)
Hoy Bolivia (www.hoybolivia.com)
Boletines virtuales de Prensa Democrática
Boletines virtuales de Bolivia Urgente
La Historia Paralela (www.lahistoriaparalela.com.ar)
Red de Defensa y Seguridad de América Latina – RESDAL (www.resdal.org)
Fundación Goldman (www.goldmanfund.org)
Movimiento Al Socialismo – MAS (www.masbolivia.net)
Megauranium (www.megauranium.com)
Apex Silver Mines (www.apexsilver.com)
Free Market News (www.freemarketnews.com)
Worldnet Daily (www.worldnet.daily.com)

Blog de Hezbollah Venezuela (muyahidin-hezbollah-venezuela.blogspot.com)
Analitica (www.analitica.com)
Blog Fadocracia de José Luis Exeni (falocracia.blogspot.com)
Blog de El Duende (santacruz-bolivia.blogspot.com)
Comisión de Valores de los Estados Unidos (www.secinfo.com)
Editec (www.editec.cl)
Execlub (www.execlub.net)
Gold-Eagle (www.gold-eagle.com)
Business Week (investing.businessweek.com)
Market Watch (www.marketwatch.com)
Business Wire (www.businesswire.com)
Inforpress Centroamericana (www.inforpressca.com)

FUENTES AUDIOVISUALES

Grabaciones de:
Canal 7
Unitel
Red Uno
PAT
ATB
Cadena A
Megavisión
Gigavisión
Activa
SITEL
Radio COPE (España)
Radio Fides
Radio Panamericana
Radio Patria Nueva

ÍNDICE

CAPÍTULO V

CAPÍTULO VI

CAPÍTULO VII

CAPÍTULO VIII

CAPÍTULO IX

CAPÍTULO X

CAPÍTULO XI

CAPÍTULO XII

CAPÍTULO XIII

CAPÍTULO XIV

CAPÍTULO XV

CAPÍTULO XVI